Anna, Hanna en Johanna

Marianne Fredriksson

Anna, Hanna en Johanna

Uit het Zweeds vertaald door Janny Middelbeek-Oortgiesen

UITGEVERIJ DE GEUS

Vierendertigste druk

Oorspronkelijke titel *Anna, Hanna och Johanna*, verschenen bij
Wahlström & Widstrand
© oorspronkelijke tekst Marianne Fredriksson, 1994
Published by arrangement with Bengt Nordin Agency, Sweden
© Nederlandse vertaling Janny Middelbeek-Oortgiesen en
Uitgeverij De Geus bv, Breda 1997
Omslagontwerp Robert Nix
© Omslagillustratie Steve Martin Photography
Foto auteur Leif R. Jansson
Lithografie TwinType, Breda
Drukkerij Haasbeek bv, Alphen a/d Rijn

ISBN 90 5226 474 0
NUGI 301

Verspreiding in België uitgeverij EPO, Lange Pastoorstraat 25-27, 2600 Berchem.

De zonden der vaderen gaan over op de kinderen tot in het derde en vierde geslacht. Dat leerden wij op school toen er nog catechismus werd gegeven. Ik herinner me dat we dat vreselijk onrechtvaardig, primitief en belachelijk vonden. Wij behoorden immers tot de eerste generatie die werd opgevoed tot 'zelfstandige' mensen die hun lot in eigen hand moesten nemen.

Langzamerhand, naarmate de kennis over de invloed van de sociale en psychologische erfenis toenam, kreeg de bijbelspreuk betekenis. Onze vaste patronen, ons gedrag en onze manier van reageren zijn in veel grotere mate een kwestie van overerving dan we hebben willen toegeven. Het is niet altijd gemakkelijk om dat te zien en te erkennen, zo veel is er 'vergeten' en verdwenen in het onderbewuste toen grootouders de boerderijen en streken verlieten waar families generaties lang gewoond hadden.

Over de daden van de moeders zijn er geen bijbelspreuken, hoewel ze vermoedelijk een grotere betekenis hebben dan die van de vaders. Oeroude patronen worden doorgegeven van moeders op dochters die nieuwe dochters krijgen, die nieuwe dochters…

Misschien ligt hierin de verklaring dat vrouwen het zo moeilijk hebben gevonden om voet bij stuk te houden en de rechten te benutten die de maatschappij van gelijkberechtiging te bieden heeft.

Grote dank ben ik verschuldigd aan Lisbeth Andréasson, intendant van Bengtsfors Gammalgård, die een uitgebreide cultuurhistorische controle van het boek over Hanna heeft uitgevoerd, mij van literatuur over Dalsland heeft voorzien en, niet in de laatste plaats, gesproken tekst uit het Zweeds in het grensdialect van Dalsland heeft vertaald. Verder wil ik Anders Söderberg van uitgeverij W&W bedanken voor zijn kritiek, aanmoediging en geweldige enthousiasme over dit project. Dank ook aan mijn vrienden Siv en

Johnny Hansson die, iedere keer dat ik erin geslaagd was mijn nieuwe computer in verwarring te brengen, te hulp schoten. En dat gebeurde heel wat keren!

Tot slot wil ik mijn man bedanken dat hij het volgehouden heeft!

En dan nog iets. Er zitten geen autobiografische elementen in mijn boek. Anna, Hanna en Johanna lijken niet op mij, mijn moeder of mijn grootmoeder. Zij zijn voortgekomen uit mijn fantasie en hebben niets met de zogenoemde werkelijkheid te maken. Dat is nu precies wat hen echt maakt. Voor mij. En hopelijk ook voor u als lezer die gaat nadenken over wie uw grootmoeder was en hoe uw patronen het leven hebben vormgegeven.

Anna

Inleiding

Haar gemoed was helder als een winterdag, een dag zo stil en schaduwloos alsof er pas verse sneeuw gevallen was. Harde geluiden drongen binnen, het gerinkel van bekkens die op de grond vielen, en geschreeuw. Ze schrok ervan. Net als van het gehuil uit het bed naast haar, dat het wit doorkliefde.

Er huilden er velen op de plaats waar zij was.

Vier jaar geleden had ze haar geheugen verloren. Slechts enkele maanden daarna verdwenen de woorden. Ze zag en hoorde wel, maar voorwerpen noch mensen konden benoemd worden en deze verloren daarmee hun betekenis.

Nu kwam ze aan in het witte land waar de tijd niet bestond. Ze wist niet waar haar bed stond of hoe oud ze was. Maar ze vond een nieuwe manier om zich op te stellen en smeekte om barmhartigheid met deemoedige glimlachen. Zoals een kind. En zoals een kind stond ze wijdopen voor gevoelens, alles wat tussen mensen vibreert zonder woorden.

Het was haar duidelijk dat ze zou sterven. Dat was een wetenschap, geen gedachte.

Het was de naaste familie die haar vasthield.

Haar man kwam elke dag. Met hem had ze contact ook zonder woorden. Hij was over de negentig, dus ook hij was al dicht bij de grens. Maar hij wilde niet; niet sterven en niet weten. Omdat hij altijd controle had gehad over zijn eigen leven en over dat van haar, leverde hij een harde strijd met het onvermijdelijke. Hij masseerde haar rug, boog en strekte haar knieën en las haar voor uit de krant. Zij kon er niets tegenover stellen. Hun verbondenheid was lang en gecompliceerd.

Het moeilijkst was het wanneer haar dochter kwam. Die woonde ver weg in een andere stad. De oude vrouw, die geen besef van tijd of afstand had, was altijd onrustig voor het bezoek. Het leek alsof ze al wanneer ze 's ochtends vroeg gewekt werd een voorgevoel had van de auto die door het land reed, en van de vrouw achter het stuur die een onmogelijke verwachting koesterde.

9

Anna begreep wel dat ze kinderlijke verwachtingen had. Maar het hielp niet; zodra ze eraan toegaf gleden haar gedachten weg: nog één keer echt contact en misschien een antwoord op een van de vragen waarvan ik nooit gelegenheid heb gehad ze te stellen. Maar toen ze na ruim vijf uur de parkeerplaats van het verpleeghuis opreed, had ze geaccepteerd dat haar moeder haar ook deze keer niet zou herkennen.

Toch moest ze de vragen stellen.

Ik doe het voor mezelf, dacht ze. Voor mijn moeder maakt het niet uit waar ik over praat.

Maar daarin had ze ongelijk. Johanna begreep de woorden niet, maar stond wel open voor haar dochters pijn en haar eigen machteloosheid. Ze wist niet meer dat het haar taak was om het kind te troosten dat altijd al onmogelijke vragen had gesteld. Maar dat verlangen bestond nog wel en ook het schuldgevoel over haar ontoereikendheid.

Ze wilde vluchten in de stilte, sloot haar ogen. Het lukte niet; haar hart bonkte en achter haar oogleden was de duisternis rood en pijnlijk. Ze begon te huilen. Anna probeerde haar te troosten, stil maar, stil maar, droogde haar moeders tranen af en schaamde zich.

Maar Johanna's vertwijfeling viel niet te stuiten. Anna werd bang en belde om hulp. Zoals gewoonlijk duurde het even, maar toen stond het blonde meisje in de deuropening. Ze had jonge ogen, zonder diepte. In het blauwe oppervlak school verachting en even kon Anna zien wat zij zag: een mens van middelbare leeftijd, angstig en onhandig, naast een stokoude vrouw, goeie genade!

'Stil maar, stil maar', zei ze ook, maar haar stem was hard, net zo hard als haar handen die de oude vrouw over het haar streken. Toch lukte het haar. Johanna sliep zo plotseling in dat het onwerkelijk leek.

'We mogen de patiënten niet opwinden', zei het meisje. 'U moet nu een poosje stil zijn. We komen over tien minuten de luier en het bed verschonen.'

Anna droop af als een geslagen hond. Door de huiskamer vluchtte ze naar het terras, vond haar sigaretten en inhaleerde diep. Dat kalmeerde haar; ze kon weer denken. Eerst gedachten van woede: wat een verdomd kreng, spijkerhard. Knap om te zien, natuurlijk, en afschuwelijk jong. Had moeder haar nu gehoorzaamd uit angst; heerste er hier een discipline die de hulpeloze oudjes voelden en waar ze zich aan overgaven?

Daarna kwamen de zelfverwijten; dat meisje deed háár werk, alles dat zijzelf volgens de wetten der natuur zou behoren te doen. Maar niet kon, zich niet toe zou kunnen zetten, zelfs als er wel tijd en plaats voor was geweest.

Op het laatst kwam ze tot een verbijsterend inzicht: moeder was op de een of andere manier geraakt geweest door haar vragen.

Ze doofde haar sigaret in het roestige conservenblikje dat op de verste tafel stond, een concessie tegen wil en dank aan de verlorenen. God, wat was ze moe. Mamma, dacht ze, lieve fantastische mamma, waarom kunt u geen barmhartigheid tonen en doodgaan?

Geschrokken wierp ze een blik over het park van het verpleeghuis waar de esdoorns in bloei stonden en naar honing roken. Ze ademde de lucht diep in alsof ze troost in het voorjaar zocht. Maar haar zintuigen waren stom. Ik lijk ook wel dood, dacht ze toen ze zich omdraaide en met gedecideerde stappen naar de kamer van het afdelingshoofd liep. Er aanklopte, nog net dacht: Als het Märta maar is.

Het was Märta, de enige die ze hier kende. Ze begroetten elkaar als oude vrienden. De dochter ging in de bezoekersstoel zitten en wilde net een vraag stellen toen ze overmand werd door haar gevoelens.

'Ik wil helemaal niet huilen', zei ze en deed het toen toch.

'Het is ook niet gemakkelijk', zei de zuster, terwijl ze de doos met papieren zakdoeken naar haar toeschoof.

'Ik wil weten hoeveel ze begrijpt', zei de dochter en ze vertelde over haar hoop herkend te worden en over de vragen die ze gesteld had aan haar moeder, die deze niet begreep en tegelijkertijd toch wel.

Märta luisterde zonder verwondering: 'Ik geloof dat oude mensen dingen begrijpen op een manier die wij moeilijk kunnen vatten. Als pasgeborenen. Je hebt immers zelf twee baby's gehad; je weet dat ze alles in zich opnemen, onrust en blijdschap. Dat weet je toch nog wel?'

Nee, dat wist ze niet meer; ze herinnerde zich alleen nog haar eigen overweldigende gevoel van tederheid en ontoereikendheid. Maar ze begreep wel waar de verpleegster het over had, want ze had kleinkinderen van wie ze veel had geleerd.

Daarna praatte Märta in troostende bewoordingen over de algemene toestand van de oude vrouw; ze hadden haar doorligwonden onder controle, dus lichamelijke pijn had ze niet.

'Maar 's nachts is ze wat onrustig', zei ze. 'Het lijkt alsof ze nachtmerries heeft; ze wordt schreeuwend wakker.'

'Droomt ze…?'

'Natuurlijk droomt ze, dat doet iedereen. Het trieste is dat we nooit te weten kunnen komen waar ze over dromen, onze patiënten.'

Anna dacht aan de poes die ze vroeger thuis hadden, dat mooie beest dat opeens in de slaap opveerde en siste met uitgeslagen klauwen. Daarna schaamde ze zich ook voor die gedachte. Maar Märta zag haar verlegenheid niet.

'Vanwege Johanna's slechte conditie willen we haar liever geen kalmerende middelen geven. Ik geloof ook dat ze haar dromen misschien nodig heeft.'

'Nodig heeft…?'

Zuster Märta deed net alsof ze de verwondering in de stem van de ander niet hoorde en ging verder: 'We willen haar een eigen kamer geven. Zoals het nu is stoort ze de anderen op de zaal.'

'Een eigen kamer, kan dat dan?'

'We waken bij Emil op nummer zeven', zei de verpleegster, terwijl ze haar ogen neersloeg.

Pas toen de dochter de parkeerplaats afreed begreep ze de strekking van de woorden over Emil, de oude predikant van de Pinkstergemeente, wiens psalmen ze door de jaren heen gehoord had. Ze had er vandaag niet bij stilgestaan dat het rustig was geweest in zijn kamer. Jarenlang had ze hem horen zingen over het leven in het dal van de doodsschaduw en over de Here die met zijn vreselijke oordelen wachtte.

Johanna's geheime wereld volgde de klok. Die wereld werd 's nachts rond drie uur geopend en 's ochtends vroeg om vijf uur gesloten.

Ze was beeldenrijk, vol met kleuren, geuren en stemmen. Ook met andere geluiden. De waterval bruiste, de wind zong in de toppen van de esdoorns en in het bos klonk het gejubel van vogelenzang.

Deze nacht trillen haar beelden van spanning. Het is zomer en vroeg in de ochtend; een schuine zon en lange schaduwen.

'Je bent verdomme niet goed wijs', schreeuwt de stem die ze het beste kent, die van haar vader. Hij is rood in zijn gezicht en ziet er angstaanjagend uit in zijn opwinding. Ze wordt bang en slaat haar armen om zijn benen. Hij tilt haar op, strijkt haar over het haar en zegt: 'Geloof hem maar niet, meisje.'

Maar haar oudste broer staat midden in de kamer; hij ziet er goed uit met blinkende knopen en hoge laarzen en ook hij schreeuwt.

'Naar de grot moeten jullie, en er in ook. Morgen kunnen ze al hier zijn.'

Nu is er nog een stem te horen, een doortastende.

'Maar luister nou, jongen. Denk je dat Axel en Ole van Moss en de zoon van Astrid van Fredrikshald hierheen komen om ons dood te schieten?'

'Ja moeder.'

'Ik geloof dat je gek bent', zegt de stem, maar die klinkt nu onzeker. En de vader kijkt de soldaat aan, blik ontmoet blik en de oudere kan de ernst in de ogen van de jongere niet weerstaan.

'Dan doen we wel wat jij zegt.'

Daarna wisselen de beelden elkaar af, worden beweeglijk. Stampende voeten, zware dingen die worden opgetild. Ze ziet hoe de aarden kelder en de voorraadschuur worden leeggemaakt. De grote ton met pekelspek wordt naar buiten gedragen, de harington, de aardappelkist, de bramenkruik, de boter in haar houten kuip, de harde broden, alles naar buiten. De heuvel af naar de roeiboot toe. Zakken gevuld met dekens en kleren, alle wol die er in het huis te vinden is, gaan dezelfde weg, de steile helling af naar het meer toe. Ze ziet haar broers roeien, met zware halen naar de landtong in het meer toe, met lichte weer terug.

'De petroleumlampen!' Dat roept moeder, terwijl ze het huis in loopt. Maar de soldaat houdt haar tegen; ook hij roept: 'Nee, moeder, u zult het zonder licht moeten stellen.'

Het kind heeft grote ogen van angst. Maar dan gaat er een citroenvlinder op haar hand zitten.

Nu verspringt het beeld; de dag is spaarzaam met zijn licht en zij zit op de nek van haar vader en wordt, zoals zo vaak in de vroege avond, de steile hellingen op gedragen naar de bergmeren. Die zijn geheimzinnig en in zichzelf gekeerd, heel anders dan het grote meer met zijn licht en zijn blauwe geglinster. Maar vlak boven de water-molen verbreekt de grootste van de donkere meren de stilte en hij zou zich met al zijn kracht in de waterval hebben gestort als de dam er niet geweest was.

Vader controleert het schot in de dam zoals hij elke avond doet.

'Noors water', zegt hij en zijn stem wordt zwaar. 'Vergeet dat niet, Johanna, dat het water dat ons te eten geeft uit Noorwegen komt. Water', zegt hij, 'is veel wijzer dan mensen, dat trekt zich van grenzen niks aan.'

Hij is woedend. Maar zolang ze op zijn schouders mag zitten, is ze niet bang.

Nu begint het donker te worden. Moeizaam en zwaar begeeft hij zich de hellingen af, loopt naar de watermolen toe en voelt aan de sloten. Het meisje hoort hem zachtjes lelijke woorden zeggen, voordat hij het pad naar de boot verder afloopt. In de grot is het stil. Haar broers zijn in slaap gevallen, maar haar moeder beweegt zich onrustig op de harde slaapplaats.

Het meisje mag op de arm van haar vader slapen, zo dicht tegen hem aan als ze kan. Het is koud.

Later, nieuwe beelden. Zij is nu groter, dat ziet ze aan haar voeten die naar de opening van de grot toe rennen. Ze heeft klompen aan, want nu is het glad op de hellingen.

'Vader,' roept ze, 'vader.'

Maar hij geeft geen antwoord. Het is herfst, het wordt al gauw donker. Dan ziet ze het licht in de opening van de grot en ze wordt bang. Er klinken harde geluiden uit de grot en Rudolf is daar, de smid, voor wie ze bang is. Ze ziet dat ze allebei wankelen, hij en haar vader.

'Naar huis jij, snotneus', schreeuwt hij en ze rent en huilt, ze rent en valt, doet zich zeer, maar de pijn van haar kapotte knieën is niets vergeleken met de pijn in haar borst.

'Vader', roept ze. 'Vader.'

En dan is de nachtzuster er, bezorgd: 'Stil maar, stil maar, Johanna. Het was maar een droom, slaap maar, ga maar slapen.' Zoals gewoonlijk gehoorzaamt ze; ze slaapt nog wat totdat de stemmen van de ochtenddienst haar lichaam binnendringen en als ijs door haar aderen gaan. Ze rilt van de kou, maar niemand ziet het; de ramen gaan open, ze verschonen haar en ze heeft het niet langer koud en voelt geen schaamte.

Ze is terug in het witte niets.

Voor Anna volgde er een nacht vol ingewikkelde en verhelderende gedachten. Die gedachten waren gewekt door het gevoel dat ze kreeg toen zuster Märta haar had gevraagd naar haar eigen baby's: tederheid en ontoereikendheid. Bij haar was het altijd zo geweest dat ze, wanneer de gevoelens sterk werden, kracht verloor.

Pas tegen drieën was ze in slaap gevallen. Ze droomde. Over moeder. En over de molen en de waterval die zich in het lichte meer stortte. In haar droom was het grote water stil en blinkend geweest.

De droom had haar getroost.

Lieve hemel, wat kon moeder altijd mooi vertellen! Over de elfjes die in het maanlicht over het meer dansten en over de heks die met de smid getrouwd was en die in staat was het verstand uit mens en dier te toveren. Toen Anna ouder werd groeiden de sprookjes uit tot lange vertellingen over leven en dood van de mensen in het magische grensland. Toen ze elf jaar was en kritisch werd, had ze gedacht dat het allemaal leugens waren, dat het vreemde land alleen in haar moeders fantasie bestond.

Op een dag, toen ze al volwassen was en haar rijbewijs had gehaald, had ze haar moeder meegenomen en waren ze met de auto naar de waterval bij het lange meer gereden. Het was maar twee-honderdveertig kilometer. Ze kon zich nog herinneren hoe boos ze was op vader toen ze de afstand op de kaart had opgemeten. Hij had al jaren een auto; die paar uur had hij best kunnen rijden met Johanna en hun dochter, die zo veel had horen vertellen over dat land uit haar moeders kindertijd. Als hij gewild had. En het besef had gehad.

Maar toen ze het doel hadden bereikt, zij en haar moeder op die zonnige dag dertig jaar geleden, was haar woede overgewaaid. Ernstig en verbaasd stond ze daar en zag: het klopte, hier lag het, het sprookjesland met het lange meer beneden, de waterval met een hoogte van ruim twintig meter en de stille Noorse meren hoog in de bergen.

De molen was afgebroken. Er was een krachtcentrale gebouwd, maar die was buiten gebruik sinds er kernenergie was gekomen. Het mooie rode huis was er nog, nu al sinds jaren een vakantiehuis van een onbekende.

Het moment was te groot geweest voor woorden, dus ze hadden niet veel gezegd. Moeder had gehuild en zich daarvoor verontschuldigd: 'Ik stel me zo aan.' Pas toen ze hun picknickmand uit de auto hadden gehaald en zich met hun koffie en broodjes op een vlakke rots bij het meer hadden geïnstalleerd, was Johanna gaan praten en de woorden waren gekomen, precies zoals toen Anna nog klein was. Dit keer had ze het verhaal gekozen over de oorlog die niet doorging: 'Ik was immers pas drie jaar toen de crisis van de Zweeds-Noorse unie begon en wij naar de grot verhuisden. Daarginds, achter de landtong. Misschien denk ik alleen maar dat ik het nog weet, omdat ik het verhaal toen ik opgroeide zo vaak heb horen vertellen. Maar volgens mij heb ik er zelf zulke duidelijke beelden van. Ragnar kwam thuis, en hij was zo knap in zijn blauwe uniform met glimmende knopen, en hij verkondigde dat het oorlog zou worden. Tussen ons en de Noren!'

De verwondering had nog steeds doorgeklonken in haar stem, de verwondering van een kind over het onbegrijpelijke. Het driejarige meisje had net zoals iedereen in de grensstreek familie aan de andere kant van de Noorse meren; de zuster van haar moeder was getrouwd met een vishandelaar in Fredrikshald. Haar neefjes hadden vele zomerweken in het molenaarshuis doorgebracht en zelf had ze nog maar een maand geleden samen met haar moeder een bezoek gebracht aan de stad met de grote vesting. Ze wist nog hoe de vishandelaar rook en wat hij had gezegd toen ze naar de vestingmuren stonden te kijken.

'Daar hebben we er eentje doodgeschoten, een klote-Zweed.'

'Wie?'

'De Zweedse koning.'

Het meisje was bang geworden, maar haar tante, die van een zachtaardiger slag was dan haar moeder, had haar opgetild en getroost: 'Dat is al heel lang geleden. En de mensen vroeger hadden geen verstand.'

Maar misschien was er toch iets in de stem van haar oom geweest dat zich in haar geest had vastgezet, want een poosje na het bezoek aan Noorwegen had ze haar vader ernaar gevraagd. Die lachte en zei zo ongeveer hetzelfde als haar tante: dat het heel lang geleden was, toen de mensen zich nog lieten regeren door koningen en krankzinnige officieren.

'Maar het was geen Noor die schoot. Het was een Zweed, een onbekende held uit de geschiedenis.'

Ze had het niet begrepen, maar ze herinnerde zich de woorden. En veel later, toen ze in Göteborg naar school ging, had ze gedacht dat hij gelijk had gehad. Zeker was het een gezegend schot, dat een eind maakte aan het leven van Karel xii.

Ze waren lang op het rotsplateau blijven zitten, moeder en Anna. Daarna hadden ze langzaam rond de baai gewandeld, door het bos naar de school die er nog stond, maar veel kleiner was dan Johanna zich herinnerde. Midden in het bos lag een rotsblok. De worp van een reus, dacht Anna. Moeder was een hele poos bij de steen blijven staan, verwonderd: 'Wat is hij klein.' Anna, die zelf in haar jeugd ook toverkracht aan de rotsen had toegeschreven, lachte niet.

Heel die lange zaterdag slaagde Anna erin een goede dochter te zijn. Ze kookte haar vaders lievelingsgerechten, luisterde zonder zichtbaar ongeduld naar zijn eindeloze verhalen en reed hem naar de aanlegsteiger waar de boot lag. Ze zat daar en had het een beetje koud, terwijl hij de fenders en het vouwdak controleerde, de motor een keer liet draaien en de eidereenden stukjes brood voerde.

'Zullen we een eindje gaan varen?'

'Nee, het is te koud. En ik moet toch nog naar moeder.'

Hij had een spottende blik in de ogen. Anna had nooit geleerd om een zeil gereed te maken of een buitenboordmotor aan te trekken. Zeker omdat hij… maar hij kon maar beter voorzichtig zijn.

'Jij', zei hij, 'hebt je hele leven nooit iets anders gedaan dan met je neus in de boeken zitten.'

Hij wilde haar kwetsen en dat lukte.

'Ik kan er anders goed van leven', zei ze.

'Geld', zei hij en de spot kroop nu in zijn mondhoeken, 'betekent anders niet alles in deze wereld.'

'Dat is waar. Maar voor u toch wel veel, zoals u klaagt over uw pensioen en elke öre omdraait.'

Nu was het masker van de goede dochter gebarsten, dacht ze, terwijl ze haar eigen kwetsbaarheid verwenste en in elkaar kroop voor de onvermijdelijke ruzie. Maar zoals gewoonlijk was hij onberekenbaar. Dat maakt hem nou zo moeilijk, dacht ze.

'Jij zult nooit begrijpen wat het is om honger te hebben en arm te zijn', zei hij. 'Ik heb al vroeg moeten leren om elke öre te tellen.'

Het lukte haar om te glimlachen, om te zeggen: 'Ik maakte maar een grapje, vadertje.' En de wolk trok over; zij hielp hem aan land en de auto in.

Hij heeft slechts twee kanten, dacht ze, woede en sentimentaliteit. Wanneer het ene zich heeft gelucht is het tijd voor het andere. Toen bedacht ze dat ze onrechtvaardig was. En hij had trouwens gelijk; zij had nooit honger geleden.

In het verpleeghuis ging het vandaag ook beter. Anna deed wat ze moest doen; ze brabbelde tegen de oude vrouw, hield haar hand vast en voerde haar toen de lunch kwam: 'Een lepeltje voor pappa, een lepeltje voor mamma..' Midden in het riedeltje hield ze op; ze schaamde zich. Dit was vernederend.

De oude vrouw sliep in na het eten. Anna bleef zitten en bekeek het rustige gezicht. Als ze sliep leek ze bijna niet anders dan vroeger en Anna, die het gevoel had uit elkaar te barsten van tederheid en onvermogen, ging even naar buiten om te roken op het terras. Met een sigaret in haar hand probeerde ze zich haar moeders moeilijke kanten voor de geest te halen; haar neiging zichzelf weg te cijferen en anderen een schuldgevoel te geven. Een huisvrouw met één kind en alle tijd in de wereld om het te verafgoden.

Het was dwaasheid; dit hielp haar niet. Niets doet zo veel pijn als liefde, dacht ze. De fout met mij is dat ik er te veel van heb gekregen, daarom kan ik mezelf niet in de hand houden. Niet als het om moeder gaat en niet als het om Rickard gaat. En al helemaal niet wanneer het om de kinderen gaat.

De gedachte aan haar twee dochters deed ook pijn. Zonder aanleiding; ze had geen enkele reden om zich zorgen over hen te maken. Ook zij hadden een ontoereikende moeder gehad. En wat gebeurd was kon ze niet meer ongedaan maken.

Toen ze terugkwam in de ziekenkamer werd haar moeder wakker en keek haar aan; ze probeerde te glimlachen. Het was maar een kort moment en misschien gebeurde het wel helemaal niet. Maar Anna werd zo gelukkig alsof ze een engel gezien had.

'Dag mammaatje', zei ze. 'Wilt u weten wat ik vannacht ge-droomd heb? Ik heb gedroomd over het water uit Noorwegen, over alles wat u verteld hebt.'

Het moment was allang voorbij, maar Anna praatte door, rustig en in lange zinnen. Zoals je tegen een volwassene praat.

'Ik moest denken aan die keer dat wij er voor het eerst waren, u en ik. U weet het vast nog wel. Het was een mooie zomerdag en ik was zo verbaasd dat alles precies zo was als u had verteld. Wij zaten op dat grote rotsplateau vlak bij het meer, weet u nog? En u vertelde over de grot waar jullie heen waren gevlucht toen jullie dachten dat er oorlog met Noorwegen zou komen, en over hoe jullie daar woonden en hoe koud iedereen het had. Behalve u, omdat u dicht tegen uw vader aan mocht slapen.'

Misschien was de wens de vader van de gedachte, maar Anna meende te zien dat het gezicht van de oude vrouw opleefde; de uitdrukking erop veranderde van verwondering in blijdschap.

Ze glimlachte.

Ik verbeeld het me, het kan helemaal niet, maar ik zie dat het wel kan, hou vast, moeder, hou vast.

Ze praatte verder over de waterval en het bos, en de uitdrukking op het gezicht verdween weer. Maar toen zei ze: 'Ik heb me vaak afgevraagd hoe het was om daar in de grot te slapen. Terwijl het zo koud was en jullie geen vuur mochten maken en alleen koud voedsel aten.'

Nu was er geen twijfel mogelijk; het gezicht veranderde op-nieuw van uitdrukking. Deze keer neeg het naar vrolijkheid.

Ze probeerde tegen Anna te glimlachen. Dat kostte veel inspanning en het lukte haar dan ook niet; het werd een grimas. Maar toen gebeurde het wonder opnieuw; de bruine ogen keken recht in die van Anna, met een vaste en betekenisvolle blik.

Het volgende moment sliep ze. Anna bleef lang zitten. Na een half uur ging de deur open en het meisje met de blauwe ogen zei: 'Het is tijd om de patiënten te verschonen.'

Anna stond op en fluisterde haar moeder een bedankje in de oren. Toen ze de kamer uit ging begon de oude vrouw in het bed naast dat van haar moeder te schreeuwen.

Anna nam een omweg langs het strand. Ze bleef een poosje in de auto zitten om uit te kijken over de landtong waar ze had leren zwemmen. Waar muskuskruid en lijmkruid, ooievaarsbek en rolklaver zich tussen de rotsblokken hadden vermengd met het stugge helmgras lag een scheepswerf. De eenvoudige koophuizen waren opgeknapt met betonstenen en met zo weinig smaak uitgebouwd dat je ze nauwelijks nog herkende. Verder weg naar de rotsen toe, waar in haar jeugd de weilanden vol wilde aardbeien, korenbloemen en koeien zich hadden uitgestrekt, lagen nu rijtjeshuizen als omvergeworpen flatgebouwen.

Alleen de zee was nog hetzelfde. En de eilanden, die zich met hun lage profiel aftekenden tegen de grijze horizon.

Een verloren land, een verloren jeugd.

Ooit liepen we hier hand in hand over het strand. Met badlakens en een lunchpakket: broodjes en koffie voor u en vruchtensap voor mij. Ik word volwassen, dacht ze verdrietig. En boos. Waarom moet het leven zo lelijk worden, zo barbaars?

Mijn moeder was mooi, zoals het landschap hier dat ook is geweest. En nu takelt ze af. En ik probeer te leren dat te accepteren. Dat wordt ook wel tijd, want ik ben ook al oud, bijna oud.

Moet naar huis.

Maar ze had zich niet hoeven haasten want haar vader sliep. Als een dief struinde ze door het huis en vond ten slotte wat ze zocht. De fotoalbums. Maar de foto's riepen geen herinneringen op; het was meer een bekijken van buitenaf. Ja, zo zagen we er uit.

Voorzichtig trok ze de lade uit om het oude fotoalbum terug te leggen. Het lag niet goed en het duurde even voordat ze zag waarom. Onder het gebloemde papier waarmee haar moeder jaren geleden de laden had bekleed lag nog een foto, ingelijst achter glas. Haar moeders moeder!

Ze haalde de foto te voorschijn en keek verwonderd naar de muur waar hij altijd had gehangen naast haar grootouders van vaders kant, haarzelf en de kleinkinderen. Inderdaad, de foto was weg en de bleke plek op het behang liet zien waar hij gezeten had.

Wat gek. Waarom had hij grootmoeder eraf gehaald? Had hij haar niet gemogen? Ja toch?

Wat weet ik eigenlijk? Wat kun je weten over je ouders? Over je kinderen?

En waarom is dat zo belangrijk? Waarom voelt het als een tekortkoming dat ik iets niet meer weet en dat ik iets niet heb begrepen? Bij mij is het net een gat dat gedicht moet worden. Alsof ik geen jeugd heb gehad, er alleen een verhaal over heb gehoord, over wat er gebeurd en misschien niet gebeurd is.

Het waren goede vertellers. Vooral moeder, met haar vermogen om alles beeldend te maken.

Vergulde beelden?

Dat vader overdreef, er dingen bij verzon voor het effect en wegliet wat ingewikkeld was, had ze al als kind begrepen. En hem dat vergeven, omdat dramatiek spannend is en een pointe leuk.

Zachtjes sloop ze de trap op naar haar oude tienerkamer. Ze ging op bed liggen en voelde hoe moe ze was. Precies op de grens van de slaap kreeg ze plotseling het idee dat ze een belangrijke ontdekking had gedaan. Misschien had ze zo weinig jeugdherinneringen omdat ze in een beschrijving had geleefd. Een verhaal waarin ze zichzelf nooit echt herkende.

Ontstond op die manier het gevoel een vreemdeling te zijn?

Ze werd wakker toen de oude man in de keuken met de koffieketel rammelde. Ze stond snel op en rende met een slecht geweten de trap af.

'Oh, ben je daar', zei hij glimlachend. 'Ik dacht dat ik gedroomd had dat je hier op bezoek was.'

'Was u het vergeten?'

'Ik vergeet alles zo makkelijk tegenwoordig.'

Ze nam de koffieketel uit zijn hand en zei: 'Gaat u nou maar zitten, dan regel ik de koffie.'

Ze vond nog kaneelbroodjes in de diepvries, ontdooide ze in de oven en zag hoe het warme water door het koffiefilter borrelde. Ze rook de koffie en luisterde niet naar de oude man, die midden in een verhaal zat over hoe hij een keer een walvis had gezien toen hij van Skagen terugzeilde. Het was een heel oud verhaal; ze had het vaak gehoord. Met plezier.

Maar nu had hij het vermogen verloren om de spanning over te brengen en de draad vast te houden. Zijn verhaal kroop met een slakkengangetje voort, nam omwegen, en hij verloor de draad helemaal: 'Waar was ik ook al weer?'

'Bij Varberg.'

'Oh ja, dat is ook zo', zei hij dankbaar, maar de draad die hij oppakte bij Varberg hoorde weer bij een ander verhaal over een meisje en een dans op de binnenplaats van het kasteel in die oude vestingstad. Midden in het verhaal stopte hij en hij zei verward dat het waarschijnlijk bij de vesting van Kungälv was geweest dat hij op een mooie zomernacht had gedanst. En toen slaags was geraakt met de verloofde van het meisje.

Toen hij zijn unieke overwinning op de verloofde beschreef was hij helder en duidelijk; het niveau van het verhaal ging omhoog, het kreeg glans. Om meteen daarna weer in elkaar te zakken in een wirwar van andere herinneringen aan vechtpartijen die hij had gewonnen, aan een op hol geslagen paard dat hij had gestopt en aan een kind dat ergens in een haven in het water was gevallen en dat hij het leven had gered.

Ze nam de kaneelbroodjes uit de oven en haar wanhoop was onverdraaglijk. Het was vreselijk, die ongegeneerde opschepperij en die afgetakelde hersenen die maar allerlei herinneringen uitspuwden.

Trouwens, herinneringen? Misschien waren het alleen maar sterke verhalen die met de jaren steeds sterker waren geworden.

Ik wil niet oud worden, dacht ze. En toen ze de koffie inschonk: Hoe kan ik ooit oprecht zijn? Maar hardop zei ze: 'Uw tafelzeil begint te verslijten. We moeten morgen maar eens een nieuw gaan kopen.'

Na de koffie ging de oude man voor de televisie zitten, die gezegende, afschuwelijke televisie. Daar, in zijn versleten fauteuil, viel hij zoals gewoonlijk in slaap. Zij kon de maaltijd voorbereiden en had ook nog tijd voor een wandelingetje in het eikenbosje dat tussen de rotsen en het huis in lag.

Ze sleepten zich door de maaltijd; hamburgers met roomsaus en vossebessen.

'Zulk eten krijg ik alleen als jij hier bent', zei hij. 'Die meisjes die hier komen helpen hebben nooit tijd om echt eten te koken.'

In zijn woorden klonk een verwijt door. Toen het leek alsof zij het niet begreep onderstreepte hij het nog eens: 'Je kunt toch net zo goed hier gaan zitten schrijven.'

'Ik heb ook nog een man en kinderen.'

'Die kunnen hier toch op bezoek komen', zei hij. Zij dacht dat hij ergens wel gelijk had. Zeker zou ik mijn rapport hier op mijn oude kamer kunnen afmaken.

Oprecht, dacht ze en ze glimlachte midden in al haar ellende. Hoe word je oprecht? Stel je voor dat ik zou zeggen hoe het echt is, dat ik geen moment rust heb in uw huis, vader, dat ik me nu niet kan voorstellen hoe ik het hier nog twee dagen volhoud zonder gek te worden.

'Van mij zou je verder geen last hebben', zei hij.

Er zat een smekende ondertoon in zijn woorden en zij stond op het punt om in huilen uit te barsten. In plaats daarvan begon ze te praten over computers, die ze nodig had voor haar werk; die dingen kon je niet verplaatsen.

Oprecht, zat ze te denken, terwijl ze haar vader recht in zijn gezicht voorloog. Toen hij van tafel opstond en zei dat hij lekker had gegeten, zat er een kille ondertoon in zijn stem. Ik mag hem niet, dacht ze. Ik ben bang voor hem, ik hou het niet meer met hem uit, ik verafschuw hem. Het probleem is dat ik van hem hou.

Ze deed de afwas. Er kwam een buurman langs; een man die ze graag mocht, een beminnelijke man. Zoals gewoonlijk was hij vrolijk. Hij streek haar over haar wang en zei: 'Het is niet gemakkelijk, dat begrijp ik best.' Ze voelde een onverklaarbare angst toen zijn blik de hare kruiste, alsof er een schaduw door de keuken ging.

'Ga maar naar vader, dan maak ik even een gin-tonic klaar', zei ze en ze hoorde zelf hoe onvast haar stem was.

Met trillende handen maakte ze het dienblad klaar; de fles met gin die ze had meegebracht, tonic, een schaaltje pinda's. Voorge-voelens? Nee! Ik ben moe en een idioot. Hij is nog jong, gezond en vrolijk, iemand die lang leeft. Toen ze de drankjes binnen bracht, zei ze als in het voorbijgaan: 'En hoe is het met jou, Birger?'

Hij keek haar verbaasd aan en zei dat het, zoals altijd, goed met hem ging. Ze knikte maar durfde hem de hele avond niet aan te kijken.

Het was al vroeg tijd om naar bed te gaan; zo rond negen uur werd de oude man plotseling moe. Zij hielp hem in bed, zo voorzichtig en inschikkelijk als ze kon. Zijn waardigheid was kwetsbaar.

Ze nam een kopje thee mee naar haar kamer, dat hoorde er ook bij. Moeder had daar altijd op gestaan, een kopje thee met honing erin, voordat ze naar bed gingen. Toen ze de hete drank opdronk kwamen haar jeugd en de herinneringen van haar zintuigen tot leven. De geur van honing in thee, een kopje met blauwe bloemen erop en buiten voor het raam het geschreeuw van de stormmeeu-wen die zich met brutale levensvreugde uit de hemel naar beneden stortten.

Ze deed het raam open en volgde de schreeuwende troep met haar blik. De vogels vlogen naar zee, over Asperö en Köpstadsö. Vlak daarna hoorde ze de merel zingen in de eiken waarin de maand mei zich net liet zien.

Het was te veel; een dergelijke weemoed kon ze niet verdragen. Ze nam resoluut een slaaptablet.

Het gouden licht wekte haar al vroeg. Misschien was het niet alleen het licht, want de vogelenzang uit de tuin was die nacht tot in haar dromen doorgedrongen, mooi en krachtig als het voorjaar zelf. Ze bleef een poosje stil liggen en probeerde de verschillende stemmen te onderscheiden; het gejubel van de vink, het vrolijke gefluit van de koolmeesjes en de trillers van de zwaluwen die onder de dakpannen kropen.

De zwaluwen zijn gekomen om een nest te bouwen onder de dakpannen, dacht ze en even had ze het gevoel dat alles in harmonie was.

Ze sloop naar beneden naar de keuken. Doodstil maakte ze een kop koffie klaar, pikte een kaneelbroodje en sloop de trap weer op. Ze wist nog dat de zevende tree kraakte, sloeg die over en redde het; de oude man bleef snurken in zijn slaapkamer.

Ze mediteerde. De vogelenzang hielp haar binnen te komen in haar eigen stilte en in de zekerheid dat niets er toe doet, ook al is alles lijden. Ze slaagde er zelfs in een ogenblik lang te geloven dat haar moeder het niet moeilijk had, dat ze de pijn ontstegen was. En dat haar vaders geheugen zo kort was dat hij zijn verbittering niet kon vasthouden.

Vervolgens haalde ze de foto van grootmoeder te voorschijn en keek er lang naar.

Hanna Broman. Wie was je? Ik kende je, gek genoeg, eigenlijk bijna alleen maar van horen zeggen. Je was een legende, groots en dubieus. Enorm sterk, zei moeder.

Ik moet zelf nog beelden van je hebben; je leefde immers nog toen ik volwassen werd, ging trouwen en kinderen kreeg. Maar de foto lijkt niet op mijn herinneringen aan jou. Dat is ook logisch; deze foto is genomen toen je jong was, een vrouw in haar beste jaren. Ik heb je alleen gezien toen je oud was, een vreemdeling, ongelooflijk groot en dik, gehuld in enorme zwarte jurken met veel plooien.

Zo zag je er dus uit toen je nog in de kracht van je jaren was, toen je nog tien kilometer van de molen bij de waterval naar het dorp bij de grens liep met een zak meel van vijftig kilo. Daar ruilde je het meel voor koffie, petroleum, zout en andere eerste levensbehoeften. Zou het waar zijn? Je droeg de zware zak op je rug, zei moeder. Maar alleen in het voor- en najaar. In de zomer nam je de roeiboot en in de winter trok je de slee over het ijs.

Wij werden in verschillende werelden geboren, jij en ik. Maar ik zie nu wel dat we op elkaar lijken; hetzelfde voorhoofd en dezelfde haarinplant met diepe inhammen. Dezelfde lange bovenlip en korte neus. Maar jij hebt een andere kin, die van jou is krachtig en vastberaden. Je hebt een vaste blik, je ogen zijn afstandelijk. Ik weet nog dat ze bruin waren.

We kijken elkaar lang aan. We kijken elkaar voor het eerst aan! Wie was je? Waarom hebben we elkaar nooit leren kennen? Waarom was je niet geïnteresseerd in mij?

Opeens hoorde Anna een vraag. Een kind dat vraagt: 'Waarom is ze geen echte grootmoeder? Bij wie je op schoot kunt zitten en die verhaaltjes vertelt.'

En de stem van haar moeder: 'Ze is oud en versleten, Anna. Ze heeft genoeg met kinderen te stellen gehad. En in haar leven was er voor verhaaltjes nooit tijd.'

Klinkt daar verbittering in door?

Ik moet terugkeren naar wat ik zelf nog weet.

Toen ik klein was en zij nog in staat was om het lange stuk te lopen van de bushalte naar ons huis aan zee, kwam grootmoeder soms 's ochtends op bezoek. Ze zat in de keuken, waar het naar koekjes en pas gebakken roggebrood rook, en waar het er mooi uitzag met een kleed op tafel en onze mooiste koffiekopjes. Ze bracht gezelligheid met zich mee. Ze was net een poes die rustig in een hoekje op de bank gaat liggen spinnen. Zij spinde ook, dat weet ik nog; ze knorde als een kwartelkoning in de nacht. Als ze tenminste niet praatte.

Maar ook haar gepraat gaf gezelligheid. Een grappig taaltje; half Noors, luchtig, soms onbegrijpelijk.

Wiej self, zei ze, *in disse welt,* en **krek.** Ze wist zichzelf en anderen altijd te verrassen doordat ze de woorden eruit flapte, voordat ze had nagedacht. Dan keek ze verbouwereerd, hield ze opeens haar mond en ze schaamde zich of begon te lachen.

Waar praatten ze over?

Over haar buren in het gouvernementshuis. Over kinderen met wie het slecht ging. Over kerels die dronken en vrouwen die ziek waren. Maar ook over bruiloften en nieuwe kinderen die werden geboren, en feesten en eten en hoe de mensen het zich in vredesnaam konden veroorloven.

Voor het kind was het net alsof ze het dak van het poppenhuis optilde en een gekrioel van figuren zag. Net een spel. Maar voor de beide vrouwen was het werkelijkheid en bittere ernst. Ze waren zeer geïnteresseerd in de kinderen van Höglund, die een zwakke gezondheid hadden, en in de dronken buien van schilder Johansson. Om nog maar te zwijgen over de gekke ziekte van mevrouw Niklasson.

Roddel. Niet gemeen, maar ook niet vriendelijk. Pas nu realiseert Anna zich dat dat eindeloze gepraat een orgie van gevoelens was. Ze wentelden zich in andermans ongeluk, maar beklaagden eigenlijk zichzelf en leefden hun eigen persoonlijke nood uit zonder ooit ook maar persoonlijk te worden; over jezelf praten was onmogelijk. Schandelijk.

Grootmoeder bloosde snel.

'Hoeft u nooit te huilen, grootmoeder?'

'Nee, dat helpt toch niks', zei ze en ze werd knalrood.

Ook moeder geneerde zich en schold op het kind. Er was veel dat je nooit mocht vragen aan grootmoeder, die zeker vond dat je onbescheiden kinderen terecht moest wijzen en dat Johanna haar verwende dochter niet in de hand had.

'U was zo verdomde nuchter', zei Anna tegen de foto.

Misschien heb ik ongelijk, dacht ze, terwijl haar blik van de foto naar buiten gleed en de zee zocht; een heel stuk langs alle huisjes, waar anonieme nieuwe mensen muur aan muur woonden en elkaar nauwelijks bij de naam kenden. Misschien hadden jullie allebei wel een triest verlangen naar het dorp waar jullie vandaan kwamen? En probeerden jullie de saamhorigheid en het dorpsgevoel te herstellen toen jullie naar de grote stad kwamen.

Bij die verklaring kon Anna haar grootmoeder horen briesen. Zij hield van de stad, elektrisch licht, stromend water, de winkels die in dezelfde wijk lagen en het recht om de deur achter je dicht te doen.

Grootmoeder kwam op zondag eten; ze werd door vader opgehaald met de auto. Ze droeg lange zwarte straskettingen en een witte jabot aan de hals. Aan tafel zweeg ze, totdat haar iets gevraagd werd en ze was inschikkelijk tegenover haar schoonzoon.

Opeens wist Anna het weer. Een glasheldere herinnering, dacht ze onthutst. Aan tafel werd er met verwonderde stemmen, die wikten en wogen, gepraat over de uitspraak van de schooljuffrouw dat Anna begaafd was.

Begaafd? Dat was een ongewoon woord. De juffrouw had gezegd dat ze verder moest leren. Grootmoeder bloosde en brieste; ze vond het onfatsoenlijke praat. Ze wierp een lange blik op het meisje en zei: 'Waar zou dat goed voor zijn? Het is toch maar een meisje. Ze wordt er maar hooghartig van. En ze kan haar lot toch niet ontlopen, zij net zomin.'

Misschien waren het wel die woorden die Anna's toekomst bepaalden. 'Toch maar een meisje' wekte de woede op van vader, die nooit zou erkennen dat het hem speet dat zijn enig kind een meisje was.

'Anna mag het zelf weten', zei hij. 'Wil ze verder leren, dan mag dat.'

Hoe heb ik die zondag kunnen vergeten, dacht Anna, dat gesprek. Ze ging terug naar bed en bekeek de foto opnieuw. 'Jij had het mis, oude heks', zei ze. 'Ik heb gestudeerd, ben afgestudeerd, ben succesvol geworden en ik beweeg me in werelden waar jij nooit van had kunnen dromen.

Hooghartig ben ik ook geworden, zoals jij al voorspelde, zoals iedereen voorspelde. Maar jij werd een fossiel, een primitief overblijfsel van een verdwenen tijdperk. Ik heb je buitengesloten uit mijn leven; je was maar een pijnlijke herinnering aan een afkomst waar ik me voor schaamde.

Daarom heb ik je nooit leren kennen en daarom heb ik ook geen herinneringen aan je. Maar het is ook om die reden dat jouw foto mij zo sterk aanspreekt. Want je kunt duidelijk zien dat ook jij een begaafd meisje was.

Jij had weer andere vooroordelen dan ik, dat is waar. Maar soms had je wel gelijk en vooral toen je zei dat ook ik het lot niet zou kunnen ontlopen; ook op mij wachtte het vrouwenleven.

Ik droeg geen zakken meel van de molen naar het dorp, grootmoeder. En toch ook wel.'

Hanna

Geboren 1871, gestorven 1964

De moeder van Hanna had kinderen gekregen in twee lichtingen. De vier eersten waren gedurende de hongerjaren aan het eind van de jaren 1860 aan de tering gestorven. Maja-Lisa zelf hield op te menstrueren en durfde te hopen dat ze geen nieuwe kinderen meer zou krijgen.

Maar in 1870 bracht het voorjaar weer gewoon regen; de verdroogde aarde dronk ervan en er kwam weer brood op tafel. Er was weliswaar geen sprake van overvloed, maar in het najaar hadden ze koolraap en aardappels in de aarden kelder en koeien die genoeg te grazen hadden om weer melk te geven.

En Maja-Lisa was in verwachting.

Zij vervloekte haar lot maar August, haar man, zei dat ze dankbaar moesten zijn. De slechte jaren hadden hen niet van hun boerderij verdreven en ze hoefden niet langs de wegen te zwerven om te bedelen zoals zo veel andere kleine boeren uit Dal wel moesten.

Hanna was het oudste kind van de nieuwe lichting. Daarna kwamen er nog een meisje en drie jongens. Van wat er was gebeurd had de moeder geleerd dat ze zich niet aan de nieuwe kinderen moest hechten. En dat ze moest oppassen voor vuil en slechte ventilatie.

Dat laatste had ze in de kerk geleerd.

In de periode vóór de rampjaren hadden ze een jonge en zachtaardige dominee gehad, die zo goed als hij kon naar Christus' woord probeerde te leven. Hij deelde zijn brood met oude mensen en waar hij kwam bracht hij melk mee voor de kinderen, al was er ook in de pastorie zelf weinig te eten. Overdag begroef hij kinderen en oude mensen en schreef hij burgerlijke-standspapieren uit voor iedereen die naar Noorwegen of Amerika vluchtte. 's Nachts bad hij voor het arme volk.

Omdat zijn gebeden geen duidelijke vruchten afwierpen, verruilde hij ze steeds vaker voor de tijdschriften die hij had gekregen van zijn broer, die arts was in Karlstad. Op die manier werd het belang van reinheid het onderwerp van zijn preken. Tuberculose woonde in vuil en de Engelse ziekte in duisternis, verkondigde hij. Alle kinderen moesten naar buiten het daglicht in. Ze stierven niet van de kou, maar van duisternis en viezigheid, zei hij in zijn donderpreken. En melk moesten ze drinken.

Dat was een boodschap waar zijn gemeente de neus voor zou hebben opgehaald als het normale tijden waren geweest. Maar nu hoorden de moeders angstig toe en Maja-Lisa behoorde tot hen die de preek over reinheid serieus namen.

Er waren veel ruzies in haar huis, voordat ze haar man had bijgebracht dat hij niet op de kleden moest spugen. Maar ze liet zich niet vermurwen, want ze merkte dat de dominee gelijk had. De nieuwe kinderen waren ongewoon sterk en gezond.

Maar de zachtaardige dominee vertrok en werd vervangen door een die de brandewijn zeer was toegedaan. Het was met de domineeswisseling al net als met de meeste andere dingen in de streek: na de rampjaren werd het slechter. De angst had zich stevig genesteld; er was weinig blijdschap, maar des te meer afgunst. De afstand tussen de huizen nam ook toe doordat het bos akkers en weilanden rond verlaten boerderijen terugnam.

En in de winter trokken groepen bedelaars door de streek en herinnerden aan wat er was gebeurd.

Toen Hanna tien jaar was kwam de nieuwe dominee op huisbezoek naar Bråten. Hij zei dat ze God moesten danken dat ze op zo'n mooie plaats mochten wonen. Hanna keek verwonderd over het meer en de hoge rotsen. Ze begreep niet waar die dominee het over had. Ze begreep er nog minder van toen hij verzekerde dat God zorgde voor zijn kinderen. God hielp alleen degene die een vuist kon maken en geleerd had om elk kruimeltje te benutten.

Toen ze twaalf was geworden werd het meisje naar de boerderij aan de monding van de beek gestuurd om daar dienstmeid te worden. Ze had toen net lang genoeg op school gezeten om te kunnen rekenen en schrijven. Dat was genoeg, zei haar vader.

Op Lyckan, zoals de boerderij heette, heerste Lovisa. Ze was zuinig en stond bekend om haar hardheid en hoogmoed. De boerderij werd in deze arme streken als welvarend beschouwd; had ze lager gelegen op de vlakte, dan was het een miezerig klein boerderijtje geweest. Lovisa had geen geluk gehad met haar kinderen; twee dochters waren als baby gestorven omdat ze bovenop hen was gaan liggen en een zoon was in elkaar geschrompeld, invalide geworden en gestorven aan de Engelse ziekte. Nu was er nog één kind over, een mooie jongen, gewend om te krijgen wat hij wilde hebben. Hij had een getinte huid en donkere ogen en zag er anders uit dan de meesten in deze streek.

Boze tongen spraken over een groep zigeuners die door de streek getrokken was in de zomer voordat hij werd geboren. Maar verstandige mensen wisten nog dat Lovisa's grootvader een Spanjaard was geweest, een schipbreukeling die gered was op het eiland Orust.

De bewoners van de beide boerderijen waren familie van elkaar; de eigenaar van Lyckan, Joel Eriksson, was de broer van Hanna's moeder. Hun vader woonde nog op Framgården, maar had zijn andere boerderijen verdeeld tussen de kinderen. Joel, de zoon, werd eigenaar van Lyckan. Maja-Lisa en haar man kregen de andere boerderij, die armoediger en kleiner was, in pacht.

Alsof er toch nog gerechtigheid was in het leven, trouwde Maja-Lisa een goede en hardwerkende man, August Nilsson, die was geboren en opgegroeid in Noorwegen. Terwijl de zoon Joel de moeilijke Lovisa uit Bohuslän trof.

Lovisa was vroom. Zoals zo velen van dat slag schepte ze er genoegen in haar medemensen onder de tucht en vermaning van de Here te houden en ze gunde zichzelf dagelijks het plezier om met een goed geweten wreed te zijn.

Nu was Hanna er aan gewend om lange dagen te maken, hard te werken en uitgescholden te worden. Dus ze klaagde niet en ze kreeg ook nooit te horen dat de buren haar beklaagden en zeiden dat Lovisa haar afbeulde als een beest. Het meisje mocht eten zo veel als ze wilde en één dag in de maand was ze blij. Dat was als ze naar huis kon om haar moeder een schepel meel te brengen.

Toen het in oktober donkerder begon te worden werd ze ongesteld. Het deed pijn, ze bloedde hevig en ze werd bang. Maar ze durfde niet naar Lovisa te gaan. Ze nam haar meest versleten linnen hemd, scheurde dat in repen en kneep haar benen flink samen om de bloederige lap op zijn plaats te houden. Lovisa bekeek haar achterdochtig en schreeuwde: 'Je loopt als een manke vaars. Loop eens wat harder, meid.'

Pas toen ze op zaterdag bij haar moeder thuis kwam kon ze huilen. Een paar tranen maar, want haar moeder zei zoals gewoonlijk dat huilen geen zin had. Maar ze hielp haar met echte, gehaakte verbanden en een band om om haar middel te doen. Twee kostbare veiligheidsspelden werden te voorschijn gehaald uit moeders naaidoos. Dat voelde heel rijk. Daarna zei Maja-Lisa: 'Nu moet je begrijpen dat dit gevaarlijk is. Laat nooit een man dichter bij je komen dan op twee el afstand.'

Toen kwam de avond dat ze op de hooizolder sliep. Ze had een slaapplaats in de keuken, maar daar had ze geen rust; er werd 's avonds vaak ruzie gemaakt. Meestal ging het over de zoon, die door zijn moeder verwend werd, terwijl zijn vader een kerel van hem wilde maken. Hanna was zo moe dat ze waarschijnlijk ook wel door de vreselijke woorden die door lucht vlogen heen in slaap zou zijn gevallen op haar stromatras. Maar die avond vochten haar baas en bazin binnen in de kamer en door de keukendeur drong het geluid van harde slagen en vreselijk gegil. Hanna dacht: Nu heeft Joel haar doodgeslagen. Maar toen hoorde ze zwarte Rickard roepen. Het was een afschuwelijke en opgewonden gil als een roep uit de onderwereld.

Ze hebben hem wakker gemaakt, god sta ons bij.

Ze sloop toen naar de schuur toe. Ze was doodsbenauwd voor de jongen, die haar kneep zodra zijn moeder een andere kant op keek.

Nu sliep ze op de hooizolder als een moe dier en ze werd pas wakker toen hij haar rok van haar afscheurde. Ze probeerde te gillen, maar hij kneep haar keel dicht en ze dacht dat ze dood zou gaan. Toen ze dat besefte bleef ze stil liggen. Hij was zwaar als een stier toen hij zich op haar wierp. Toen hij in haar binnendrong en zij kapot scheurde, bad ze God midden in die afschuwelijke pijn om haar in de hemel toe te laten.

Daarna stierf ze. Toen ze na een poosje bebloed en uitgescheurd bijkwam, was ze verbaasd; ze kon zich bewegen. Eerst haar handen, daarna haar armen en als laatste haar benen. Ten slotte slaagde ze erin een besluit te nemen of althans een gedachte te ontwikkelen: naar moeder toe.

Ze liep langzaam door het bos en liet een bloedig spoor na. De laatste kilometer kroop ze op handen en voeten, maar toen ze bij de deur was, was haar stem krachtig genoeg om haar moeder te wekken.

Het was de eerste en enige keer dat Hanna haar moeder zag huilen. Het meisje werd op de keukentafel gelegd en haar moeder bleef haar wassen, maar ze kon het bloeden niet stoppen.

'Goede God', zei Maja-Lisa, telkens weer, totdat ze zichzelf weer in de hand kreeg en haar oudste zoon naar Anna stuurde, die in deze streek vroedvrouw was en Maja-Lisa bij de vele geboortes had bijgestaan. Zij was er ook goed in om bloedingen te stelpen.

'Schiet op, schiet op', schreeuwde ze de jongen achterna.

Toen wilde ze het meisje haar kapotte kleren uitdoen, maar ze bedacht zich. In wilde woede dacht ze eraan dat Anna niet alleen vroedvrouw was, maar ook degene die alle geheimen van het dorp overal rondbazuinde.

Hanna sliep of was bewusteloos, dat kon Maja-Lisa niet vaststellen. De keuken zag eruit als een slachthuis en al luider riep ze God aan om barmhartigheid, terwijl de kinderen rondom haar heen hun handen voor hun ogen en hun oren hielden.

Eindelijk kwam Anna, vastberaden en kalm. Ze had fijngemalen walkruidwortel bij zich, die ze met herderstasje in reuzel vermengde en waarmee ze het onderlichaam van het meisje insmeerde.

Hanna werd tijdens de behandeling wakker en begon zachtjes te huilen. De vroedvrouw boog zich over het kind heen en vroeg: 'Wie was het?'

'Zwarte Rickard', fluisterde het meisje.

'Als ik het niet dacht', zei Anna grimmig. Daarna gaf ze het meisje een drankje van gekookte maretak en witte dovenetel. 'Dat stopt de bloedingen en geeft een slaap zo diep als de dood', zei ze. 'Maar God weet of ze ooit nog kinderen kan krijgen. En trouwen zal ze nooit.'

Maja-Lisa leek daar niet rouwig om. Ze kon niet vermoeden dat Anna's beide voorspellingen niet zouden uitkomen. Nu stuurde ze de kinderen terug naar hun bed in de kamer. Ze zette koffie op en maakte de keuken schoon. Toen ontdekte ze dat de buks niet meer aan de muur hing en dat August weg was.

Ze gilde opnieuw en de kinderen kwamen de kamer uit rennen, maar Anna, die haar blik gevolgd had, snoof: 'Kerels! Rustig nou maar, mens, wij kunnen er toch niks aan doen.'

'Hij komt in het gevang', schreeuwde Maja-Lisa.

'Ik denk niet dat hem dat lukt.'

Daarin kreeg ze wel gelijk. Toen August op Lyckan aankwam was de zoon verdwenen. De beide boeren kalmeerden met behulp van brandewijn en besloten dat ze de jongen zouden dwingen om met Hanna te trouwen zodra zij de leeftijd daarvoor had bereikt en dat ze tot die tijd als de dochter des huizes zou worden beschouwd.

Maar van die overeenkomst kwam niet veel terecht. Hanna zei dat ze zich nog liever in de rivier verdronk dan dat ze met Rickard trouwde. Maja-Lisa verharde zich rond haar gevoel van onmacht en Lovisa wist in het geheim haar zoon de boodschap te sturen dat hij in Jezus' naam weg moest blijven van de boerderij. De oude Anna had het over de veldwachter. Ze zei dat er, toen zij klein was, werd gepraat over een kerel die ter dood was veroordeeld, nadat hij een dienstmeid had verkracht.

Maar noch August noch Maja-Lisa was bereid om hun familieleden op Lyckan dat aan te doen.

Iedereen in het dorp sprak erover en de mensen begonnen Lovisa en Lyckan te mijden. Tot het op een dag duidelijk was dat Hanna een kind verwachtte en steeds meer mensen tot de conclusie kwamen dat dat meisje blijkbaar toch niet zo onwillig was geweest. En om te zeggen dat ze totaal verminkt was, was een leugen. De oude Anna had weer eens te veel gezegd.

Toen de menstruatie voor de tweede achtereenvolgende maand uitbleef zei Maja-Lisa voor de honderdste keer tegen zichzelf dat kwam omdat het meisje in haar onderlichaam verminkt was. Maar op een ochtend moest het kind overgeven.

Maja-Lisa nam haar mee naar Anna. De vroedvrouw voelde aan haar buik, zette grote ogen op en zei dat Gods wegen ondoorgrondelijk waren. Vervolgens zocht ze de open plek in het bos op waar wilde peterselie groeide. Ze maakte een brouwsel van het kruid, maar moest constateren dat het kind in Hanna's buik er niet gevoelig voor was.

'Er is al te veel tijd overheen gegaan', zei ze.

Nauwelijks dertien jaar oud, op vijf juli, baarde Hanna haar hoerenjong, een stevige jongen met donkere ogen. Hij wilde niet loslaten, dus de bevalling duurde lang en was moeilijk. Toen hij er eindelijk was, werd Hanna gegrepen door een gevoel van ongekende tederheid voor de jongen.

Ook al leek hij op zijn vader.

Het gevoel verraste haar zo, dat ze zich neerlegde bij de besluiten die genomen moesten worden. Ze wist immers dat de boerderij van haar ouders niet nog twee monden kon voeden. Ze moest terug naar Lyckan. De heer des huizes daar zwoer plechtig dat ze als een dochter zou worden behandeld en wat hem betrof hield hij zijn belofte. Hij hechtte zich aan het jongetje, dat goed groeide en lachte naar de hele wereld. Vreemd genoeg was het een vrolijk en sterk kind.

Hanna werkte net zo hard als vroeger en Lovisa was niet vriendelijker, hoewel ze het vaak had over barmhartigheid sinds ze was bekeerd door een lid van de vrijkerkelijke bond, dat elke maand kwam om zijn schapen te verzamelen in de schuur van de buren.

Alledrie wachtten ze op Rickard, maar geen van hen zei ooit een woord over de verdwenen jongen. Toen ging er een gerucht in het dorp dat hij in de streek gesignaleerd was.

Het was toen dat Hanna besloot om de runenmeester op te zoeken, die in het bos achter de Duivelskloof woonde, stroomopwaarts langs de rivier.

Ze had er al langer over nagedacht, maar was bang geworden door wat boze tongen fluisterden over de oude man en zijn toverkol.

Nu vroeg ze haar baas om voor het kind te zorgen. Het was zondag en ze zei dat ze naar de kerk ging. Hij knikte bemoedigend. Het was goed dat er tenminste iemand uit hun huis God ging zoeken op de plaats waar Hij was, zei hij met een valse blik naar zijn vrouw. Lovisa schreeuwde haar na dat ze niet moest vergeten om een hoerenknoop in haar hoofddoek te leggen als ze naar Gods huis ging.

Het was ruim tien kilometer naar de kerk aan de rivier en daarna steil omhoog voorbij de waterval. Ze vond de doorwaadbare plaats in het rustige water en daarna was het nog maar een half uur lopen door het bos tot het huis zonder dak aan het eind van het pad. Ze vond het; ze was er als kind al eerder geweest samen met haar moeder, van wie ze had moeten zweren dat ze het nooit aan iemand zou vertellen. Haar hart bonkte van angst, maar de oude mensen ontvingen haar zonder verbazing. Ze wilde een runenstokje hebben, begrepen ze. Het meisje knikte, maar durfde niets te zeggen en keek angstig naar de hoek van het huis waar de runenmensen volgens de geruchten het afgesneden lid bewaarden van een moordenaar die jaren geleden was opgehangen op de galgenheuvel.

Ze zag meteen dat het geen lid van een man was. Nee, het kwam van een hengst en ze was er niet bang voor. Zulke had ze al eerder gezien, in geheime hoekjes van huizen waar de vrouw geen kinderen kreeg.

De oude vrouw legde Hanna haar handen op, eerst op haar voorhoofd en toen op haar hart. Ondertussen sprak ze met de man in een wilde en vreemde taal. Hij knikte en kerfde de ene rune na de andere in het stokje. Toen hij klaar was, zag hij er tevreden uit. Hij glimlachte toen hij tegen haar zei dat datgene waar ze het meest bang voor was, niet zou gebeuren en dat haar schande ooit zou verdwijnen.

Ze betaalde met het beetje geld dat ze had gespaard, boog diep en rende met het geheime runenstokje verborgen tussen haar borsten de hele weg naar huis. Ze kreeg een oorvijg omdat ze te lang weg was geweest. Ze accepteerde die zonder er tegenin te gaan en ze slikte het zelfs dat er tegen haar gezegd werd dat ze zeker weer loops was. Want een hoer was ze, zei Lovisa, die een vreemde glans in haar ogen had gezien.

Twee dagen later kwam Rickard thuis, opgedoft als een haan, met lange laarzen en een uniform met glimmende knopen. Hij zette een hoge borst op, lachte om de verbazing van zijn ouders en pochte zoals soldaten dat doen. En hij praatte ook hard, vooral toen hij zei dat hij er niet over peinsde om ooit boer te worden en zich kapot te werken op die armetierige boerderij. En Hanna moest hem maar vergeten, want hij trouwde niet met een hoer.

Slechts een keer liet hij zijn masker vallen. Dat was toen het vierjarige ventje opdook in de deuropening van de keuken en hem vrolijk toelachte. Maar daarna draaide de soldaat zich om en verdween.

Lovisa's gehuil veranderde in hard gegil. Maar de boer keek naar het kind en toen naar Hanna. Allebei moesten ze moeite doen om hun opluchting te verbergen en niemand had een troostend woord over voor Lovisa.

Hanna kneep in het runenstokje onder het lijfje van haar blouse. En sinds die dag werd ze elke ochtend wakker met het gevoel dat haar iets bijzonders zou overkomen.

Met midzomer kwam er een man in het dorp, een man uit Värmland. Een molenaar, zeiden mensen die met hem hadden gepraat, een molenaar met plannen om de oude molen bij het Noorse water weer in gebruik te nemen. Hij was al oud, zeiden de jonge mensen. Het was een man in zijn beste jaren, zeiden de ouderen. Dat hij zwijgzaam was en weinig losliet over zijn leven, daarover waren ze het eens. Alleen aan de oude Anna had hij verteld dat zijn vrouw en kind in Värmland gestorven waren. En dat hij het in zijn eenzaamheid niet meer uithield bij zijn molen.

Hij dronk om te vergeten, dat had hij ook gezegd.

Nu ging hij de boerderijen langs om te informeren of er vraag was naar een molenaar. Overal werd hij ontvangen door boeren die hem verzekerden dat ze weer zouden malen aan het Noorse water zoals ze vroeger hadden gedaan en zoals hun vaders en grootvaders hadden gedaan. Uiteindelijk begreep hij dat hij, als hij de molen opknapte, hen nieuwe moed zou geven.

Toch twijfelde hij. Dit was een zwaarmoediger en stiller volk dan hij gewend was. Er heerste weinig vrolijkheid in de huizen en de koffie die ze hem voorzetten, leek op smerig smeltwater en smaakte naar verbrande rogge.

Hij kwam uit een welvarender streek, gezelliger ook, waar de mensen meer praatten. Een van de spoken die hem van huis had weggejaagd was de afgunst, die waarnam, mat en vergeleek. Hier, waar de natuur zuinig was en de armoede groter, had diezelfde ziekte nog harder toegeslagen, gevoed door de rampjaren. Elke ontmoeting werd erdoor vergiftigd.

Dan was er de molen. Er zat veel werk in om die weer op te knappen. De relingen langs de loop van de waterval waren kapotgegaan, de steiger was verrot en de trappen binnenin de molen verkeerden in een beroerde staat. Maar de eikenhouten schacht was nog goed, net als het scheprad en het schot in de dam boven bij het meer. En de twee van natuursteen uit Lugnås gemaakte molenstenen waren nieuw en leken goed scherp te zijn. Hij had uitgerekend dat het verval van de waterval ruim dertig el was, en dat garandeerde een constante werking.

Er was ook een voorraadhuis en een schuur. En het woonhuis was goed onderhouden. Het was een degelijk huis met een woonvertrek dat uitkeek op het meer, een kleine kamer en een grote keuken.

Dat was de situatie.

Hij had veel mooie landschappen gezien in de bossen van Finnmarken en langs de oevers van de Klarälv. Maar nog nooit een streek van zo'n wilde schoonheid. Hij keek naar de loodrechte rotsen die zich naar hemel oprichtten, zag de nesten van de slechtvalken in de rotswanden en de vlucht van de keizerarend boven de steile hellingen. Hij luisterde naar het gebulder van de waterval en naar het zachte gekabbel van het water in de donkere Noorse meren. Ook keek hij nadenkend naar de zachte heuvels waar de schapen liepen te grazen. Hij sloot er zijn ogen niet voor dat de akkers schraal waren en het bos slecht onderhouden was, zo slecht dat het op veel plaatsen ondoordringbaar was. Alsof er sinds de oertijd niets aan was gedaan, dacht hij.

Maar toch, het was grandioos.

Hij had een zesde zintuig en kon de rotsen en het meer, de waterval en de hoge esdoorns op het erf rond de molen met geheimzinnige stemmen tegen hem horen praten.

De enige nabije buurman was de smid die een goede vent leek. En de beschikbaarheid van een smederij was van belang vanwege de bilhamers.

Maar de belangrijkste reden vormde toch het geld. Hij had zijn eigen molen in Värmland verkocht en deze zou hij kunnen huren. Erik Eriksson, van de boerderij Framgården, was net als alle boeren zuinig, maar hij was er toch schoorvoetend mee akkoord gegaan dat hij zou bijdragen in de noodzakelijke reparaties.

De enige met wie hij in de streek vertrouwelijk werd was de oude Anna, de vroedvrouw. Ze zette ook lekkerder koffie, dus hij werd steeds vaker in haar keuken gesignaleerd. Zij bracht datgene onder woorden waaraan hij zelf ook al lang liep te denken, maar dat hij steeds afgewezen had: 'Je moet een vrouw hebben, een hardwerkend mens die tegen een stootje kan. Je redt het niet zonder vrouw, daar boven in het bos.'

Nadat ze deze woorden had gesproken bleef het lang stil. Hij zat daar en voelde opeens hoe moe hij was. En oud, te oud om opnieuw te beginnen.

'Ik geloof niet dat ik daar nog echt zin in heb', zei hij ten slotte.

'Zo'n jonge vent', zei ze.

'Ik ben al veertig.'

'Een man in zijn beste jaren.'

'Ik heb geen geluk bij de vrouwen', zei hij.

Toen hij de volgende avond terugkwam had Anna eens nagedacht. Ze was slim, dus ze begon terloops te praten over Hanna, dat arme kind, dat het zo slecht getroffen had in het leven. Een schande was het, zo zei ze, en het meisje was nog wel een kleindochter van Eriksson van Framgården. De molenaar werd gegrepen door het verhaal over de vreselijke verkrachting, dat zag ze aan zijn gezicht en begreep ze toen hij haar onderbrak met de woorden: 'Ze zal er wel niet minder koffie om schenken.'

Hij kreeg zijn brandewijn en stond niet meer zo stevig op zijn benen toen hij later op de avond in het donker naar huis ging. Hij zei niet wat hij dacht, maar Anna had het beschamende gevoel te worden doorzien.

Toen John Broman bij het verlaten molenaarshuis aankwam zag hij voor het eerst hoe smerig het was in de kamers en de keuken. Die ontdekking leidde tot nuchtere gedachten: hij had beslist een vrouw nodig. Toen hij in bed lag groeide dat besef uit tot een gevoel van wellust; het bloed klopte in zijn aderen en zijn lid werd stijf. Goeie genade, het was zo lang, zo lang geleden dat hij voor het laatst een vrouw had gehad.

Hij dacht aan Ingrid en zijn begeerte verliet hem, zijn lid verslapte. Zij hadden het niet goed gehad samen, in huis noch in bed. Hoe had ze eruitgezien? Hij kon het zich niet meer voor de geest halen, herinnerde zich alleen nog maar haar eeuwige gezeur over het geld waar ze niet mee rond kwam. En over de brandewijn die hij zich 's zaterdags veroorloofde.

Zo vaag als het beeld van zijn vrouw was, zo helder was de herinnering aan Johanna; het was alsof hij haar zo voor zich zag. Hij had een dochter gehad die was gestorven aan tuberculose toen ze acht jaar was.

Wat miste hij dat kind!

Toen hij de volgende ochtend wakker werd had hij heel nuchtere gedachten. Dat meisje zou hem dankbaar zijn. En hij kon overal welwillendheid verwachten. Dat ze een kind had was goed; hij hield van kinderen, maar wilde er geen meer van zichzelf. En dat het meisje familie was van de grote boer op Framgården was ook niet zo gek.

In de loop van de ochtend begaf hij zich op weg naar Lyckan.

Hanna werd zoals altijd wakker met een vreemd gevoel van verwachting en kneep haar handen samen om het runenstokje als in een gebed. Daarna maakte ze haar zoon wakker, die naast haar op de stromatras in de keuken sliep.

'Kleine Ragnar', zei ze.

Ze was blij met die naam en dat ze de kracht had gehad om door te zetten dat hij zo zou heten. In beide huizen waren ze erop tegen geweest; in geen van de families kwam de naam voor. Maar daarna hadden ze er het zwijgen toe gedaan en gedacht: Wat moet, dat moet; een onecht kind hoort geen naam te hebben die gangbaar is in de familie.

Maar Hanna herinnerde zich een jongen van school.

Nu wist ze dat ze in haar opzet geslaagd was, want haar zoon leek op die klasgenoot. Hij was vrolijk en gelijkmatig van aard. Zo 's ochtends vroeg en net wakker lachte hij al tegen haar.

Ze veegde de keuken en maakte het ontbijt klaar. Zodra de pap kookte kwam de boer en hij liet zich aan tafel vallen om te eten. Zij stond achter hem bij het vuur en at zoals altijd met de jongen op haar arm: 'Een lepel voor Ragnar en een lepel voor moeder.'

Zij en Joel Eriksson hielden allebei van dit moment in de ochtend. Lovisa was er niet bij; zij had zo veel gebeden te prevelen.

Een uurtje later kwam de vreemdeling. Het meisje nam hem op en vond dat hij er statig uitzag met zijn brede schouders en zijn korte vierkante baardje. Net een heer. Hij keek met samengeknepen ogen naar haar; vreselijk, wat zat hij te loeren.

Dat deed hij inderdaad en hij vond dat zij knap was en dat ze een heldere oogopslag had. Zij is iemand die goed oplet, die ziet, dacht hij. Sterk. Ze is eigenaardig ongeschonden gebleven onder de duisternis en de schande.

Zo jong nog, dacht hij. Zeventien jaar. Niet veel ouder dan Johanna nu zou zijn geweest als ze nog had geleefd.

Hij schaamde zich plotseling voor zijn dromen van de vorige

avond en zijn nuchtere gedachten van die ochtend. Zijn verlegenheid werd doorbroken door het kind dat de keuken kwam binnenstormen. Een jongetje met ogen op steeltjes, nieuwsgierig en niet bang. Hij keek lachend zijn moeder aan. Het was een brede lach, zo ongewoon, dat het hier in deze arme streek haast uitdagend was.

De molenaar ging op zijn hurken zitten, strekte zijn hand uit en zei: 'Goedendag, kleine jongeman. Ik ben John Broman.'

'Dag, dag, dag', zei de jongen, terwijl hij zijn beide handen in de zijne legde.

Het was de eerste keer dat iemand de jongen hoffelijk behandelde en Hanna glom. Toen kwam Joel Eriksson de keuken binnen stampen en zei: 'Je moet opschieten met de mangelwortels. En neem de jongen mee.'

Vlak daarna kwam Lovisa binnen; ze schreeuwde dat Hanna was vergeten de koffie op te zetten. Het meisje ging de deur uit en John Broman keek haar na. Het viel hem op dat ze een erg rechte rug had zoals ze daar over de akkers liep met het kind aan haar hand. Op dat moment nam hij een besluit: ze moesten weg van deze boerderij, zij en het kind.

Hij dronk vervolgens waterige koffie en er werd hem verzekerd dat ook Lyckan zijn meel zou laten malen bij de molen aan het Noorse water.

Toen hij naar huis ging, ging hij eerst bij Anna langs en zei zonder omhaal van woorden: 'Je krijgt het zoals je het hebben wilt, oudje. Maar jij moet ervoor zorgen dat ik het meisje kan spreken.'

Dat was niet zo gemakkelijk, want sinds Hanna de dochter des huizes was op Lyckan, had ze nooit meer vrij. Maar Anna ging naar Maja-Lisa, die een van haar zoons met de boodschap stuurde dat Hanna dat weekeinde thuis moest komen om haar ouders te bezoeken.

Op zaterdagmorgen stond Broman vroeg op om het huis schoon te maken. Hij had niet veel meubels, een tafel en een klapbed, dat was alles, dus het was snel gedaan. Maar schoon werd het, al zag het er armoedig uit.

Hij nam de oude aardenwerken kruik die bij de haard stond, schuurde die en ging naar buiten om bloemen te plukken. Het was al september, maar hij vond bosjes wit en roze duizendblad, sneed een tak af van de berk die bij de hoek van het voorportaal van het huis stond en liep naar boven naar de Noorse meren, waar hij veel blauwe en witte campanula had gezien. Ze waren niet zo fris meer, maar hij trok de verwelkte bladeren en uitgebloeide bloemen eraf.

Uiteindelijk was hij best tevreden met zijn boeket.

Op zaterdagmiddag haalde Anna het meisje op op Bråten. Tegen Maja-Lisa zei ze dat Hanna en zij met z'n tweeën het bos in zouden gaan. Ze had nieuwe planten voor haar medicijnen nodig, zei ze. Maja-Lisa keek verwonderd, maar Hanna was blij; zij hield ervan om door de velden te slenteren.

Zo kwamen ze bij het molenaarshuis waar John Broman wachtte. Anna zei dat ze bilzekruid ging zoeken bij het beekje dat wat noordelijker lag en ze verdween.

John Broman liet Hanna het huis zien. Ze vond alles prachtig in het degelijke huis dat een keuken had, een kamer en een woonvertrek met twee ramen die een mooi uitzicht boden over het meer. Er was ook een zolderverdieping met een slaapkamer en bergruimte.

John praatte. Zij luisterde misschien niet zo precies naar zijn woorden, maar zijn bedoeling was duidelijk. Hij had een vrouw in huis nodig en stiekem kneep ze in het runenstokje onder haar blouse.

Toen hij over trouwen begon verstijfde ze van verbijstering.

'Maar de jongen...' zei ze ten slotte.

Hij knikte; daar had hij ook aan gedacht. De jongen mocht ze meebrengen; hij hield van kinderen. Zodra ze een besluit hadden genomen zou hij regelen dat hij de voogdij over de jongen mocht overnemen.

Ze begreep het niet en hij legde geduldig uit dat hij met haar vader en met de dominee zou praten om op schrift te krijgen dat hij, John Broman, voogd over de jongen zou worden.

'We kennen elkaar nog niet', zei hij.

Toen glimlachte ze en zei: 'We hebben immers de tijd.'

'Het wordt een zwaar leven', zei hij. 'Hard werken.'

'Ik ben gewend om hard te werken en ik eet niet veel.'

Het leek alsof ze bang was dat hij zich zou bedenken, dat hoorde hij, en een beetje kortaf zei hij: 'Jij en de jongen zullen hier zo veel te eten krijgen als jullie willen.'

Toen glimlachte Hanna voor de tweede keer en ze dacht aan wat ze als kind had gehoord. In een molenaarshuis is nooit gebrek aan brood, zei men. Maar toen zag ze de verrotte steiger en ze herinnerde zich hoe hij gestorven was, de oude molenaar. Op een nacht had hij er doorheen getrapt en hij was in de waterval gevallen.

Toen kwam Anna weer terug en ze zei dat alles geheim moest blijven. Geen woord tegen iemand, voordat in de kerk hun ondertrouw bekend was gemaakt. Tegen die tijd zouden de voogdijpapieren ook in orde zijn en zouden de Erikssons op Lyckan geen gelegenheid meer hebben om Rickard op te sporen en hem over te halen het vaderschap te erkennen.

'Je moet maar snel met August gaan praten', zei ze. 'Hij kan wel een geheim bewaren.'

Hanna liep door het bos naar huis met het duizelingwekkende gevoel dat het allemaal te veel was. Ze zou de vrouw des huizes worden, in een huis dat net zo groot en mooi was als Lyckan. De jongen zou als een zoon voor hem zijn, had Broman gezegd. Er komt een einde aan de schande, dacht ze. Niemand zal ons nog langer uitschelden voor hoerenjong en hoer.

Het is te veel, zei ze tegen zichzelf. Want ze wist immers dat er maar één afgepaste portie geluk bestond en dat degene die te veel kreeg dat duur zou komen te staan. Maar toen rechtte ze haar rug, gooide haar hoofd in de nek en dacht: Ik heb al betaald.

'Rechtvaardig', zei ze hardop. 'Ik had nooit gedacht dat God rechtvaardig kon zijn.'

Ze maakte zich zorgen over de meubels die ontbraken in het huis en over kleden, handdoeken en andere dingen die ze niet had. Ze dacht geen moment aan de man met wie ze leven en bed zou gaan delen.

Toen ze bij het huis van haar ouders aankwam om het kind op te halen, had ze het gevoel dat ze uit elkaar zou barsten van haar bijzondere geheim. Ze moest weer weg, vlug, terug naar de hel op Lyckan.

Daar was het gemakkelijker voor haar om haar blijdschap te beteugelen. Toen ze het bed op de stromatras in de keuken had opgemaakt en de jongen sliep, nam ze een voorschot op haar triomf. Ze vloekte zelfs. 'Verdomme,' fluisterde ze, 'wat zal ik verdomme lachen op de dag dat ik die hoogmoedige zwijnen recht in hun gezicht kan zeggen wat ik denk.'

Daarna werd ze bang en ze smeekte God vurig om vergiffenis voor haar slechte gedachten.

Voordat ze in slaap viel dacht ze na over het boeket. Nog nooit had ze een man gezien of over een man gehoord die bloemen plukte om in een vaas te zetten. Dat was gek, maar belangrijk, dat begreep ze wel. Ze zou er zeker voor gaan zorgen dat er bloemen op John Bromans tafel stonden. In elk geval in de zomer.

Die nacht droomde ze over geraniums, de bloemen die ze een keer in potten voor de ramen van de pastorie had zien staan.

Een paar dagen later ging het gerucht dat de molenaar was teruggekeerd naar Värmland en dat het niet door zou gaan met de molen bij het Noorse water.

Ze liegen, dacht Hanna.

Maar toen de week voorbijging zonder een bericht van John Broman gaf ze het op. Voor het eerst in haar leven raakte ze vertwijfeld. Dit was erger dan de schaamte en ze begreep dat hoop een mens kwetsbaar maakt. Je moest niet hopen. Of geloven dat God rechtvaardig was.

'Loop eens wat harder', schreeuwde Lovisa.

'Je ziet eruit als een spook', schreeuwde ze. 'Als je ziek wordt dan ga je maar naar je moeder.'

Maar Hanna was niet in staat met het kind door het bos te lopen.

De herfst kwam vroeg met storm die de bladeren van de essen rukte. Toen ze op zondagochtend naar de stal liep om te melken ritselden ze onder haar voeten. Daar, in het donker, wachtte August haar op.

'Vader', zei ze. 'Wat doet u hier zo vroeg?'

Hij wees naar de boerderij. Ze fluisterde: 'Ze slapen.'

Toen kreeg ze te horen dat John Broman vader afgelopen maandag al had opgezocht. Hij had verteld over de trouwplannen en gevraagd of August dat aan Hanna wilde vertellen. Daarna was hij bij de dominee geweest om de papieren van de burgerlijke stand voor de jongen te regelen.

'Ik heb mijn handtekening gezet, dus als de ondertrouw in de kerk bekend wordt gemaakt is Broman voogd', zei August met de zoete smaak van wraak in zijn stem.

Broman was daarna teruggekeerd naar Värmland om nog wat meubels en andere dingen op te halen voor de molenaarswoning aan het Noorse water. Over een paar weken zou hij terug zijn en dan konden Hanna en hij in ondertrouw gaan.

'Waarom hebt u me dat niet meteen verteld?'

'We hebben geen moment tijd gehad, je moeder en ik. Zo vroeg als de herfst dit jaar is ingevallen, durfden we de aardappels niet in de grond te laten zitten.'

Ze knikte; ze kon het hem niet kwalijk nemen. Ze zat in elkaar gedoken op het melkkrukje en knikte opnieuw toen hij vanuit de deuropening van de stal zei dat ze moest opschieten met melken. Maar ze moest huilen. De tranen rolden langs haar gezicht en vermengden zich met de warme melk.

Eén ding had ze die week geleerd. Ze moest nooit meer hopen.

Op weg naar huis in het zwakke ochtendlicht realiseerde August zich dat hij had vergeten te vertellen dat hij en de jongens deze winter werk zouden hebben. Broman had hem gevraagd of hij wilde helpen bij het repareren van de molen.

'Je kunt zeker wel timmeren?'

'Jawel.'

En hout had August ook, goed gedroogde boomstammen die geveld waren vóór de rampjaren, toen hij nog had gedacht dat hij het zich zou kunnen veroorloven om een echte stal te bouwen.

Hanna deed haar werk net als altijd. Toen ze klaar waren met het ontbijt zei ze kalm tegen Joel Eriksson dat ze naar haar ouders ging en dat ze de jongen meenam. Hij knikte stuurs en zei tegen haar dat ze dan moest opschieten om weg te zijn voor Lovisa wakker werd.

'Zorg dat je op tijd terug bent voor het melken vanavond', zei hij.

Het was ijzig koud toen ze op het pad door het bos liep. Maar Hanna voelde de bijtende wind niet; ze was warm van dankbaarheid.

Voor het eerst dacht ze aan John Broman, aan de manier waarop ze hem zou bedanken. Ze was ordelijk en sterk, ze wist wat er van een vrouw in huis gevraagd werd. Ze was nog nooit verantwoordelijk geweest voor geld, maar ze kon rekenen. Ze was goed in rekenen had de meester op school gezegd. Ze zou zo goed voor alles zorgen dat hij trots op zijn huis en op haar kon zijn.

Meubels, dacht ze. Wat konden dat voor meubels zijn die hij in Värmland ophaalde? Mooie, zelfs nog mooiere dan die op Lyckan. Toen bedacht ze dat ze zichzelf had gezworen nooit meer te hopen.

De jongen begon te dreinen; hij had het koud. Ze sloeg haar wollen sjaal om hem heen en tilde hem op toen het pad in het laatste stuk van het bos omhoogliep, voordat het voor de akkers van August moest wijken. Ze waren al aan het werk op het aardappelveld, maar haar moeder hield op en kwam naar haar toe lopen.

'Dus je hebt vrijaf gekregen', zei Maja-Lisa, maar haar stem was warmer dan haar woorden en toen Hanna in het afgematte gezicht keek, zag ze dat haar moeder blij was. En trots. Dat was zo bijzonder dat het meisje niet wist wat ze verder moest zeggen dan 'Goedendag, moeder'.

Ze zetten koffie, gingen aan tafel zitten en zogen verheerlijkt aan hun suikerklontjes, die door de hete drank in de mond oplosten.

Toen sprak moeder de verschrikkelijke woorden: 'Ik hoop dat je het er vanaf brengt met drie of vier kinderen.'

Hanna rechtte haar rug; ze haalde diep adem en bedacht dat ze onnozel was. John Broman zou met haar doen wat Rickard Joelsson had gedaan. Iedere nacht, daar in de slaapkamer.

Hij had het bijna gezegd, had gezegd: 'Hier komt ons bed te staan, meisje.'

Ze wist nog dat ze een beetje gebloosd had, dat er op dat moment iets angstaanjagends in de lucht had gehangen. Maar ze had het niet begrepen, ze had niet verder nagedacht. Hoewel ze het wist.

Haar moeder zag haar schrik en zei kalmerend: 'Kijk niet zo bang. Hier moet een vrouw zich in schikken en na een poosje went het wel. Denk er maar aan dat je nu een eigen huishouding krijgt en dat je man beter lijkt dan de meeste anderen.'

'Waarom zou hij mij willen hebben?'

'Je bent jong en knap. En je werkt hard.'

Midden in haar schrik keek Hanna haar moeder verbaasd aan. Nog nooit was het gebeurd dat ze iets goeds over Hanna zei. Iemand prijzen was gevaarlijk, daarmee daagde je het noodlot uit. Maar Maja-Lisa ging verder: 'We moeten zorgen dat je fatsoenlijke kleren krijgt, nieuwe voor door de week. Voor de bruiloft... ik had gedacht dat we misschien mijn oude trouwjurk zouden kunnen veranderen.'

Ze keek onzeker, Hanna zweeg en ten slotte zei Maja-Lisa: 'We weten natuurlijk niet wat hij ervan vindt. Hij ziet er een beetje uit als een heer.'

Ze deed een beroep op Hanna.

Ik ondervind respect. Zelfs moeder…

Maar die gedachte duurde maar even; het meisje was meteen weer terug bij het vreselijke in de slaapkamer in het molenaarshuis.

'Moeder', zei ze. 'Het gaat niet, ik kan het niet.'

'Onzin', zei Maja-Lisa en nu was er geen sprake meer van respect. 'Waarom zou jij niet kunnen wat alle fatsoenlijke vrouwen kunnen? Je went er wel aan, zoals ik al zei. Niet de bedgemeenschap is verschrikkelijk, maar het baren.'

Hanna herinnerde zich de bevalling. Die was niet gemakkelijk geweest, maar toch op geen stukken na zo afschuwelijk als de dood op de hooizolder met zwarte Rickard.

'Je moet je ogen dichtdoen en je lichaam gewillig maken', zei haar moeder, terwijl ze begon te blozen. 'Wanneer de dominee de ondertrouw heeft uitgesproken, is het geen schande meer. Nu gaan we de oude trouwjurk passen.'

Maar dat werd niets, want moeders trouwjurk, verborgen tussen vloeipapier in de kledingkist, was te klein. Dat kon je zo zien; Hanna was langer en steviger dan Maja-Lisa vroeger geweest was.

'Ik schaam me dood, maar ik moet het maar gewoon tegen John Broman zeggen.'

Maja-Lisa klonk bitter: 'We hebben er geen geld voor.'

Hanna luisterde niet. Ze was nog steeds als versteend en ze had het ondanks de warmte in de keuken koud. Toen ze 's avonds terugging naar Lyckan dacht ze er voor het eerst aan om weg te lopen; gewoon te vertrekken met het kind en zich aan te sluiten bij de groepen bedelaars die sinds de rampjaren rond de dorpen trokken. Toen keek ze naar de jongen en ze herinnerde zich de broodmagere bedelaarskinderen en wist dat ze het niet kon.

Je went er misschien wel aan, zoals haar moeder had gezegd. Je ogen dichtknijpen en je gewillig maken. Toen ze in de hoek van de keuken op bed lag, probeerde ze weer aan de mooie meubels te denken die John Broman in Värmland ophaalde. Maar dat was moeilijk; ze gaf het op en uiteindelijk viel ze in slaap.

De volgende ochtend was de ergste schrik voorbij. En toen ze opstond om het vuur aan te maken en de zware melkkuipen naar de stal te trekken, probeerde ze zich voor te stellen hoe anders het zou voelen wanneer ze haar eigen vuur zou aanmaken en naar haar eigen koeien zou gaan.

Ze begon te melken. Met haar voorhoofd tegen de zij van de grote dieren geleund nam ze een besluit: John Broman zou nooit weten hoe bang ze was, nooit. Ze zou haar lichaam gewillig en zacht maken, precies zoals moeder gezegd had.

Het sneeuwde toen ze de stal uit kwam, grote natte vlokken. Ze bleef in de natte sneeuw staan en bedacht dat het nog maar begin oktober was. De lange winter was vroeg begonnen en een oeroud schrikbeeld kwam in haar op.

Een lange winter, een strenge winter, hongersnood. Ze zou zeker goed zijn voor John Broman.

Rond het middaguur ging de sneeuwval over in regen en een paar dagen later scheen de zon. De winter draaide opeens weer om en de herfst gloeide in de esdoorns. Het werd warm en opgeluchte oude mensen hadden het over een Sint-Michielszomer. Zoals altijd in de herfst trokken de vrouwen naar het bos om vossebessen te plukken. Ook Hanna was erbij. Ze zei ronduit tegen Lovisa dat ze haar moeder had beloofd om met het plukken te helpen. Toen vertrok ze met een razende Lovisa achter zich aan. Het oude wijf riep haar allerlei hatelijkheden na.

Hanna draaide zich één keer om en lachte haar recht in haar gezicht uit.

Eind oktober keerde John Broman tot ieders verbazing terug. Hij had een paard en een zwaar beladen wagen bij zich. En er was ook een man bij hem, een neef uit Värmland. Al snel werd er rond gekletst dat de mannen de molenaarswoning aan de binnen- en aan de buitenkant aan het verven waren. Wit van binnen en rood van buiten. Dat was te veel voor dit dorp, waar zelfs de pastorie niet rood geverfd was en er werd gesproken over hoogmoed die voor de val komt.

Twee dagen later stond Broman onverwacht in de keuken van Lyckan en zei tegen de Erikssons dat ze nu maar afscheid moesten nemen van Hanna en de jongen. Aanstaande zondag zouden Hanna en hij in ondertrouw gaan. Lovisa was zo verbouwereerd dat ze voor het eerst van haar leven niet wist wat ze moest zeggen. Maar Joel Eriksson gaf zich niet gewonnen.

'De jongen blijft hier; hij is onze kleinzoon.'

'De jongen is van mij', zei John Broman kalm. 'Daar heb ik papieren van.'

Toen ze het erf afliepen huilde Hanna. John, die de jongen droeg, merkte het niet op en het was ook snel voorbij. Maar Hanna was verwonderd. Ze had nog nooit over tranen van blijdschap gehoord.

Ze gingen meteen naar de dominee, die hen zonder enige verbazing ontving, hen gelukwenste en zelfs een hand gaf. Toen ze verdergingen zei Hanna: 'Hij was helemaal niet verbaasd.'

'Hij wist ervan', zei John. 'Ik had immers burgerlijke-stands-papieren nodig voor de jongen. Heb je genoeg puf om de weg via het Noorse water te nemen?'

Toen moest Hanna lachen. Ze liepen langzaam, bijna slenterend, door het bos alsof ze er allebei aan dachten hoeveel er nog onbesproken was tussen hen. Maar ze vonden het moeilijk om de juiste woorden te vinden. Keer op keer wilde Hanna vragen: 'Waarom koos u mij?' Maar de woorden wilden haar niet over de lippen komen.

Ze hielden pauze bij de beek aan de voet van de Wolvenrots en lesten hun dorst. De rots, die in een diep donkerblauwe schaduw loodrecht uit de grond naar de hemel oprees, lag nog net zo stil als in de oertijd. Goudgele slierten berkenbladeren dwarrelden langs de steile zijkanten naar beneden en slechtvalken zeilden door de lucht.

'Het is hier prachtig mooi', zei Broman en Hanna glimlachte zoals ze altijd deed wanneer ze iets niet snapte. Ze ging even verderop om haar gezicht en haar armen te wassen en toen ze terugkwam ging stil ze tegenover hem zitten.

Toen begon hij te praten. Het was een aarzelend verhaal over het leven dat hij achter zich gelaten had en over zijn vrouw, die altijd moeilijk deed over de brandewijn.

'Je moet weten dat ik me op zaterdag altijd bezat', zei hij.

Ze keek helemaal niet bang of verwonderd; ze zei alleen: 'Dat doet mijn vader ook. En Joel Eriksson.'

Hij glimlachte tegen haar en vertelde verder over zijn dochter, die was gestorven en van wie hij zo ontzettend veel had gehouden.

'Ik had niet méér om een kind kunnen geven dan dat ik gaf om haar.'

'Was het de tering?'

'Ja.'

Hij was niet in staat om te praten over de zwarte herinneringen aan zijn vrouw die zo zuinig was geweest met het eten. Maar alsof Hanna zijn gedachten had kunnen lezen, zei ze dat ze had geleerd dat de tering toesloeg bij die kinderen die niet genoeg te eten kregen. En dat het van belang was om de boel schoon te houden, want de besmetting zat in vuil en in ongeventileerde lucht.

Hij knikte. Dacht er ook aan dat zijn vrouw niet knap was geweest. Hij bloosde en zei dat hij wilde dat Hanna wist dat het moeilijk voor hem was om opnieuw te beginnen.

'Soms denk ik dat ik het niet aankan', zei hij.

Hanna werd bedroefd, maar ze slikte en zei: 'We moeten elkaar helpen.'

Toen zei hij dat hij zo blij was met zijn nieuwe plek en met zijn vrouw die zo jong en mooi was.

Pas toen werd Hanna bang.

Toch werd het een van de vrolijkste dagen in haar leven. Het pas geverfde huis was zo mooi als het huis op de schoolplaat vroeger; Hanna sloeg haar handen ineen van geluk toen ze het zag.

De neef uit Värmland was weer met paard en wagen vertrokken, maar de meubels stonden in de stal. Ze zouden ze naar buiten dragen, dan kon zij alles goed bekijken. Daarna zouden ze alles binnen op zijn plaats zetten, precies zoals zij het wilde. Wat ze niet wilde hebben konden ze op zolder zetten.

Hanna zette grote ogen op van verbazing.

Hij ging de keuken in en kwam terug met speelgoed dat hij voor de jongen had klaargelegd: een houten paardje met wagen en een stapel blokken.

'Dat is voor jou', zei hij. 'Nu moet je even lief gaan spelen, terwijl je moeder en ik aan het werk gaan.'

Maar Ragnar werd wild van blijdschap en rende achter Hanna aan.

'Kijk eens, moeder, kijk wat ik heb gekregen!'

Toen moest Hanna die dag voor de tweede keer van blijdschap huilen. Maar ze zei bits: 'Nu moet je in de keuken blijven, jongen.' Later, toen John en Hanna weer buiten op het erf waren, keek hij bezorgd rond: 'Hier zijn veel gevaarlijke plaatsen voor kinderen', zei hij.

Hij zag Hanna's tranen en ze haastte zich om te zeggen: 'Ik huil eigenlijk nooit. Alleen als ik blij ben.'

Hij streek haar onzeker over haar wang.

De meubels waren mooier dan Hanna ook maar had kunnen dromen. Sommige waren gepolijst en hadden messingbeslag. Er was een sofa bij met een gebogen rug van berkenhout en een blauwgestreepte bekleding van... nee, dat kon niet waar zijn!

'Zijde', zei ze en ze streek voorzichtig over de stof alsof ze bang was dat die zou breken als ze hem aanraakte.

Maar Johns gezicht betrok.

'Dat is een bakbeest van een bank', zei hij. 'Je kunt er niet op zitten en niet op liggen. We gooien hem weg.'

'Bent u gek', schreeuwde Hanna en ze sloeg haar hand voor haar mond om de scherpe woorden tegen te houden. 'Ik bedoel,' zei ze, 'ik heb nog nooit zo'n mooi meubel gezien, zelfs niet in de pastorie. Ik mag hem toch wel in de kamer zetten.'

Hij lachte: 'Ik heb toch al gezegd dat jij dat mag beslissen.'

Hij lachte weer toen ze de meubels in het woonvertrek zetten: de secretaire, zijn boekenplanken, de ladekast en de stoelen die dezelfde ronding in de rug hadden als de sofa.

'Nu is er hier geen plek meer voor mensen', zei hij. En tot haar grote teleurstelling moest Hanna hem gelijk geven; een deel van al het moois moest naar de zolder.

De ladekast vond een plekje in de kamer en John zei: 'Ik heb geen bed meegenomen. Ik was van plan om een nieuw voor ons te timmeren. Maar kleden en handdoeken en dat soort dingen liggen in de kist.'

Als laatste kregen de lange banken, de klaptafel en het uittrekbed hun plaats in de keuken. Hanna bekeek alle stoffen in de kist. Er was veel en het was mooi, maar het was vochtig ingepakt en had schimmelplekken gekregen. Ze jammerde vertwijfeld maar besloot alles mee naar moeder te nemen om het te wassen en te bleken.

Als laatste vond ze de doos met porselein. Dat was van een dergelijk soort dat ze weer even een paar tranen liet.

In de keuken had John brood en kaas dus ze aten even wat, voordat ze zwaar beladen teruggingen naar Hanna's ouders. John droeg de kist met de stoffen, Hanna de jongen en de jongen zijn speelgoed.

De week daarna sleepten Hanna's broers het gedroogde hout door het bos naar het Noorse water, terwijl Hanna en haar moeder de kleden, dekbedden en handdoeken wasten en spoelden. De buurvrouwen renden als kippen zonder kop het washuis in en uit, nieuwsgierig en afgunstig.

Op donderdag kwam Anna vertellen dat de mensen in jaren niet zo veel hadden gehad om over te praten. Ze had Broman gesproken, die zich had beklaagd over al dat vrouwvolk dat een voorwendsel zocht om naar de molen te komen.

Maja-Lisa waagde zich aan een brede, tandeloze lach maar

Hanna prevelde in stilte alle oude gezegden om het noodlot te bezweren: De een zijn brood is de ander zijn dood en je moet niet denken dat je meer bent dan een ander.

Toen zei Anna: 'De mensen beginnen al te fluisteren dat Hanna tovenarij gebruikt om de man uit Värmland te beheksen.'

Ook daar moesten Anna en Maja-Lisa hard om lachen. Ze zagen niet dat Hanna uit het washuis verdween en op het erf bleef staan met haar hand stijf dichtgeknepen om het runenstokje onder haar hemd. Bange gedachten schoten door haar hoofd: kon dat waar zijn; zouden de runenmeester en zijn toverkol zo'n macht kunnen hebben?

De volgende dag begaf ze zich op weg naar de molen met etenswaren voor het feest ter gelegenheid van de ondertrouw. Zou ze Broman durven vertellen over het runenstokje?

Die vrijdagmiddag liep Hanna door het bos in de richting van het Noorse water. Het was al eind oktober, maar de zon bleef stug schijnen en de lucht was glashelder en gemakkelijk in te ademen. Maar Hanna was niet blij met het mooie weer.

Het was de schuld van het runenstokje. En dan de woorden die haar moeder had gefluisterd toen ze thuis wegging.

'Blijf vannacht maar slapen.'

Haar moeder had erbij gelachen. Hanna wilde het niet geloven, maar die lach was vreemd en wellustig geweest.

Toen ze langs de Wolvenrots kwam nam ze opeens een besluit. Hier zou ze zich ontdoen van haar runenstokje. Ze klom een stukje omhoog op de steile helling, deed eikenbladeren rond het stokje en bond er een stukje hout aan voordat ze het in een van de reuzen-kloven gooide.

'Je hebt gedaan wat je moest doen', zei ze en ze voegde er voor de zekerheid aan toe: 'Voor deze keer. Mocht ik je nog eens nodig hebben, dan weet ik je te vinden.'

Daarna liep ze verder. Ze stak de beek over en bereikte de plek waar het pad omhoog liep. Het was wel steil maar niet zwaar, want vanaf dit punt kon je met een wagen bij de molen komen. Al gauw hoorde ze het bruisen van de waterval.

Het duurde even voordat ze begreep dat er nog een ander geluid dan dat van de waterval te horen was. Het verdronk bijna in het gebruis van het water, maar was toch nog net te horen. Vioolspel! Hanna verstijfde van schrik. Ze stond een hele poos helemaal stil: de watergeest! De lachende watergeest wilde John Broman naar de waterval lokken, de dood tegemoet.

Bij die gedachte lukte het haar eindelijk om haar benen weer in beweging te zetten; ze rende zo hard dat ze buiten adem raakte en steken in haar zij kreeg. Met een vuist gebald in haar zij bereikte ze de molen, waar John Broman bij de waterval op een viool zat te krassen.

'Ben jij het?' zei hij, terwijl hij verbaasd naar het meisje keek, dat met wapperende rokken naar hem toe kwam rennen. Ze bleef stilstaan, keek hem aan en probeerde op adem te komen.

'Was je bang geworden?'

'Ik dacht dat het de watergeest was.'

Hij lachte hard terwijl hij zijn arm om haar heen sloeg.

'Ach meisje toch, ik had niet gedacht dat jij in die lokgeest geloofde. Jij bent altijd zo verstandig.'

Ze bloosde, maar ze kon horen dat hij het goed bedoelde.

'Ik speel voor de rotsen en de waterval', zei hij. 'En voor de bomen en de meren. Zij spelen ook voor mij, begrijp je, en ik vind dat ik er dan iets voor terug moet doen. Maar ik kan de juiste tonen niet vinden.'

Hij zweeg een poosje, voordat hij bedachtzaam zei: 'De juiste melodie vinden is net zo moeilijk als proberen je je dromen te herinneren.'

Hij is gek, dacht Hanna. Hij is weggelopen uit een gekkenhuis daar in Värmland. Jezus help, wat moet ik doen!

Toen zag ze het brandewijnkruikje dat hij tegen de stenen had gezet waarop hij had gezeten, en opgelucht begreep ze dat hij dronken was. Dronken kerels moet je gelijk geven, dat had moeder haar geleerd. Nooit tegenspreken. Hij volgde haar blik naar de brandewijnkruik, hield die uitdagend omhoog en zei: 'Ik schenk jou ook even in, dan kalmeer je wel.'

Hij schonk een halve beker in en gaf haar die aan. Zelf nam hij de kruik en zette die aan zijn mond.

'Nu klinken we, Hanna.'

Ze had nog nooit eerder brandewijn geproefd en het schoot haar al meteen bij de eerste slok in het verkeerde keelgat. Maar hij drong aan, ze nam nog een slok en voelde hoe een vreemde warmte zich door haar lichaam verspreidde. Ze giechelde. Daarna begon ze te lachen, met haar hoofd achterover, en ze kon niet meer ophouden. Wilde dat ook niet. Voor het eerst van haar leven was Hanna vrij, zonder zorgen. Het is net als in de hemel, waar je je geen zorgen hoeft te maken, dacht ze. Net zoals de dominee altijd zegt. Toen ze zag dat de hoge boomstammen heen en weer zwaaiden, zei ze:

'Waarom staan die bomen niet stil?'

'Ze voeren een bruiloftsdans voor je uit', zei hij, maar nu dacht ze niet meer dat hij gek was. Toen hij haar de kamer in droeg en haar uitkleedde, voelde ze zich nog steeds licht in haar lichaam en niets was gevaarlijk of schandelijk. Ze vond het prettig toen hij haar borsten en haar schoot streelde. Het deed ook geen pijn toen hij in haar binnen drong; ze vond zelfs dat het te snel afgelopen was.

Daarna moest ze in slaap zijn gevallen en lang hebben geslapen, want toen hij haar wakker maakte was de herfstnacht voor de ramen pikzwart.

'Heb je hoofdpijn?'

Hanna begreep dat dat hoofdpijn was, die pijn in haar ogen wanneer ze haar blik verplaatste; dat had ze nog nooit eerder gehad. Ze knikte en het deed nog veel meer pijn.

'Ik zal koffie zetten', zei hij troostend, maar daarop werd ze opeens misselijk en ze rende naar buiten om over te geven. Pas nadat ze haar maag had geleegd, ontdekte ze dat ze naakt was. Ze werd overvallen door een gevoel van schaamte en toen ze door de keuken sloop, waar hij de twee fakkels had aangestoken, probeerde ze zich zo goed en zo kwaad als het ging te bedekken met haar lange haar.

'Je bent zo mooi als een bosnimf', riep hij haar na toen ze de kamer binnen glipte, waar haar lange rok en nieuwe blouse op een hoop op de grond lagen. Toen ze haar kleren aantrok voelde ze zich erg opgelucht; het was best mee gevallen.

'Maar ik had wel gelijk wat betreft de watergeest', riep ze door de deur. 'U bent vast familie van hem.'

'Dan wel een achterachterneef', grapte John terug, terwijl hij verbaasd dacht dat ze gevoel voor humor had en ook niet zo verlegen was als hij had gedacht. Hij wist niet dat het de enige keer zou zijn dat hij haar naakt zag.

Daarna leerde hij haar hoe ze koffie moest zetten zoals hij die wilde hebben, met een schone ketel en vers water dat moest koken zodat het zong. Vervolgens nam hij de ketel van het vuur en schepte er de koffie in, die langzaam door het water moest zakken.

'Tjonge, wat bent u kwistig met de dure gaven Gods', zei

Hanna. Maar toen ze van de koffie geproefd had was ze het met hem eens dat het beter was om af en toe sterke koffie te drinken dan vaak waterige.

'Waarom ben je gekomen?'

'Tjee!' schreeuwde Hanna. 'Waar is mijn ransel? Ik moet immers bakken. Voor het geval er mensen op de koffie komen voor de ondertrouw.'

Ze begon te jammeren, want ze hoorde hoe de regen neersloeg op het erf waar ook haar ransel ergens lag. John ging hem halen. Hij was van leer en het meeste meel was droog gebleven.

Ze legde het meel en de gist, de rozijnen en de suiker op een rij om deeg te maken voor een grote krans, die ze snel in elkaar vlocht. Ze legde er een theedoek over en zette het deeg weg om te gisten. Hij keek toe en genoot ervan hoe sterk haar handen waren en hoe zelfverzekerd ze in de keuken heen en weer liep.

'Het zit me mee', zei hij, maar Hanna begreep niet wat hij bedoelde. Ze stak het fornuis aan zodat dat voor het bakken de volgende ochtend voorverwarmd zou zijn. Room had ze ook bij zich. Suiker en koffie stonden in de voorraadkast waar verder nog een eenzaam droog brood en een stuk kaas lagen. Ze hadden honger: 'Als u een beetje melk hebt kan ik broodpap maken', zei ze.

Jawel, hij had melk in de aarden kelder.

Na het eten vielen ze zij aan zij in het grote bed in slaap. Hij raakte haar niet aan en ze dacht: Misschien is hij niet zo hitsig; misschien gebeurt het wel niet zo vaak.

Hij sliep de volgende ochtend nog toen Hanna de oven opstookte. Ze kon de verleiding niet weerstaan om de tafel te dekken met het mooie porselein en ze verheugde er zich nu al op hoe verbaasd ze allemaal zouden zijn, die verdomde oude wijven. Toen John wakker werd was hij somber en hij keek zuur. Hanna had vaker een kater gezien en zette koffie voor hem zoals hij haar had geleerd. Ze had wat deeg apart gehouden voor kleine vlechtbroodjes en toen hij klaar was met eten en drinken zei hij: 'Ik ben van de week naar de markt geweest en heb een koe gekocht.'

Ze sloeg van verrassing haar handen in elkaar en hij ging verder:

'Ik heb ook een huwelijkscadeau voor je.'

Het was een zijden hoofddoek, groen met rode rozen.

'Ik dacht dat hij wel mooi zou staan bij jouw haar', zei hij en het drong tot haar door dat zij nu net zo naar de kerk kon gaan als alle anderen. Met die mooie doek, en de knoop erin van een getrouwde vrouw. Nu was er geen sprake meer van een hoerenknoop.

Die hinderlijke tranen benamen haar het zicht en John keek haar verbouwereerd aan. Het zou nog even duren voordat hij had geleerd dat Hanna alleen van blijdschap huilde, nooit bij tegenslag.

De hele zaterdag waren ze bezig om de stal, de plee, de voorraadschuur en de aarden kelder schoon te maken. Het viel haar op dat hij gauw moe was. Tegen de middag was de temperatuur in de bakoven goed en bakte ze de grote krans van tarwebloem.

Ze zaten kaarsrecht in de kerkbank toen de dominee hen in ondertrouw opnam en nooit, niet daarvoor en niet daarna, voelde Hanna zich zo trots. Er kwamen veel gasten in het molenaarshuis, precies zoals ze al had gedacht. De ogen tastten al de opsmuk af en Hanna glom. Iedereen had cadeaus bij zich, zoals de gewoonte was. Haar ouders kwamen met vier zakken aardappels en de oude Anna met drie legkippen en een hanenkuiken.

Zelfs Joel Eriksson dook op met paard en een met hooi volgeladen wagen. De oude Erik had gezegd dat ze meer konden halen op Framgården, zei hij, en Hanna zuchtte opgelucht. Ze had zich het hoofd al gebroken over hoe ze aan voer moesten komen voor de koe die John had gekocht.

En ze kregen koperen ketels en een koffiekan en een hangklok van Ingegerd, de zuster van Hanna's moeder. Men vocht erom om gul over te komen, want Hanna's huwelijk gaf de familie haar eer terug.

Hanna trakteerde op sterke koffie en John op brandewijn. Het werd een vrolijke middag en er werden veel grove grappen gemaakt. Hanna had ze eerder gehoord, maar nooit begrepen. Nu lachte ze net als iedereen.

Drie weken later werden ze in de pastorie in de echt verbonden. Hanna's zuster in Fredrikshald was net bevallen en kon niet komen. Maar ze had een mooie jurk gekocht voor de bruid en die opgestuurd en Maja-Lisa was blij. Nu hoefde ze zich niet te schamen dat haar dochter ging trouwen in oude kleren.

Johns zuster uit Värmland kwam met man en dochter naar de bruiloft. Hanna had zich zorgen gemaakt toen het bericht kwam: 'Wat hebt u haar geschreven over de jongen, over Ragnar?'

'Ik heb verteld wat jou is overkomen.'

Dat stelde haar nu niet bepaald gerust, maar toen Alma kwam kalmeerde Hanna. Het was een verstandig en aardig mens.

'Hij is zwaar op de hand, mijn broer', zei ze. 'Dat is hij altijd geweest.'

Hanna keek verwonderd; ze had het nog nooit meegemaakt dat iemand iets zei over een ander die er zelf bij stond. Maar John knikte en zei: 'Dat is misschien goed om te weten voor jou, Hanna.'

'Dat je niet denkt dat het aan jou ligt wanneer ik somber ben', zei hij. Ook dat begreep ze niet.

Hanna liet haar mooie trouwjurk nog lang na de bruiloft in de kamer hangen.

'Dan word ik weer blij', zei ze.

Maar ze was niet blij, want ze had te veel zorgen. De grootste zorg was het aardappelveld dat moest worden omgeploegd voor de vorst inzette. Zelf kon ze de ploegschaar wel trekken, maar Broman had geen tijd om te leiden nu ze zo druk waren met het repareren van de molen. Ik kan vaders os wel lenen, dacht ze, maar het zou me een paar dagen kosten om dat trage beest heen en terug door het bos te krijgen. En ik heb al zo weinig tijd want de kelder moet vol en we hebben meer hooi nodig voor de winter invalt.

Op een avond vroeg John aan haar: 'Waar maak je je zo bezorgd over?'

Ze werd breedsprakig toen ze beschreef hoeveel onkruid er op de akker stond en hoeveel tijd het zou kosten om de oude os op te halen door het bos. Zoals zo vaak de laatste tijd dacht hij ook nu weer dat ze nog een kind was.

'Morgen praat ik met je vader, dan kan hij het beest meenemen', zei hij. Zij sloeg haar hand voor haar mond en zei: 'Dat ik daar niet aan gedacht heb; wat ben ik toch stom.'

'De koe is een veel groter probleem', zei hij. 'Die moet woensdag opgehaald worden van de markt in Bötteln. Maar ik kan hier moeilijk weg. Kun jij alleen gaan?'

'Natuurlijk kan ik dat', zei ze. 'Ik breng de jongen wel bij moeder.'

En zo geschiedde. Voordat het licht werd vertrok Hanna bij de molen, voorzien van de kwitantie voor de koe en met een zakje geld verstopt onder haar hemd. Broman zei: 'Dat geld krijg je mee voor het geval je niet tevreden bent over de koe. Dan moet je maar wat bijleggen om een betere te kopen.'

De verantwoordelijkheid voor dat grote besluit maakte haar stappen zwaarder, maar toen het ochtendlicht doorbrak werd het lopen gemakkelijker. Natuurlijk zou ze de opdracht goed uitvoeren.

Nog nooit had ze zo veel mensen gezien als op de markt. Maar Anders Björum wist ze te vinden en ze zag dat de koe die Broman had gekocht jong was en net had gekalfd. Ze zouden de hele lange winter melk hebben.

'Je moet natuurlijk ook een vaarskalf hebben', zei de veehandelaar.

Hanna stond erg in de verleiding, maar over een kalf had Broman niets gezegd. Maar toch, het was een mooi beest, en Hanna keek verlangend naar het kalf. Ze bedacht dat ze genoeg voer voor de winter had en dat het goed zou uitkomen; ze kon volgend voorjaar met de vaars naar de stier gaan en ze zou dan een kalf voor de slacht hebben en biest.

Met twee koeien zou ze altijd melk hebben voor de jongen en Broman. Voordat ze zich nog kon bedenken vroeg ze: 'Wat moet u ervoor hebben?'

Hij noemde zijn prijs; ze had genoeg geld. Toch ging ze pingelen en ze dong een derde af. Björum begon te lachen en zei: 'Je bent nog wel jong, maar bepaald niet op je achterhoofd gevallen, zie ik.'

Nadat ze het verschil gedeeld hadden vertrok Hanna met de twee dieren naar huis. Ze was bang wat haar man ervan zou zeggen. De tocht duurde lang want het kalf was moeilijk te leiden en kon geen lange stukken in een keer lopen. Pas tegen middernacht kwamen ze thuis en het was duidelijk dat John Broman opgelucht was.

'Ik heb ook een kalf gekocht', zei ze zo snel ze kon, om er maar vanaf te zijn.

'Daar had je gelijk in', zei hij. 'Jij hebt daar meer verstand van dan ik.'

Ze moest even op de grond gaan zitten om aan haar gevoel van opluchting toe te geven. En zo bleef ze zitten, terwijl John de dieren naar de stal bracht om ze hooi en water te geven.

Hanna was al haast ingedut voordat ze in bed lag en ze sliep die nacht als een blok.

'Je was wel moe', zei Broman de volgende ochtend. Ze knikte, terwijl ze zoals gewoonlijk naar een punt achter hem keek.

'De vermoeidheid was niet het ergste', zei ze. 'Het was dat ik zonder uw toestemming van uw geld een kalf had gekocht.'

'Je verspilt anders nooit geld aan iets.'

Ze glimlachte maar haar blik bleef gericht op iets achter hem.

'Hanna', zei hij. 'Kijk me eens aan.'

Even kruisten hun blikken elkaar. Hanna begon te blozen en stond op: 'Ik moet aan het melken.'

Al op het ondertrouwfeest was het John Broman opgevallen dat ze moeite had om mensen recht aan te kijken. Ze was, zoals hij al bij hun eerste ontmoeting had gedacht, iemand die de dingen goed opnam, maar in het geniep. Zodra iemand haar aankeek keek ze weg.

Voordat Hanna terug was uit de stal kwamen August en zijn zoons, dus er was geen gelegenheid om het gesprek voort te zetten. Maar Broman gaf niet op en tijdens het avondeten vroeg hij haar: 'Waarom kijk je de mensen niet aan?'

Haar gezicht en haar hals werden rood, terwijl ze nadacht zonder het antwoord te vinden.

'Ik weet het niet', zei ze uiteindelijk. 'Ik heb er nooit over nagedacht. Het zal wel zijn omdat ik zo verschrikkelijk lelijk ben.'

'Maar je bent heel knap!'

Nu verdiepte haar blos zich nog meer tot een donker en gelijkmatig rood. Terwijl Hanna naar een antwoord zocht bleef het stil.

'Dat vindt u alleen', zei ze ten slotte. 'En u hebt een vreemde kijk op veel dingen. Zoals die ontoegankelijke rotsen die u mooi vindt.'

Nu wist hij niet wat hij moest zeggen.

Hanna zorgde voor haar koeien alsof het baby's waren en in de streek zei men dat haar stal zo schoon was dat je er van de vloer kon eten. De koe kreeg de naam Lier maar het kalf had geen naam, totdat John Broman op een dag zei: 'We noemen haar Ster.' Dat was goed, vond Hanna, terwijl ze liefdevol naar het bruine kalf keek dat een witte vlek met punten op haar voorhoofd had.

Toen de werkzaamheden aan de molen bijna klaar waren, kreeg Broman een brief van zijn zuster, waarin stond dat zijn moeder ernstig ziek was en wilde dat hij haar thuis kwam opzoeken. Hij was van plan om Hanna mee te nemen, maar ze smeekte hem zo erbarmelijk om niet te hoeven dat hij toegaf.

Hij was somber gestemd toen hij vertrok.

'Maakt u zich zorgen over uw moeder?' vroeg Hanna bij het afscheid.

'Nee, niet zo erg. Ze is al veel vaker bijna dood gegaan', zei hij kortaf.

Zodra hij de provinciale weg had bereikt kon hij meerijden met een boer die een vracht schapen voor de slacht naar Fredrikshald bracht. Toen hij er bij de grens af moest was Broman blij weer alleen te zijn; hij wilde kunnen nadenken.

Hij had oude mannen wel horen zeggen dat het ergste met een moeilijke vrouw was dat je haar nooit uit je gedachten kon zetten. En hij piekerde veel over zijn jonge vrouw. Terwijl hij een stuk afsneed door de bossen vlak bij Värmland bedacht hij dat Hanna echter niet moeilijk was; hij kon een lange lijst maken van haar goede kanten. Ze was gehoorzaam en stil, roddelde niet, ze kookte lekker en hield het huis en de stal goed schoon. Het allerbeste was dat ze nooit klaagde en hem geen verwijten maakte. En ze was ordelijk, ze kon goed huishouden en met geld omgaan. Verder was ze knap en niet onwillig in het beddenstro.

Toen hij in gedachten zo ver was gekomen, herinnerde hij zich de avond dat de jongen had gegild en zij midden in de bedgemeenschap de ogen opendeed. Ze had zo geschrokken gekeken, dat hij van zijn stuk raakte.

'Waar ben je bang voor?'

'Ik schrok denk ik van de jongen.'

Ze loog en dat was ongewoon; ze loog bijna nooit.

Het had een hele tijd geduurd voordat hij de herinnering aan haar blik van die avond kwijt was geraakt. Hij had zijn begeerte verloren en haar een week lang niet aangeraakt.

Ze zat vol geheimen en hij was iemand die wilde begrijpen. Zoals dat met God. Om de zondag liep ze de lange weg naar de kerk. Af en toe ging hij mee, het woord Gods was ook voor hem wel eens nuttig. Maar de kerkdienst vergrootte de leegte binnenin hem hoewel de organist mooi speelde. Hanna zat kaarsrecht in de bank en leek aandachtig te luisteren; ze keek niet op of om. Toch was hij er bijna zeker van dat ze zich net zo verveelde als hij.

Op weg naar huis had hij geprobeerd om erover te praten: 'Jij gelooft in God, hè.'

'Geloven,' zei ze verwonderd, 'Hij is er immers.'

Ze zei het alsof ze het over de grond had waarover ze liep, maar hij ging stug door: 'Hoe bedoel je dan, dat Hij er is?'

'Het ergste met Hem is dat je nooit weet waar je aan toe bent. Je moet je buigen, wat er ook gebeurt.'

'Je bedoelt... dat God wreed is', had John gezegd, een beetje aarzelend, want hij had het gevoel dat hij godslasterlijke taal sprak.

'Precies', zei ze. 'En blind en onrechtvaardig. Hij geeft niet om ons. Wie dat zegt praat onzin.'

'Het klinkt alsof je het over het noodlot hebt', zei hij.

Ze fronste haar voorhoofd, dacht even na en zei toen: 'Ja, hij is eigenlijk net als het noodlot, want je kunt hem niet ontlopen.'

John Broman vroeg verwonderd wat ze dacht dat de dominee zou zeggen, als hij wist hoe zij erover dacht. Toen zei ze lachend: 'De dominee is niet goed bij zijn hoofd.'

John Broman moest ook lachen toen hij daar door het herfstige bos liep en aan het gesprek terugdacht. Het was geen vrolijke lach, want er lag iets angstaanjagends in het geloof van zijn vrouw, iets heidens en hekserigs. Maar die gedachte wuifde hij weg; Hanna was geen heks. Ze was alleen eerlijker dan de meeste mensen.

Voordat hij zijn geboortedorp bereikte nam hij een pauze om zijn brood op te eten. Hij ontdekte dat Hanna er zowel boter als een stuk spek op had gedaan. Het smaakte goed en het liefst was hij daar aan de beek in het bos blijven zitten, dus hij zuchtte diep alvorens de weg naar het ouderlijk huis in te slaan. Toen hij het hoofdgebouw in het vizier kreeg drong het opeens tot hem door dat hij misschien zo veel aan Hanna dacht om maar niet aan zijn moeder te hoeven denken. Een ogenblik bleef hij aan de rand van het bos staan en probeerde hij Brogården te zien zoals een vreemdeling de boerderij zou zien. Hij vond dat ze er fraaier uitzag dan ze was. Uiteindelijk vermande hij zich en hij liep over het grindpad naar de deur.

Hij was bang voor zijn zwager die de boerderij beheerde; bijna net zo bang als hij voor zijn vader was geweest. De oude man was al vijftien jaar dood, maar zijn moeder bestierde de familie vanaf haar ziekbed. Beide ouders waren van het soort waarbij je in de schuld stond, hoe je je ook gedroeg.

Zijn zwager was niet thuis, maar Agnes ontving hem met haar gebruikelijke gelatenheid. Zoals je een hond begroet waarvan je weet dat hij lastig is.

'Alma schreef...' zei hij.

'Ik weet het', zei ze. 'Maar moeder is er niet slechter aan toe dan anders. Ze slaapt nu, dus je kunt je even wassen en een kop koffie drinken.'

Buiten op het erf spoelde hij zijn gezicht en zijn handen af in de regenton. Daarna dronk hij de koffie die net zo weinig smaak had als Agnes zelf. Toen hij naar de kamer van zijn moeder ging fluisterde zijn zuster: 'Maak haar niet wakker. Het is voor iedereen het beste als ze vannacht blijft slapen.'

'Hoe is het met tante Greta?' vroeg hij zachtjes.

'Ze woont bij Alma in en is nog goed bij haar verstand', fluisterde Agnes.

En toen zat hij daar naar zijn moeder te kijken. Ze hijgde. Ze ademde maar af en toe een klein beetje lucht in en het leek alsof ze maar een strobreed van de dood verwijderd was. Ze zag er vredig uit en even wenste hij dat hij tederheid voor haar had kunnen voelen. Maar zijn verbittering kreeg de overhand en hij dacht: Als God barmhartig was ging je nu dood. Ik zou vrij zijn. En mijn erfenis krijgen. God weet hoezeer ik het geld nodig heb.

Het waren niet meer dan gedachten, maar zijn moeder werd wakker en keek haar zoon met zo'n verwijtende blik aan dat hij de ogen neersloeg.

'Zo, dus nou kom je', schreeuwde ze en nu had ze wel genoeg lucht in haar longen. 'Maar je nieuwe vrouw heb je niet bij je, die hoer uit die bedelaarsstreek daar in Dal. Ze durft haar schoonmoeder zeker niet te bezoeken.'

Hij gaf geen antwoord, wist uit ervaring dat verstandige taal het alleen nog maar erger zou maken. Maar deze keer werd ze door de stilte tot waanzin gedreven; ze schreeuwde als een idioot en Agnes kwam binnen rennen: 'Ik heb toch gezegd dat je haar niet wakker moest maken.'

Toen stond hij op om weg te gaan. In de deuropening keerde hij zich om en zei inschikkelijk: 'Tot ziens dan, moeder.'

Toen schreeuwde ze weer, de oude woorden, dat hij zijn familie en de boerderij te schande had gemaakt, precies zoals zijn vader voorspeld had.

John Broman haastte zich de keuken door, het erf over naar het pad dat naar Alma's huis voerde. Het was een ongedeelde boedel en in afwachting van moeders dood woonden Alma, haar man en kinderen als pachters op de wat hoger gelegen boerderij bij het bos.

'Je ziet eruit alsof je kapot bent', zei ze toen ze hem ontving. 'Het is verkeerd gegaan, begrijp ik.'

Ze zwegen allebei want wat viel er te zeggen over het onvermijdelijke. Ten slotte zei Alma: 'Toch wilde ze zo graag dat ik je schreef. Ik had bijna het gevoel dat ze zich met je wilde verzoenen.'

Hij voelde hoe de zwaarmoedigheid hem dreigde te overvallen en was niet in staat om daarop in te gaan.

Alma begon te vragen naar Hanna, de jongen en de molen en hij wist de duisternis nog even op afstand te houden door te vertellen hoe goed ze zich konden redden daar bij de molen, hoe ijverig Hanna was en hoezeer hij zich aan de jongen was gaan hechten.

Hij informeerde naar Greta, de zuster van hun vader die altijd verhaaltjes vertelde en vrolijk was en aan wie ze zich als kind hadden vastgeklampt.

De oude vrouw sliep al, zei Alma. Maar toen ze zag dat haar broer verstrakte haastte ze zich om te zeggen: 'Ga maar naar binnen. Ze vindt het leuk om je te zien. Maar maak haar zachtjes wakker. Ze slaapt in de kamer naast de bakoven. Daar is het 't warmst.'

Ze slopen naar binnen, maar dat was niet nodig geweest. Greta was wakker. Ze zat rechtop in bed en zei dat ze gedroomd had dat John thuis zou komen om haar te bezoeken.

'Het was geen droom', zei John terwijl hij haar beide handen in de zijne nam en haar tandeloze lach en duizend rimpeltjes bekeek. Ze was dezelfde gebleven en haar kracht stroomde door haar handen zijn lichaam binnen. Ze praatten wat over vroeger. Zij vroeg niet naar zijn bezoek aan Brogården alsof ze al wist hoe dat was verlopen. Wat later wilde ze koffie, maar Alma lachte en zei: 'Nou hebben we genoeg gekkigheid gehad voor vanavond.' Ze zouden de avondmaaltijd gebruiken en daarna allemaal naar bed gaan.

Toen hij op het zolderkamertje lag merkte John tot zijn verwondering dat de slaap kwam zodra hij zijn hoofd op het kussen legde. Hij sliep de hele nacht, werd wakker en dacht niet meer aan zijn moeder. De volgende dag nam hij, zwaar beladen, dezelfde weg door het bos naar huis. Hij had een nieuwe petroleumlamp bij zich en een oude spiegel met een vergulde lijst, die Alma had opgepoetst.

'Nog wat huwelijkscadeaus voor Hanna', had ze gezegd en tijdens het lopen dacht hij dat zijn vrouw daar wel blij mee zou zijn. Maar hij dacht vooral aan de afspraak met Alma's man, die van plan was de veldwachter erbij te halen als hij geen voorschot op de erfenis zou krijgen. De volgende keer dat John naar zijn ouderlijk huis terugkeerde zou hij er paard en wagen ophalen.

Hij nam een pauze toen de weg het lange meer bereikte waar de hoge rotsen naar de hemel oprezen. Er liep een geitenpaadje langs de steile helling en hij klom een stukje omhoog om uit te kijken over het land waar hij nu thuishoorde. Het lange meer lag midden in een bergdal, verder alleen maar hoge rotsen en schrale grond in smalle stukken langs de oevers van het meer. Hiervandaan kon hij een stuk of tien van de bijna honderd meren in de gemeente zien blinken. Het leken net spiegels die in de wildernis waren uitgestrooid.

Dit land was niet bedoeld voor boeren, maar voor wilde dieren en moedige jagers. Toch hadden de koppige, aan deze grond verknochte mensen zich op de schrale akkers vastgezogen, er een kerk en een school gebouwd; ze waren er getrouwd en hadden kinderen gekregen. Te veel kinderen.

'Een hard leven is het hier altijd geweest,' had August gezegd, 'maar nood kwam er pas toen de mensen als konijnen begonnen te fokken.'

De hele tijd dat hij onderweg was had John de wolken langs de hemel in het zuiden zien bewegen. Nu hoopten ze zich op, ginds aan de horizon waar zijn huis lag en zijn vrouw op hem wachtte.

Hij stond op, nam zijn spullen op zijn rug en liep verder de regen tegemoet. Hij werd kletsnat, maar later gaven de wolken het op en de zon gebruikte de laatste uren van de dag om de bossen en de paden, de mensen en het vee te drogen. John Broman verbaasde zich daar niet meer over; hij was er nu aan gewend dat het weer hier net zo grillig was als het landschap.

Het was al laat in de avond toen Broman thuiskwam. Maar de fakkel brandde in de keuken en Hanna was aan het strijken. Misschien is ze wel bang alleen thuis, dacht hij, en voordat hij op de deur klopte riep hij eerst: 'Hanna, ik ben 't.'

Ze vloog hem tegemoet en in het donker kon hij zien hoe ze met de rug van haar hand de vervelende tranen afveegde.

'God, wat ben ik blij!' zei ze.

'Was je bang?'

'Helemaal niet. Mijn broer slaapt op zolder.'

Toen herinnerde hij zich dat August en hij hadden afgesproken dat Rudolf in het molenaarshuis zou slapen als Hanna alleen was. Op hetzelfde ogenblik besefte hij dat zijn zwaarmoedigheid weg was. Voor zo lang het duurde.

'Sta je hier in het donker te strijken?'

'De dag heeft voor mij nooit genoeg uren.'

Ze omhelsden elkaar niet, maar hun blijdschap verlichtte de keuken. Broman moest opeens aan de petroleumlamp denken en hij zei: 'Doe die kleren maar aan de kant en ga zitten, Hanna.'

Hij keek niet naar haar toen hij de lamp in elkaar zette en met petroleum vulde. Maar toen hij hem aanstak liet hij haar gezicht geen moment los met zijn blik. Hij genoot van haar verwondering en bijna onbegrijpelijke blijdschap, toen ze daar in het heldere licht stonden. Ten slotte fluisterde ze: 'Het lijkt wel een zomerdag.'

Het was zo licht dat Ragnar er wakker van werd en zei: 'Is het al ochtend?'

Toen kreeg hij John in de gaten, rende recht op hem af en sprong in de armen van zijn stiefvader. Die omhelsde de jongen zoals hij zijn vrouw had willen omhelzen maar niet had gedurfd.

Pas de volgende ochtend dacht John Broman aan de spiegel.

'Ik heb een cadeau voor je van Alma.'

Hij hing de mooie spiegel aan de muur in de woonkamer. Hanna stond ernaast en slaakte een kreet van blijdschap. Ze streek lang met haar hand over de vergulde lijst, maar ze keek niet in de spiegel.

'Maar kijk dan eens in de spiegel, zie hoe mooi je bent', zei John.

Ze gehoorzaamde, begon te blozen, sloeg beide handen voor haar gezicht en vluchtte weg.

Toen ze 's ochtends koffie voor hem inschonk vroeg ze: 'Hoe was het met uw moeder?'

'Zoals altijd', zei hij en meer werd er niet gezegd over het bezoek in Värmland.

De week daarna ging de molen in werking. Het gebulder van de waterval verminderde, de houten schacht hield het, evenals het schot in de dam. Broman was tevreden. Hij was blij dat hij nog geld over had om August en zijn zonen te betalen voor het uitgevoerde werk.

Maar tegen Hanna zei hij waar het op stond; dat nu het laatste geld uit de buidel verdween. En zij antwoordde zoals hij had gehoopt: 'We redden ons wel.'

Ze was ervan overtuigd; ze vond dat ze rijk was. Ze had koeien, de kelder lag vol met aardappelen en koolraap, vossebessen en bramenjam. De kippen waren aan de leg en ze had van een neef een varken gekregen. Het bier stond in de droogruimte en op zolder stond Bromans brandewijnvaatje te pruttelen. Meel hadden ze in overvloed; aan brood zou er in het molenaarshuis geen gebrek zijn.

En dan was er nog vis. John Broman kon een heleboel kunsten waar de boeren in Dal versteld van stonden. Waar vooral veel over werd gepraat was hoe hij vis uit het meer haalde. Er waren maar weinig mensen in het dorp met een boot en zelfs tijdens de ramp-jaren hadden ze er niet aan gedacht om dagelijks vis te gaan eten. Zodra hij had besloten dat hij zich aan het Noorse water zou vestigen, had Broman een roeiboot gekocht en elke avond zette hij een fuik uit.

De enige vis die Hanna ooit had gegeten was zoute haring, dus in het begin had ze problemen met snoek, baars en meerforel. Maar ze geloofde John op zijn woord dat het gezond voedsel was en ze leerde al gauw de vis te bereiden en te eten.

Op doordeweekse dagen moesten ze hard werken. Hanna had nooit geweten dat de boeren, wanneer ze tijdens het malen stonden te wachten, verwachtten dat ze koffie kregen. En liefst ook nog een stuk brood of een koffiebroodje.

''t Is net of ik een herberg heb', zei ze tegen haar moeder. Maar ze vond het prettig om mensen om zich heen te hebben en al het gepraat, de grapjes en het gelach te horen.

Toen de eerste sneeuw viel kwamen er andere gasten. Net als tijdens andere winters trokken de bedelaars bij de huizen langs. Ze stonden in de deuropening met ogen die zo diep in hun kassen lagen dat ze zwart leken. Het ergst was het om de kinderen te zien. Hanna kon zich er niet ongevoelig voor maken; ze bakte en gaf weg en bakte opnieuw.

'Ik kan ze gewoon niet wegsturen', zei ze tegen John, die knikte dat hij dat wel begreep. Maar hoe meer Hanna bakte, des te wijder in de omtrek kwam ze daar bekend om te staan en elke dag nam de stroom bedelaars toe.

'Dit is zwaar voor jou', zei John toen hij zag hoe ze elke avond de keuken schoon schuurde, de vloer, de tafel en de banken. Ze was niet alleen bang voor vlooien en luizen; ze was er heilig van overtuigd dat er ziektes in het vuil van de bedelaars huisden. Broman lachte om haar, maar zei niets. Hij had al eerder ingezien dat hij toch niets aan haar bijgeloof kon veranderen.

Het allermoeilijkst tijdens deze eerste winter dat Hanna voor molenaarsvrouw leerde, was om te zien dat Broman zo vreselijk moe was van al het harde werken. Door de vermoeidheid en het stof van het meel ging hij hoesten, een lelijke hoest, waardoor hij 's nachts wakker lag.

'U werkt zich helemaal kapot', zei Hanna.

Als het heel erg druk was met zakken meel die naar de molen-kamer gedragen moesten worden hielp Hanna mee om ze te dragen. Dat bracht Broman in verlegenheid. Hij zei: 'Doe jij jouw werk nou maar, dan doe ik het mijne.' Maar Hanna ging eens met haar moeder praten en samen vonden ze er iets op. Hanna's jongste broer, die thuis niet langer nodig was, zou op de molen gaan werken. Hij was veertien jaar en sterk. Zijn loon zou hij in meel uitbetaald krijgen.

Nu leerde Hanna vrouwelijke listen. Ze zou terloops tegen Broman zeggen dat haar ouders zich zorgen maakten over Adolf, die thuis maar liep te niksen. Tegelijkertijd zou Maja-Lisa tegen August zeggen dat ze bang was dat ze niet genoeg meel voor de winter zouden hebben.

'Ik meen het echt', zei ze.

En zo kwam August op het goede idee om aan Broman te vragen of Adolf geen molenaarsknecht aan het Noorse water kon worden. Ze spraken af dat hij zijn loon in meel zou krijgen. Maar hij hoefde niet op de knechtenbank in de keuken te slapen, want Hanna had genoeg hout om het huis op meer plaatsen te verwarmen en ze maakte het zolderkamertje voor hem in orde.

Broman hoefde nu iets minder hard te werken. Maar 's avonds sloeg die lelijke hoest toe en Hanna maakte zich ongerust.

Dan hadden ze ook zorgen over het meel. De boeren in Dal betaalden de molenaar op de ouderwetse manier: twee schepels meel voor één vat zaad. Dat meel moest dan weer ruim tien mijl vervoerd worden naar het dorp aan de grens, waar het geruild werd voor koffie, zout en suiker. En voor geld. Als er ijs op het lange meer lag nam Hanna de taak op zich om de zware slee naar Alvar Alvarssons kruidenierswinkeltje te trekken. Ze keerde terug met de noodzakelijke levensbehoeften en met contant geld.

Broman schaamde zich. Het was zwaar voor een vrouw, ook al was ze jong en sterk. Maar hij was blij toen hij eindelijk haar broer een rijksdaalder in de maand kon betalen naast het afgesproken meel.

Hij verwachtte nu elke dag bericht uit Värmland over het paard, maar de boodschap bleef uit en Hanna zei dat dat niet erg was. Ze hadden niet genoeg voer voor een paard deze winter.

Na de kerkdienst in de vroege ochtend van eerste kerstdag ontbeten ze die winter bij August en Maja-Lisa op Bråten. De tafel was gedekt met het kerstspek en de pap. Hanna zette koffie, want Maja-Lisa was nog even op het kerkhof gebleven, waar ze dennentakken op de graven van de kinderen legde. John Broman was met haar meegegaan en misschien kwam het door zijn attente gedrag dat ze voor het eerst over de doden sprak. Toen ze de lange weg naar huis aflegden zei ze: 'Het is moeilijk, want ik hield zo veel van ze. Veel meer dan van de kinderen die later kwamen en die ik mocht houden. Ik had er vier: Anders en Johan, dat waren net tweelingen. Ze waren zo vrolijk. En dan Elin, die was nog zo klein dat ik haar niet heb leren kennen. Dat had ook geen zin, want de dood stond al bij de wieg.'

Ze huilde en veegde haar tranen af met haar zondagse schort. Hij zweeg, maar streek haar over haar rug.

'Het allermoeilijkst was het om Maria kwijt te raken. Zij was zo opgeruimd van aard en mooi van buiten en van binnen.'

Ze snoot haar neus in haar hand en wierp de snot in de sneeuw.

'Ik heb het nog nooit aan iemand verteld, maar nu moet ik het kwijt. Toen Astrid werd geboren, een jaar na Hanna, leek ze zo… Het was alsof Maria terug was gekomen. Dat is natuurlijk onzin. Maar toch geloof ik het, want ze lijkt precies op haar, zowel in haar manier van doen als om te zien.'

Ze naderden Bråten en Maja-Lisa ging achter het huis haar gezicht wassen. John glipte de warmte van het huis in en ging aan de kersttafel zitten. Hij had behoefte aan een flinke borrel, dat zag Hanna wel, en ze gaf hem een volle beker.

Toen het al tegen het voorjaar liep kwam John Broman op een zaterdag thuis met het bericht dat Rickard Joelsson per ongeluk was neergeschoten tijdens een berenjacht in Trösil.

'Dus nu is hij dood, Ragnars vader', zei John.

Hanna werd spierwit en zo stijf als een hooipaal.

'Is het waar, of komt u alleen maar met praatjes aan?' fluisterde ze.

'Het is vast waar. De veldwachter is op Lyckan geweest om het aan de oude lui daar te vertellen. Ze hebben het moeilijk.'

Toen werd Hanna knalrood en ze begon helemaal te trillen. Opeens schreeuwde ze: 'Ik gun het ze van harte, die verdomde ellendelingen!'

Broman zag onthutst hoe zijn vrouw elke gêne verloor en daarmee ook haar verstand en waardigheid. Ze vloog de deur uit en rende rond op het erf. Beurtelings schreeuwde en lachte ze alsof ze gek was. Ze vloekte en ze gebruikte daarbij woorden die Broman niet voor mogelijk had gehouden.

'Verdomme, godverdomme, die duivelse Lovisa heeft haar trekken thuis gekregen – oh God, wat gun ik haar dat. Net goed, net goed, lieve tante.'

En ze lachte weer, zo hard dat de vogels ervan opvlogen.

'Ragnar, Ragnar, waar ben je jongen? Je bent vrij, je bent eindelijk verlost van die duivel.'

Bang geworden liep John haar achterna toen ze schreeuwend naar het grote meer toe rende: 'Ik ben vrij. Ragnar, wij zijn verlost van de angst. Want je vader brandt nu in de hel.'

Toen rende ze weer terug naar het huis en ze liet zich op haar rug op het erf vallen. Haar rokken vlogen in de lucht en ze lag daar met haar schaamte ontbloot, maar ze merkte het niet of het kon haar niets schelen. Toen ze de rok naar beneden deed was het om haar gebalde vuisten naar de hemel te kunnen schudden, terwijl ze riep: 'Ik vergeef het U nooit als U hem vergeeft, verdomde God. Hoort U me, hoort U me!'

Daarna werd ze helemaal stil; ze trok haar kleren strak om zich heen, ging als een foetus ineengekropen op haar zij liggen en begon te huilen. Hij liep naar haar toe en streek haar over het hoofd. Midden in een snik fluisterde ze tegen hem: 'U weet toch dat ik alleen kan huilen als ik blij ben.'

'Dat weet ik wel', zei Broman. Hij zweeg lang, voordat hij verderging: 'Ik wist niet dat je het zo moeilijk hebt gehad.'

Het wilde snikken werd minder en haar stem was vast toen ze zei: 'U, John Broman, bent een veel te goed mens om dat ooit te begrijpen.'

Het duurde een hele poos voordat hij ten slotte zei: 'Dat is niet waar. Ik was ook blij toen mijn vader stierf.'

Toen hield het huilen helemaal op. Ze ging rechtop zitten, droogde haar gezicht af met haar schort en sprak hoogst verwonderd: 'Dan zijn we hetzelfde, u en ik. Tenminste een beetje.'

Voor het eerst keek ze hem recht aan, hun blikken ontmoetten elkaar en ze keek niet weg toen hij antwoordde dat dat eigenlijk wel zo was.

Hij zag dat ze het koud had en zei: 'Nu ga je mee naar binnen voordat je verkouden wordt.'

Ze gehoorzaamde hem en zodra ze binnen was waste ze haar gezicht en handen. Toen liep ze naar de spiegel in de kamer en bleef er voor het eerst voor staan terwijl ze zichzelf lange tijd bekeek.

'Ik zie er eigenlijk net uit als ieder ander mens', zei ze ten slotte.

Maar toen werd ze overvallen door schaamte: 'Waar is de jongen?'

'Hij speelt bij de smid.'

'Dat is maar goed ook.'

'Ja, dat is zeker goed.'

'Ik heb me als een idioot gedragen', zei ze met trillende stem.

'Het was goed dat je het eruit hebt gegooid.'

Tot zijn verbazing begreep ze wat hij bedoelde en ze was het met hem eens: 'Dat was het zeker. U mag het niemand...'

'Je moet geen domme dingen zeggen', zei hij.

Het volgende moment kwam de jongen binnenstormen.

'De smid zegt dat Rickard van Lyckan is vermoord in het bos', schreeuwde hij.

'Nee', zei John Broman gedecideerd. 'Het was een ongeluk. De man die geschoten heeft dacht dat Rickard een beer was.'

'Vergiste hij zich?'

'Ja, dat gebeurt wel eens.'

'Ik weet het', zei de jongen bedeesd.

Toen John zei dat ze nu naar het meer moesten om de fuik te lichten, kwam er weer leven in hem.

'Mag ik mee in de boot, moeder?'

'Dat mag', zei John Broman in haar plaats. 'Je moeder heeft geen tijd om te roeien dus dat mag jij doen, dan kan zij de pap voor vanavond klaarmaken.'

In de boot werd de jongen weer ernstig. Hij verzamelde moed om zijn vraag te stellen: 'Rickard was mijn vader, hè?'

'Ja,' zei Broman, 'dat is zo.'

Voor het eerst in haar leven zocht Hanna die avond in bed toenadering tot haar man. Na afloop viel ze meteen in slaap maar John bleef lang wakker liggen en maakte zich ongerust over zijn vrouw. Hij was die dag banger geweest dan hij zou hebben willen toegeven; hij dacht dat ze knettergek was geworden en dat er van alles had kunnen gebeuren. Maar toen bedacht hij hoe vreselijk blij hij was geweest toen ze met de boodschap kwamen dat de oude Broman door het ijs was gezakt. Iedereen was verbaasd geweest dat hij op de begrafenis zo verschrikkelijk had moeten huilen.

Was hij net als Hanna, die van blijdschap moest huilen?

Toen Hanna de volgende ochtend het fornuis aanmaakte, voorvoelde ze het lot. Nu ben ik in verwachting, dacht ze.

Na die dag was de lucht in de molenaarswoning opgeklaard. Toen haar ouders de donderdag daarna onverwacht op bezoek kwamen en het vreselijke bericht meebrachten dat Joel van Lyckan zijn vrouw had gewurgd en zichzelf daarna in de stal had doodgeschoten, slaagde Hanna erin er fatsoenlijk geschokt uit te zien. Maar haar ogen lieten die van Broman niet los; haar blik boorde zich in de zijne.

Hij sloeg zijn ogen niet neer maar voelde zich vreemd schuldig.

Die vrijdag maakten ze hun aardappelveld in orde. Hanna trok de ploegschaar en John liep zich achter zijn vrouw te schamen terwijl hij de voren maakte. Hij moest op de een of andere manier een paard zien te krijgen.

Hij had vlak na Kerstmis een brief van Alma gekregen. De poging om met behulp van de wet een voorschot op de erfenis te krijgen was mislukt en met hun moeder viel niet te praten.

'Ze zal ons nog allemaal overleven', schreef Alma en hij dacht: Zo zal het gaan. Voordat zijn oude moeder het opgaf zou hij zichzelf allang dood hebben gehoest.

Zijn zuster maakte hem in haar brief geen enkel verwijt, maar John las het tussen de regels door. Want het was immers waar dat, als hij thuis was gebleven en als enige zoon de boerderij had overgenomen, de erfenis verdeeld zou zijn en dat Alma en haar gezin het dan beter hadden gehad. Maar hij was als jonge jongen al weggegaan; hij was in de leer gegaan bij een molenaar in een naburig dorp en een ongelukkig huwelijk aangegaan.

Hoewel zelfmoordenaars in deze streek niet hoog werden geacht, kwamen er veel mensen op de begrafenis van Joel Eriksson. En alsof er niets aan de hand was, werden man en vrouw naast elkaar begraven en naast de zoon waarvan het aangeschoten lichaam uit Trösil was overgebracht. Erik Eriksson stond kaarsrecht bij het graf en toen na de koffie de gasten vertrokken waren, zette hij zijn plannen uiteen. August moest Lyckan overnemen en diens oudste zoon mocht Bråten hebben. Maar voor het eerst in zijn leven werd de oude boer tegengesproken. August zei dat hij Lyckan niet wilde hebben, maar wel het eigendomsbewijs van Bråten. En de zoon zei dat hij besloten had om naar Amerika te gaan.

Daarna riep iedereen in koor dat niemand op Lyckan wilde wonen, waar zowel de geest van Joel als van Lovisa kon rondspoken. Om nog maar te zwijgen over die ongelukkige Rickard.

Die praat maakte Hanna bang en ze pakte John Broman stevig bij de arm.

Erik Eriksson, die nog nooit was tegengesproken, kromp ter plekke ineen daar aan tafel op Bråten. Zijn rug was gebogen en opeens kon iedereen zien hoe oud hij was en dat hij zwaar aangeslagen was door het ongeluk. Zoals gewoonlijk was het Ingegerd die de verlossende woorden sprak. Zij stelde voor dat de boerderijen zouden worden samengevoegd en dat August de nieuwe eigenaar zou worden, zodat hij op zijn beurt kon beslissen over de erfenis.

'Je moet wel ver lopen als je op Bråten wilt blijven wonen', zei ze tegen haar zwager. 'Maar dat is jouw zaak.'

August deed zijn best om niet te laten zien hoe tevreden hij was. Dit was de oplossing waarop hij had gehoopt. Hanna keek tante Ingegerd met grote ogen aan en dacht, zoals ze al zo vaak had gedacht, dat ze statig en knap was, die oudste dochter van Erik Eriksson. Ze was al vijftig en zeven jaar ouder dan Maja-Lisa, maar ze zag er veel jonger uit.

Er werd altijd met verachting over oude vrijsters gepraat, maar zo spraken ze niet over Ingegerd van Framgården. Over haar ging al heel lang het praatje rond dat Erik Eriksson nooit een besluit nam zonder het met zijn dochter te bespreken.

Zo kan een vrouw zijn als ze geen kerel en kinderen heeft, dacht Hanna. Daarna schaamde ze zich, want ze wist dat je je als vrouw had te buigen voor het onontkoombare. Kinderen moesten nu eenmaal geboren worden.

Nadat Erik Eriksson en zijn dochter in de wagen vertrokken waren, vierden August, zijn zoons en John Broman de overwinning met brandewijn. Er werd zo stevig gedronken dat er geen sprake van kon zijn dat John en Hanna naar huis gingen. Samen met haar moeder sleepte Hanna de kerels naar de zolder, waar ze ze op de grond legden met dekens over hen heen. Toen gingen ze beneden in de keuken de rommel van de begrafenis en het drinkgelag opruimen.

Ze spraken over Ingegerd, die als kind al verstandig en mooi was geweest.

'Aan vrijers had ze geen gebrek', zei Maja-Lisa. 'Ze kwamen in rijen dik, maar ze lachte ze alleen maar uit. En vader was tevreden, want hij wilde haar niet kwijt. Die arme Joel moest altijd horen dat hij als meisje geboren was, dat Ingegerd de erfgenaam was die Eriksson en de boerderij nodig hadden en dat het zijn vader vreselijk speet dat Ingegerd een meisje was.'

Maja-Lisa deed al jammerend haar verhaal en Hanna dacht dat ze medelijden had met Joel en diens onfortuinlijke leven. Maar opeens schreeuwde haar moeder dat ze het haar broer, die moordenaar en zelfmoordenaar, nooit zou vergeven dat hij de familie te schande had gemaakt.

Er groeiden vijf grote esdoorns in een bosje dat wat hoger lag dan het huis, vlak bij de oevers van de Noorse meren. Toen ze dat voorjaar in bloei stonden, rook het over het hele erf naar honing en Hanna zei dat het erg jammer was dat ze het zoete sap niet zo uit de boom konden halen. Broman, die stond te kijken hoe de lichtgroene kanten bloemen neerregenden over het donkere water, lachte om haar en hij zag niet dat ze daardoor gekwetst was.

'U moet me helpen om de mooie sofa naar de zolder te brengen', zei ze. 'Ik heb plek nodig in de woonkamer om het weefgetouw neer te zetten.'

Dat stond hem wel aan.

'Je weet wat ik van die sofa vind', zei hij.

Ze snauwde dat dat weefgetouw maar voor tijdelijk was en dat ze haar mooie meubelstuk zo weer terug had.

'Die pronksofa waar je niet eens op kunt zitten', zei hij.

Toen werd ze woest en ze schreeuwde dat er belangrijker dingen in het leven waren dan zitten. Hij keek haar verwonderd aan.

'Jij kunt tegenwoordig ook niet veel hebben.'

'Ik krijg een kind', schreeuwde ze. Ze sloeg haar hand voor haar mond en bedacht dat dit net iets voor haar was. Ze had er weken over nagedacht wanneer ze het zou vertellen en welke woorden ze zou kiezen!

Ze zag wel dat hij niet blij was, maar hij sloeg zijn arm om haar schouders en zei ten slotte: 'Ja, dat zat erin, hè?'

Ze had de aardappels net uit de grond en de kelder was vol toen de jongen in november geboren werd. De bevalling was van dien aard dat John Broman doodsbang werd. En het werd er niet beter op toen de oude Anna even voor een kop koffie de keuken in glipte en zei: 'Ze is immers kapot in haar onderlijf, je vrouw. Dus dit konden we verwachten.'

'Ga maar naar buiten, Broman', zei de vroedvrouw. Hij ging en hij dacht dat het maar goed was dat Rickard Joelsson dood was. Hij had die kerel vandaag zelf dood kunnen maken. Toen ging hij naar de molen waar hij op de grond onder een paar zakken in slaap viel.

In de vroege ochtend wekte Anna hem en ze zei plechtig: 'Nu heb je een zoon gekregen, John Broman.'

'Hoe is het met Hanna?'

'Als ze genoeg slaapt geneest ze wel. Jouw vrouw is sterk.'

De opluchting golfde door hem heen en Anna's plechtige gedrag werkte aanstekelijk op hem. In de keuken waste hij zich zorgvuldig en hij trok een schoon hemd aan voordat hij de kamer binnen sloop. Ze was bleek, het meisje, maar ze was vast in slaap en haalde diep adem.

Het jongetje, een lelijk ventje met een knalrood plukje haar op zijn schedel, lag al in de wieg aan het voeteneinde. Broman keek lang naar het kind; hij herkende de gelaatstrekken en hij dacht: Met die jongen krijg ik het nog moeilijk. Toen hoorde hij hoe de eerste boerenwagen al op weg was naar de molen en hij ging aan het werk.

Tegen de avond kwamen Maja-Lisa en August. Ze brachten Ragnar mee, die door John Broman naar Bråten was gebracht toen de weeën begonnen. Hij wilde niet dat de jongen bang werd, had hij gezegd. Maja-Lisa had Ragnar opgevangen maar ze had het maar gek gevonden. Kinderen moesten leren hoe het leven in elkaar zat. Toen ze dat tegen August zei had hij daarmee ingestemd. Hij vond altijd al dat de molenaar slap was tegenover de jongen en hij schaamde zich als hij zag hoe Broman Hanna over de wang streek.

Nu kwamen ze het nieuwe kleinkind bekijken. Ze zagen al gauw dat hij op niemand in hun familie leek. Er was niemand die zo'n rond gezicht had, zo'n wipneus of zulk rood haar. Dus Broman zei waar het op stond: 'Hij lijkt op mijn vader.' Alleen Hanna merkte dat hij spijtig keek toen hij dat zei.

'Hij ziet eruit als een kikker', zei Ragnar, waarop Hanna en Maja-Lisa allebei tegen hem uitvoeren. Maar Broman nam het kind op schoot en zei troostend dat pasgeborenen er altijd gek uitzien.

'Straks is hij net zo knap als jij', zei hij, maar hij wist dat hij loog. Het nieuwe kind zou nooit zo knap worden als zijn broer.

Ze besloten dat het jongetje John gedoopt zou worden, naar zijn vader.

'Volgende week zondag al', sprak Maja-Lisa zo beslist dat niemand durfde te zeggen dat er dit keer geen haast bij was. Hanna kreeg van haar moeder een lange lijst met gedragsregels. Geen ongenode gasten in huis de komende week. En Hanna moest oppassen voor Manke Malin, de vrouw van de smid, die men ervan verdacht dat ze een loopse teef was en dat ze het boze oog had.

Toen zijn schoonouders waren vertrokken maakte John een bed op voor zichzelf en Ragnar op het uittrekbed in de keuken. Ze vielen direct in slaap, moe van alle spanning. Hanna bleef in de kamer lang wakker liggen; ze keek naar het nieuwe kind en zei zachtjes: 'Kleine lelijkerd.'

Ze voelde dezelfde wonderlijke tederheid die ze bij Ragnar had gevoeld. Daarna dankte ze God dat het voorbij was en dat het een jongen was. Even voelde ze ongerustheid toen ze eraan dacht dat Broman had gezegd dat hij bijna gek van blijdschap was geweest toen zijn vader doodging. Dat moest een lelijke vent zijn geweest, dacht ze, terwijl ze weer naar de pasgeborene keek.

'Hij lijkt vast niet op hem in zijn manier van doen', zei ze hardop, alsof ze een bezwering uitsprak. En misschien hielp het, want het lelijke jongetje werd een lief en gezeglijk kind.

Aan het eind van de maand kwam er sneeuw, maar die moest goddank weer wijken voor de regens uit Noorwegen. John Broman overwon zijn trots en ging naar Erik Eriksson om paard en wagen te lenen. De oude man lag met koorts en pijn op de borst in bed, zei Ingegerd, en John schaamde zich dat hij zich opgelucht voelde.

Hij mocht Ingegerd graag. Ze was een van weinigen hier in het dal met wie hij kon praten. Ze bood hem koffie aan en ze bleven over van alles en nog wat in de keuken zitten praten. Over Rickard zei ze dat de arme jongen gek werd als zijn vader Lovisa sloeg.

'Ik heb ook wel geprobeerd iets voor Hanna te doen', zei ze. 'Maar mijn vader was erop tegen. U weet wel hoe die oude mensen denken; een hoer blijft een hoer, hoe het ook is gegaan. En er is immers iets wonderlijks met de kinderen van Maja-Lisa.'

'Iets wonderlijks?'

Ingegerd had spijt van haar woorden, dat zag hij wel. Maar hij drong aan en ze vertelde over Astrid, de zuster van Hanna, die met een rijke man was getrouwd en in Fredrikshald woonde.

'Ze kreeg aanvallen', zei Ingegerd. 'Dan werd ze knettergek. Dan rende ze naar het kerkhof, die hele lange weg, en trok de bloemen en de kruisen van de graven van haar broers en zusters. Tegen de dominee zei ze dat ze niet dood waren. Ze leefden nog en het was verkeerd om ze in de grond te stoppen.'

Ingegerd zat nog te rillen en ze nam een flinke slok koffie.

'U kunt zich wel voorstellen hoe er in de huizen gepraat werd. Maar ik heb ervoor gezorgd dat vader niets aan de weet kwam en heb het meisje hierheen gehaald. Ze wist van aanpakken en was vriendelijk. En knap is ze ook. Hier is ze nooit gek geweest. Ik was erg aan haar gehecht en had graag gewild dat ze hier bleef. Maar in het dorp bleven ze kletsen dus ik was blij toen ik in Noorwegen een betrekking als dienstmeisje voor haar kon regelen. Ik ben zelf met haar meegegaan naar Fredrikshald, dus ik weet dat ze in een goed gezin terecht kwam. Het was geen boerderij maar een koopmans-huis. Later kreeg de vishandelaar in de stad schik in haar en werd er getrouwd in Fredrikshald. Haar man is een type dat met beide benen op de grond staat. Hij weet niets van die krankzinnigheid.'

'Dus uiteindelijk kwam alles op zijn pootjes terecht?'

'Precies. De brieven die ik van haar krijg zijn opgewekt. Ik denk dat die gekke gedachten overgingen toen ze uit de buurt van Maja-Lisa was.'

'Maja-Lisa vindt dat ze op een van de dode kinderen lijkt.'

'Dat is ook zo. Maar zo gek is dat niet; broers en zusters lijken vaak op elkaar als twee druppels water.'

John voelde zich getroost door de rustige stem en de verstandige verklaring. Sinds afgelopen Kerstmis, toen Maja-Lisa had verteld over Astrid en haar gestorven zuster, had hij vreemde gedachten gehad.

Ten slotte kwam hij met zijn vraag op de proppen. Tot zijn eigen stomme verbazing vertelde hij over zijn moeder die maar niet dood wilde gaan, de erfenis die niet verdeeld kon worden en hoelang hij al niet tevergeefs had gewacht op een paard van de boerderij thuis.

'We kunnen gewoon niet zonder', zei hij. 'Er is hier geen boer die met contant geld betaalt en één keer in de maand moet ik weg om mijn meel te verkopen. En ik krijg er weinig geld voor bij Alvarsson, die wel weet hoe hij profijt moet trekken uit mijn netelige situatie.'

'U kunt een paard en wagen lenen om naar Fredrikshald te gaan', zei Ingegerd. 'Vader hoeft het niet te weten, de komende weken komt hij toch niet uit bed. Intussen kan ik dan iets anders bedenken.'

Toen hij het paard, dat jong en sterk was en niet zo gewend om aan de leiband te lopen, voor de wagen spande, was hij verbaasd over de welwillendheid waarmee hij geholpen werd. Maar toen hij afscheid nam begreep hij het beter.

'U en ik zitten in hetzelfde schuitje, Broman', zei Ingegerd. 'Het is moeilijk wanneer het zover komt dat je oude mensen dood moet wensen.'

Hanna was stomverbaasd toen hij met het paard thuiskwam. Maar haar blijdschap sloeg om in bezorgdheid toen hij vertelde dat hij van plan was om het meel naar Fredrikshald te brengen.

'Dan bent u dagenlang weg.'

'Je broer is toch hier.'

'Maar dat is niet hetzelfde. Hij is altijd zo stil.'

Broman vond dat alle kinderen van Bråten zwijgers waren, Hanna zelf niet het minst. Maar hardop zei hij: 'Ik dacht dat je mijn gepraat en verhalen vervelend vond.'

'Maar dat zeg ik alleen maar omdat dat zo hoort', zei ze. Hij lachte om haar en zag te laat dat ze daar verdrietig van werd.

'Hanna, leg me eens uit waarom je net zou moeten doen alsof je iets niet leuk vindt dat je wel leuk vindt.'

'Het dient nergens toe.'

'Praten en verhalen vertellen aan de jongen en aan jou?'

'Ja,' zei ze en nu was ze boos. 'Dat brengt geen brood op tafel.'

'Ik dacht dat je aan brood anders geen gebrek had', zei hij. Toen hij naar buiten liep sloeg hij de deur zo hard achter zich dicht dat het huis ervan schudde.

Ze werd er bang van.

Maar Ragnar, die op de grond met zijn blokken zat te spelen, keek haar bedachtzaam aan en zei: 'U bent wel een beetje dom, moeder.'

Ze probeerde het wel, maar zoals gewoonlijk lukte het haar niet om boos op haar zoon te worden. Ze siste alleen: 'Kinderen moeten zwijgen over dingen waar ze toch geen verstand van hebben.'

'U begrijpt het niet', zei Ragnar en even schoot de gedachte door haar hoofd dat hij wel eens gelijk kon hebben. De jongen sloop ondertussen naar buiten naar John die het paard aan het kammen was. Hij maakte een plaats voor hem in de stal. De kleine John begon te huilen in zijn wiegje en Hanna kalmeerde toen ze hem de borst gaf. Toen haar man en haar zoon terugkwamen hoorde ze ze buiten op het erf lachen en ze dacht: Ze lachen mij uit. Dat deed haar pijn. Maar ze zou er wel aan wennen. Haar zoons zouden nog vaak de draak met haar steken.

Anderhalf jaar na kleine John werd de volgende zoon geboren en met zijn grote bruine ogen, rechte neus en donkerbruine haar had hij veel trekken van de familie Eriksson, zoals iedereen al had verwacht. Maja-Lisa was zo trots alsof ze hem zelf had gebaard en bepaalde dat de jongen Erik moest heten, naar haar vader.

Ook deze keer was het een zware bevalling en toen Broman zag hoe zijn vrouw leed, beloofde hij zichzelf plechtig dat hij haar nooit meer zou aanraken. Maar dat was een belofte die hij niet kon houden en toen Erik twee jaar was werd het derde jongetje geboren. Hij werd naar Hanna's vader, August, vernoemd.

Het laatste jongetje was van een zwakker slag dan de anderen. Hanna zag het meteen na de bevalling, nog voor de vroedvrouw het kind had kunnen wassen. En toen ze hem voor het eerst aan de borst legde voelde ze dat hij weinig zin in het leven had.

Hij heeft een aardje naar zijn vaartje, dacht ze.

Ze was voortdurend ongerust over haar man, die elk jaar meer ging hoesten en die er vaak zo slecht aan toe was dat hij moeite had om te ademen. Dan moest hij het huis uit en stond hij buiten naar adem te snakken. Als het echt heel erg was, kwam de oude Anna om papkompressen op de borst van de molenaar aan te brengen en ze probeerde hem te kalmeren door lang met hem te praten.

'Hij moet eigenlijk naar de dokter', zei ze. Tegen het voorjaar, toen er in de molen het minst te doen was, reed Broman met tante Ingegerd de lange weg naar Vänersborg waar een boze dokter hem vertelde dat hij astma had en meteen moest ophouden met malen.

'Hoe ik mijn gezin moet onderhouden als ik de molen stilleg kon hij me niet vertellen', zei John tegen zijn vrouw toen hij thuiskwam. De medicijnen die hij had gekregen waren snel op. En dat gaf niets want ze hielpen hem toch niet.

Met het paard ging het zoals Erik Eriksson had bepaald: August kreeg twee derde van het dier en John Broman de rest. Broman was daar verbitterd over maar Hanna was van mening dat het een goede overeenkomst was. Ze hadden voor het grote dier hier tussen de rotsachtige hellingen niet genoeg te grazen en ze hadden het paard toch niet meer dan een week per maand nodig wanneer het meel naar Noorwegen moest worden gebracht om te worden verkocht.

Zoals Ingegerd al had voorspeld was het te zwaar voor August om op Bråten te wonen en het land te bewerken op Lyckan. Hij roerde de kwestie voorzichtig aan bij Maja-Lisa, die kortaf zei dat ze nooit van haar leven op die ongeluksboerderij wilde gaan wonen. Toen John in de ruzie betrokken werd dacht hij lang na en na enige tijd kwam hij met een voorstel. We breken de oude huizen af en bouwen een nieuw huis op de heuvel, zei hij.

'Het wordt mooier; een nieuw huis met uitzicht over de rivier en het meer.'

Maar August had voor nieuwbouw geen geld. En ook geen energie. Dus er vond toch een verhuizing plaats naar het oude Lyckan, waar August, zijn zonen en John Broman het dak en de muren met lijmverf behandelden en het fornuis witten.

Vlak voor midzomer brachten ze de huisraad over naar Lyckan. Maja-Lisa klaagde niet meer maar ze zou zich nooit prettig voelen in haar nieuwe huis. Het duurde een poos voordat iemand in de gaten kreeg hoe het met haar gesteld was, maar op een dag zei John tegen zijn vrouw dat haar moeder wegkwijnde daar op Lyckan. Hanna stond te beven van schrik en fluisterde: 'Dan spoken ze daar nog rond, die kwelgeesten.' Maar Broman haalde zijn neus op; hij was van mening dat de ziekte waar Maja-Lisa door werd geplaagd van een soort was die in het lichaam zit.

Zo vaak ze kon ging Hanna met haar kinderen haar moeder opzoeken en ze zag dat ze iedere keer dunner en bleker was.

'Hebt u ergens pijn, moeder?'

'Nee. Ik ben alleen zo verschrikkelijk moe.'

Het huishouden had ze laten waaien en Hanna ging aan het schoonmaken en bakken, maar ze zag zich al gauw gedwongen tegen August te zeggen dat hij een meid moest aannemen.

'U kunt wel zien dat moeder het niet meer aankan.'

Maar meiden waren niet meer te krijgen. Steeds meer jonge meisjes trokken naar Noorwegen, waar ze werk kregen in de huishouding of bij een herberg in Moss of in de fabrieken in Fredrikshald. Er waren er ook bij die van daaruit naar Amerika vertrokken en degenen die bleven trouwden met Noren. Sommigen kwamen wel eens in het weekeinde thuis op bezoek en droegen dan mooie confectiekleding en grote hoeden met rozen erop. Alle eerbaar getrouwde vrouwen ergerden zich daaraan en zeiden dat het sletten waren. Of nog erger. Want je kon wel raden wat zulke opsmuk kostte.

Hanna deed wat ze kon voor haar moeder. Bijna elke dag bracht ze de kinderen naar de oude Anna en rende dan met de kleine August aan de borst naar Lyckan om te zorgen dat haar ouders en broers in ieder geval eten kregen. Op een dag liet ze zich opeens de vraag ontvallen die ze nooit had willen stellen: 'Is het waar, moeder, dat de doden hier rondspoken?'

'Ja', zei Maja-Lisa glimlachend. 'Maar het zijn niet Joel en Lovisa. Het zijn de kinderen, Anders en Johan. En soms ook de kleine Elin.'

'Maar die hebben hier toch nooit gewoond!'

'Nu doen ze dat in elk geval wel.'

Toen Hanna bij thuiskomst vertelde wat haar moeder had gezegd, zei John Broman dat rouw nooit overgaat. Die is er en verteert je leven; keer op keer ontneemt die je een stukje.

'Wie veel doden heeft, verliest zijn levenslust', zei hij.

August kon de ziekte van zijn vrouw niet verdragen en schreef een brief aan Johannes. Hij was familie van deze bekende genezer en smeekte hem: Kom nu alsjeblieft naar me toe, neef, want zonder mijn vrouw kan ik me niet redden.

Toen Hanna John over de brief vertelde zei hij verbaasd: 'Maar Johannes geneest toch dieren?'

'Ook wel mensen. Je hebt vast wel gehoord over die oude soldaat in Piletorpet die aan kanker zou sterven. Maar toen kwam Johannes bij hem en maakte een drankje voor hem klaar dat hij moest opdrinken. Daarna zei hij tegen hem dat hij moest opstaan. Het was de bedoeling dat hij tot zijn negentigste zou blijven leven, zei Johannes. En dat is precies uitgekomen.'

Dat verhaal had John nog nooit gehoord. Maar wel veel andere, het ene nog vreemder dan het andere. Want Johannes genoot veel aanzien, zelfs in Värmland. John had de vele geruchten nooit geloofd, maar tegen Hanna zei hij dat het bezoek misschien een troost was voor August en Maja-Lisa.

Maar John kreeg ongelijk. Op zondagmiddag, toen de familie op Lyckan bijeen was, kwam Johannes. Hij gaf iedereen een hand en ging de kamer binnen waar Maja-Lisa lag. Hij wierp slechts één blik op haar voordat hij zei: 'Dus jij bent onderweg om te vertrekken.'

Toen kon ze het voor zichzelf en de anderen toegeven.

'Ik ben zo moe', zei ze. 'Wanneer gaat het gebeuren?'

'Waarschijnlijk al deze week. En je hoeft niet bang te zijn voor pijn. Je mag oversteken in je slaap.'

'Zie ik dan de kinderen weer?'

'Dat zou ik wel denken. Allemaal, behalve Maria, maar dat weet je.'

John Broman stond in de keuken en hoorde elk woord, maar hij wilde niet geloven dat hij het goed verstaan had. Hanna kwam lijkbleek naar buiten, direct gevolgd door haar vader, die eruitzag alsof hij zelf te horen had gekregen dat hij zou sterven. Niemand kon een woord uitbrengen maar ten slotte zei Ingegerd: 'We zullen Astrid een bericht moeten sturen.'

Hoewel ze had gefluisterd en Johannes nog in de kamer bij Maja-Lisa was, hoorde hij het en hij zei luid: 'Nee, Astrid moet hier niet naartoe komen.'

'Dat klopt,' zei Maja-Lisa, 'Astrid moet hier niet naartoe komen. Maar ik wil een dominee zien, als die zuiplap uit de kerk zich tenminste een hele dag nuchter kan houden.'

Hanna bleef op Lyckan om eten voor iedereen te koken. John ging terug naar de molen waar Ragnar, die nu tien jaar was, alleen was met zijn broertjes. Hij kon meerijden met Ingegerd. Ze had haast om naar huis te komen; de oude Erik lag daar nu al meer dan een jaar op sterven.

In de wagen vroeg John Broman: 'Wat moet je er nu van denken?'

'Dat Johannes veel ervaring met ziektes heeft. Maar het is ook niet zo moeilijk om te zien dat het met Maja-Lisa bergafwaarts gaat.'

'Ja, maar wat hij zei over Maria en Astrid.'

'Neem het niet zo serieus, Broman. Johannes is lang in Amerika geweest en daar is hij overgegaan op een nieuw geloof. Het is een wonderlijke leer, die ervan uitgaat dat de zielen van de doden naar de pasgeborenen gaan. Het is allemaal onzin.'

Ze wierp een blik opzij en zag dat hij niet overtuigd was.

'Luister. Johannes logeerde een keer een winter op Bråten toen Astrid nog klein was. Hij heeft Maja-Lisa toen op die gekke gedachten gebracht, waardoor het arme wicht later gek werd.'

John slaakte een zucht van verlichting en was het van harte met haar eens toen ze zei: 'Wie dood is is dood, en dat weet je, Broman.'

De dominee was maar half dronken toen hij op maandag kwam om Maja-Lisa de laatste sacramenten toe te dienen. Ze was kalm, bijna verwachtingsvol. Maar August was verlamd van angst en hij zweeg alsof hij in een vreemd land verkeerde.

Op dinsdag kreeg Maja-Lisa pijn op haar borst en moeilijkheden met ademhalen. Die nacht waakte de familie bij haar bed en alles verliep zoals was voorspeld. Ze sliep totdat ze een diepe zucht slaakte en ophield met ademhalen.

John zat niet aan het sterfbed want er moest iemand thuis bij de kinderen blijven. Hij had ze net in slaap toen er aan de deur werd geklopt en Johannes binnenkwam.

John zette koffie en haalde brood te voorschijn. Maar zijn gebaren waren afgemeten; hij mocht zijn gast niet. Ze zwegen, maar toen de koffie op was zei Broman: 'Veroordeel je altijd iemand zo zonder meer ter dood?'

'Alleen degenen die het willen horen', zei Johannes glimlachend. 'August heeft ook niet lang meer. Maar hij hoeft het niet te weten.'

John dacht aan zijn eigen astma en zijn ellendige vermoeidheid.

Maar hij durfde niets te vragen en dat hoefde ook niet.

'Jij, Broman, hebt nog meer jaren te leven dan je diep in je hart wilt. En dat heeft zijn reden. Kan ik op zolder blijven slapen?'

John was met stomheid geslagen. Maar toen hij het vuur aanstak op de zolderkamer en het bed in orde maakte, voelde hij zich blijer dan hij in lange tijd geweest was.

Hanna was bleek en gespannen toen ze thuiskwam om de uitgehongerde baby te voeden. Toen ze daar met de jongen aan de borst zat keek ze lang naar John en zei: 'God, wat zou ik graag willen dat ik had kunnen huilen.' Ze sliep een uurtje en ondanks de doorwaakte nacht moest ze toen alweer naar de stal om te melken. Zoals ze al had verwacht zocht Johannes haar daar op. Hij zei dat de dieren er goed uitzagen en dat ze zich niet ongerust hoefde te maken over haar man.

'Ik denk dat hij nog een flink stukje van de twintigste eeuw meemaakt. Hij is vast nog wel op deze wereld als we 1910 schrijven.'

Hanna's opluchting was groot. Dit was nog de zomer van 1894; het was nog een hele tijd te gaan tot de eeuwwisseling. Pas toen Johannes afscheid had genomen had ze tijd om te rekenen en tot haar verbazing ontdekte ze dat hij niet meer dan zestien jaar had beloofd. Maar dat was genoeg; tegen die tijd zou Ragnar zesentwintig zijn, John negentien en Erik achttien. Dat werden drie flinke mannen in de molen.

'Zelfs jij, stakkertje, zult dan zestien zijn en volgroeid', fluisterde ze tevreden tegen August, toen ze hem aan de borst legde.

'Je kijkt wat vrolijker', zei Broman toen hij binnenkwam voor de warme maaltijd en ze knikte, maar kneep haar mond dicht. Nog hoorde ze de woorden die Johannes ten afscheid had gesproken: 'Geen woord tegen Broman over wat we hebben besproken of hij gaat van pure koppigheid toch nog dood.'

Toen ze 's avonds in bed lagen had Hanna ondanks haar vermoeidheid toch moeite om in slaap te komen. Herinneringen aan haar moeder spookten door haar hoofd en sommige waren pijnlijk.

'Je ziet er lijkbleek uit', zei John toen ze aan het ontbijt zaten. 'Ik heb slechte gedachten.'

Ze bloosde maar kon zich niet inhouden: 'Die winter, toen ik in verwachting was van Ragnar. Ik moest van moeder meehelpen bij de slacht; ze dwong me zelfs om de bloedpan vast te houden! En er ging een oude vrouw dood in een achteraf gelegen huisje aan de beek, en je gelooft het niet, maar mijn moeder zei dat ik erheen moest om het lijk te wassen. En allemaal omdat ze hoopte dat de jongen in mijn buik dan ziek zou worden en dood zou gaan.'

Hanna glimlachte spottend en wees naar Ragnar die op het uittrekbed in de keuken lag te slapen: 'En toen werd hij geboren en hij was gezonder en knapper dan een van haar eigen kinderen.'

John kon alleen maar zijn hoofd schudden. Maar toen hij in de deuropening stond om naar zijn werk te gaan draaide hij zich om en zei: 'Eén ding kun je hiervan leren. Dat oude bijgeloof werkt niet.'

Toen ze midden in de oogst zaten kreeg August Olsson pijn op de borst en hij ging onder een boom liggen om uit te rusten. Toen zijn zoons hem na een uurtje wakker wilden maken was hij dood. Stil stonden ze om hem heen, verwonderd noch verschrikt. De oude August had eigenlijk niet meer geleefd sinds zijn vrouw begraven was.

Er was geen testament dus de boerderijen gingen naar de zonen. Robert, die van zijn Amerika-plannen was afgestapt, en Rudolf, die net zo hard kon werken als Hanna, installeerden zich op Lyckan. Maar Adolf bleef nog een paar jaar op de molen aan het Noorse water. Toen de molenaarszoons oud genoeg waren om het werk over te nemen nam Adolf zijn erfdeel op en vertrok naar Amerika.

Geen van Hanna's broers was in de gelegenheid om te trouwen.

Voor haar vaders begrafenis kwam dan eindelijk Astrid met man en kinderen. John Broman keek vaak naar zijn schoonzuster en hield haar nauwlettend in de gaten. Ze zag er mooi uit in haar gebloemde confectiejurk. Ze had ook een knap gezicht en was vriendelijk tegen iedereen. Ze praatte graag en veel, ze zong wiegeliedjes voor de kinderen en veeversjes voor de koeien.

Ze had een heel andere aard dan haar broers en zuster. Maar ze had wel dezelfde houding als Hanna en als je goed keek kon je bij beiden bepaalde identieke gelaatstrekken ontdekken.

Maar naast die mooie zuster leek Hanna grof en boers. Leek Astrid over het erf te zweven, Hanna liep met stevige stappen. Het gezicht van Astrid weerspiegelde elk gevoel en was even veranderlijk als het weer in april. Hanna's gezicht was gesloten. Astrid babbelde en zong, Hanna zweeg. Astrid kon haar hoofd achterover gooien om te lachen, terwijl Hanna wel eens een keer giechelde maar dan meteen haar hand voor haar mond sloeg; ze geneerde zich altijd als het gebeurde. John voelde mee met zijn vrouw, maar af en toe werd hij boos omdat hij vond dat ze toch haar hoofddoek wel een keer af kon doen om haar mooie haar te laten zien. En eens iets anders aantrekken dan zwarte of bruingestreepte wol.

Haar zuster zei: 'Waaróm moet je eruitzien als een oude boerenvrouw? Kom eens hier, trek mijn groene rok met de gebloemde blouse eens aan.'

'Dat zou ik nooit van zijn leven durven', zei Hanna giechelend. En Astrid moest inzien dat het was zoals haar zuster zei; ze durfde niet.

Maar een ding stond als een paal boven water: de beide zusters hielden van elkaar. Er was bij Hanna geen greintje afgunst of afstand te bespeuren ook al zei ze wel eens wat over hoogmoed en uiterlijk vertoon. Om die woorden kon Astrid glimlachen, liefdevol en vergoelijkend.

'Je bent te veel door de mangel gehaald', zei ze.

'Wat gebeurd is, is gebeurd.'

Verder kwamen ze nooit.

John voelde zich aangetrokken tot zijn schoonzuster, betoverd door haar opgeruimde aard. Maar hij was ook bang voor haar en daarom werden ze nooit vertrouwelijk met elkaar. Op een keer zei hij tegen haar: 'Jij bent niet echt van deze wereld.' Ze lachte om hem, maar hij zag dat Hanna schrok.

Zijn zwager was het met hem eens: 'Mijn vrouw is een engel', zei hij in het Noors. 'Als ze geen trol is. Je begrijpt wel dat ik het niet gemakkelijk heb.'

Daar moesten ze allemaal om lachen, behalve Hanna, die bloosde en op haar lip beet. Ze denkt aan de krankzinnigheid, dacht John.

Hij raakte gesteld op zijn zwager. Het was een betrouwbare kerel met een groot hart en hij was niet dom. Ze werden vrienden tijdens hun vistochtjes op het meer in de vroege ochtend. Hier in de boot werd het Broman ook duidelijk dat er een crisis en misschien wel erger aan het ontstaan was tussen Noorwegen en Zweden.

Arne Henriksens stem galmde zo luid over het meer dat alle vis ervan op de vlucht sloeg.

'Er moet nu eindelijk eens een einde komen aan die Zweedse grootheidswaanzin', zei hij. 'Want anders ontploft de zaak. Daar kun je zeker van zijn. We hebben zowel wapens als mensen.'

John dacht aan zijn eigen reizen naar Fredrikshald, waar de arme boeren uit Dal afwachtend in de rij op de markt stonden om hun schapen, hun hooi en hun boter te verkopen.

'Ik heb het nu over die heren in Stockholm', zei Arne. 'Niet over jullie.'

'Maar wij gaan eraan als jullie met wapens komen.'

'Jullie moeten gemene zaak met ons maken en je van jullie koning, die wolf, ontdoen.'

John Broman stond versteld van zijn eigen gevoelens; nog nooit eerder had hij gevoeld hoe Zweeds hij was. Even had hij zin om die Noorse kerel met zijn grote bek overboord te gooien. Maar Arne merkte niets van zijn woede. Hij begon aan een omstandige verklaring waarin hij uitlegde hoe het zat met de grondwet van Eidsvold, die aan het gewone volk meer rechten gaf dan waar ook ter wereld. Daarna begon hij over de consulaatstrijd.

Broman had er wel over gehoord maar net als de meeste Zweden de zaak niet zo serieus genomen. Nu hoorde hij dat de politieke partij Venstre, die een eigen minister van Buitenlandse Zaken voor Noorwegen eiste, de meerderheid had in het Noorse parlement. En dat de Noren al bezig waren om het unieteken te verwijderen van de vlaggen op de Noorse schepen die de wereld over zeilden.

De molenaar luisterde zonder het echt te begrijpen. Maar toen Henriksen beschreef hoe het Noorse parlement voor acht miljoen rijksdaalders nieuwe oorlogsschepen had gekocht en hoe de nieuwe minister van Defensie, luitenant-kolonel Stang, verdedigingswerken bouwde langs de lange grens met Zweden, sloeg John Broman de angst om het hart.

'Stang is een verdomd goeie kerel', zei Henriksen en hij vertelde hoe de minister van Defensie nieuwe Duitse wapens had aangeschaft. De vesting van Fredriksten had kanonnen gekregen met een veel grotere reikwijdte.

Henriksen keek John een tijdje onderzoekend aan, voordat hij zijn toespraak afrondde: 'We praten er niet zo veel over, maar elke Noor weet: Eerst wapens, dan...'

's Avonds onder een borrel werd het gesprek voortgezet. Henriksen was een ongewone man: breedsprakig en luidruchtig als hij nuchter was, rustig en zakelijk als hij brandewijn had gedronken.

'Je begrijpt natuurlijk wel dat het van de gekke is dat Noorse zeelieden, die over de hele wereld varen, niet bij eigen landgenoten kunnen aankloppen voor hulp.'

Dat begreep Broman.

'Daarom heeft het Noorse parlement besloten dat er eigen consulaten moeten komen. We hebben daar ook geld voor beschikbaar gesteld. Maar de koning in Stockholm weigert.'

John knikte.

'Koning Oscar is een grote schijtluis', zei Henriksen.

Dat hoorden de zusters, die hen kwamen zeggen dat het avondeten klaar stond. Hanna zag eruit alsof ze flauw zou vallen. Maar Astrid lachte.

De familieleden uit Noorwegen voelden zich gekwetst toen ze hoorden dat John Broman een keer per maand in Fredrikshald kwam. Waarom had hij niets van zich laten horen? John vond het moeilijk om een antwoord te vinden maar uiteindelijk zei hij dat hij waarschijnlijk verlegen was geweest.

'Onzin', zei Arne, maar Astrid lachte zoals gewoonlijk en vond dat daar nu verandering in moest komen. De volgende keer moest Broman bij de Henriksens blijven slapen, dat moest hij beloven. Als over een paar maanden de kleine August van de borst was kon John Hanna ook meenemen.

'Dat mag ik vast niet van moeder', zei Hanna, maar toen ze eraan dacht dat Maja-Lisa dood was begon ze te blozen.

'Ik bedoel', zei ze, 'dat als je gezonde kinderen wilt hebben, dan moet je ze twee jaar de borst geven.'

Bij uitzondering werd Astrid nu boos: 'Het wordt tijd dat je je losmaakt van moeder en van haar vreselijke bijgeloof. We leven in een nieuwe tijd, Hanna.'

Toen zei Hanna iets dat John hogelijk verbaasde.

'Dat geloof ik ook wel. Maar dat maakt me bang. Waar moet je in geloven als al het oude verkeerd was?'

'Dat moet je zelf uitvinden', zei Astrid alsof het de eenvoudigste zaak van de wereld was.

Onder vier ogen namen de zusters al roddelend de hele streek door. Astrid schrok van alle veranderingen: de mensen van Kasa in Amerika, op Bönan alleen de oude lui nog over, de grote boerderij Kleva overwoekerd door bos, Jonas dood, Klara dood, Lars dood.

'Maar die waren nog helemaal niet oud!'

'Nee. Maar dat waren vader en moeder ook niet.'

'Waar zijn ze aan gestorven, Hanna?'

'Ze waren versleten.'

'Ik denk dat ze zijn gestorven van verdriet over de rampjaren.'

Ze namen hun schoolkameraden door: waar waren Ragnar, en Vitalia, Sten, Jöran, Olena?

En Hanna antwoordde: in Noorwegen, in Göteborg, in Amerika, op zee.

Hanna had er niet eerder bij stilgestaan hoe eenzaam het in hun dal was geworden. Nu werd het benoemd.

'Het is hier binnenkort een verlaten streek', zei Astrid.

Astrid werd verliefd op Ragnar, de elfjarige met de donkere ogen die altijd glimlachte en een zonnige natuur had.

'Een godenkind', zei ze. 'Het leven is onbegrijpelijk, Hanna.'

'Hij lijkt op zijn vader', zei Hanna en ze voegde er snel aan toe dat dat alleen zijn uiterlijk gold. Want Ragnar was vriendelijk en vrolijk van aard.

'Het zal wel moeilijk zijn om hem niet te verwennen.'

Ja, Hanna moest toegeven dat Broman een zwak had voor de jongen; hij was veel gekker op hem dan op zijn eigen zoons.

Maar Henriksen zei tegen John dat hij op moest passen met de jongen.

'Ze krijgen het later moeilijk als ze groot zijn, degenen aan wie niemand iets kan weigeren als ze klein zijn.'

John knikte; daar had hij ook al aan gedacht.

Toen de Noren weer naar huis gingen hadden ze afgesproken dat John bij hen zou logeren als hij met zijn meel naar Fredrikshald ging. En dat hij elke zomer Hanna een keer zou meebrengen.

'We gaan mooie nieuwe kleren voor je kopen en we gaan met je naar de fotograaf', zei Astrid. Hanna kromp in elkaar van angst. En van blijdschap, dat zag John wel.

Het was vroeg in de ochtend en de zon stond nog laag toen de Noorse wagen met slapende kinderen de hellingen afreed in de richting van de Noorse grens. Hanna stond buiten op het erf te zwaaien, terwijl John meeliep naar het hek. Toen de gasten om de bocht waren verdwenen draaide hij zich om. Hij bleef even naar zijn vrouw staan kijken. In het schuine licht was haar schaduw lang en zwart met scherpe contouren.

Hanna's eerste reis naar de dynamische stad was een grote gebeurtenis. Ze vond alles wat ze zag mooi: het krioelende straatleven en de vele winkels. Maar het mooiste was dat ze door vreemdelingen was omgeven.

'Stel je voor,' zei ze tegen John, 'stel je voor dat je overal kunt lopen en alle winkels kunt binnengaan zonder iemand te moeten groeten.'

Aangespoord door haar zuster paste ze confectiejurken in winkels. Het was gewoon akelig om haar te zien; ze schaamde zich dood en het zweet liep uit haar oksels over haar borsten en buik.

'Ik schaam me zo verschrikkelijk', fluisterde ze. Maar Astrid gaf zich niet gewonnen, trok haar nog een jurk aan en zei tegen Hanna dat ze zichzelf in de grote spiegel moest bekijken. Dat durfde ze maar heel even. Daarna sloeg ze de handen voor de ogen.

Ten slotte gaf ze zich toch gewonnen en kocht ze een jurk met volants en groene bloemen op een witte ondergrond. Maar toen ze werd meegesleept naar de fotograaf trok ze haar zondagse jurk van thuis aan, de bruingeruite. De hele tijd keek ze diep-ernstig naar de camera.

Ze zou helemaal gefascineerd raken door de foto, hem laten inlijsten en thuis in de kamer aan de muur hangen waar ze er vaak voor bleef staan kijken. Alsof ze niet genoeg kon krijgen van die blik die op haar was gericht.

Op weg naar huis zei ze tegen Broman dat ze zich nooit had kunnen voorstellen dat Noorwegen zo… levenslustig was. Ze was er als kind wel geweest, maar kon zich niet herinneren dat ze zo vrolijk van aard waren, de Noren.

John was het met haar eens. Als kind was hij vanuit Värmland ook tamelijk vaak in Noorwegen geweest en hij had toen geen opvallende verschillen gezien. Maar nu heerste er in Noorwegen een sprankelende geest, een dynamiek en een levenslust die je voelde zodra je de grens over was. Sinds hij Henriksen had leren kennen begreep hij het beter. De Noren hadden een gemeenschappelijk doel en koesterden een grote droom. Maar hij wilde Hanna niet ongerust maken dus hij begon niet over de crisis binnen de Zweeds-Noorse unie. Ze spraken over Astrid en Hanna zei dat het net was alsof Astrid vele mensen in zich verenigde.

John was het met haar eens: 'Ze heeft vele gezichten.' Maar toen werd Hanna boos. 'Ze verft zich niet, mijn zuster.' Hij gaf toe: Nee, ze stelde zich niet aan. Ze was gewoon alles tegelijkertijd:

engel en trol, moeder en kind, deftige dame en vrolijke boerenmeid.

Hij had erover nagedacht wat de samenbindende factor van haar persoonlijkheid was en hij was tot de conclusie gekomen dat dat misschien haar geheimzinnigheid was. Dat haar grote geheimzinnigheid de kern van haar wezen was.

Zodra Hanna weer thuis was begon ze gordijnen te naaien van de witte dunne katoenen stof die ze in Noorwegen had gekocht. De kleine ramen van het huis werden er minder streng door.

'Wat mooi, wat mooi', zei ze, zo blij was ze ermee.

De gordijnen werden met scheve ogen bekeken zoals alles wat hoogmoedig en nieuwerwets was in die streek. Maar Hanna hield voet bij stuk; de gordijnen bleven hangen.

De gebloemde confectiejurk durfde ze echter nooit aan te trekken.

Hanna had een gelukkige hand van boter karnen. Nooit mislukte het karnen bij haar, zelfs niet als er een bedelaarsvrouw de keuken binnen kwam en het boze oog op de boterkarn liet vallen. Maar op een dag zei Malin, de vrouw van de smid, dat het immers ook van oudsher bekend was dat hoeren geluk hadden met karnen.

Hanna verloor haar zelfbeheersing en schreeuwde: 'Het huis uit, gemeen mank wijf. En laat ik je hier nooit meer zien.'

Dat was al een paar jaar geleden. Maar sinds die dag heerste er vijandschap tussen de twee huizen aan de Noorse meren. Broman kreeg niet te horen wat er was gebeurd. Maar het was vervelend voor hem omdat hij op verschillende manieren afhankelijk was van de smid en niet alleen omdat ze op zaterdagavond samen zaten te drinken. Om de maand moest hij zijn molenstenen ophijsen om ze schoon te beitelen. Dat was zwaar werk en om de groeven in de stenen goed schoon te krijgen had hij geslepen bilhamers nodig.

Hij maakte Hanna verwijten: 'We moeten geen ruzie maken met de enige buren die we hebben.'

Maar zij was niet te vermurwen; manke Malin mocht bij haar nooit meer een voet over de drempel zetten.

'Vraag het haar maar,' riep ze, 'vraag haar maar waarom ik een gelukkige hand van karnen heb.'

Dus ging Broman naar de smederij om zijn vraag te stellen en Malin antwoordde dat het vast zo was als Hanna zei, dat ze geluk had bij het karnen omdat ze haar stal en keuken zo goed schoon hield.

Pas toen hij 's avonds thuis vertelde wat Malins antwoord was geweest, hoorde hij wat ze tegen Hanna had gezegd. Hij werd zo boos dat hij naar de buren ging om de vrouw van de smid uit te schelden. Vanaf die tijd moesten de mannen hun brandewijn drinken in de grote grot bij het meer in het dal.

Soms had Hanna spijt; dan vond ze dat ze te ver was gegaan. Te meer omdat ze haar zoons toch niet uit de smederij weg kon houden omdat de zoons van de smid ongeveer dezelfde leeftijd hadden.

Vroeger knipperde ik nog niet met mijn ogen wanneer ik voor hoer werd uitgescholden, dacht ze. Nu ik fatsoenlijk ben word ik zo verschrikkelijk kwaad.

Ze was teleurgesteld in fatsoen; het was niet wat ze ervan verwacht had. In het begin wist ze niet hoe vaak ze naar de kerk moest gaan om daar tussen de andere getrouwde vrouwen te kunnen zitten. Ze ging zelfs vaak aan de zijkant zitten zodat de jongeren zich langs haar moesten wringen. Maar veel plezier beleefde ze daar ook niet aan en toen Broman haar had gevraagd wat voor goddelijke troost ze zocht in de kerk, had ze zich geschaamd. Het was nu al jaren geleden dat ze voor het laatst een kerkdienst had bijgewoond.

Toen kwam de dag laat in de winter dat Ragnar bebloed en geslagen uit school thuiskwam. Ja, hij had gevochten. Maar de anderen zijn er slechter aan toe dan ik, zei hij, terwijl hij het bloed uit zijn neus met de rug van zijn hand afveegde.

Hanna liet Broman halen.

Hij kwam en zei dat er heet water moest komen om de wonden te wassen. Hij haalde het ergste bloed van het gezicht van de jongen en zei dat hij nu wilde weten wat er was gebeurd.

'Ze scholden me uit voor hoerenjong', zei hij.

'Maar goeie god', riep Hanna. 'Daar hoef je toch niet om te gaan vechten; dat is toch de waarheid.'

Het volgende moment draaide Broman zich om en sloeg haar met zijn vlakke hand recht in het gezicht. Hanna vloog over de keukenvloer en kwam met haar rug tegen de bank onder het raam terecht.

'Bent u niet goed bij uw hoofd?' schreeuwde ze.

'Nee, dat ben ik inderdaad niet', zei Broman. 'Jij maakt mij gek.' Hij ging naar buiten en sloeg de deur hard achter zich dicht.

Ragnar huilde, maar door zijn tranen heen kon ze zien dat zijn ogen ijskoud stonden.

'Nee, u bent niet goed wijs, moeder.'

Toen ging ook hij de deur uit.

Hanna stond helemaal te trillen, maar wist zich weer te beheersen. In de spiegel bekeek ze nauwkeurig haar gezicht; het was opgezwollen en begon blauw te worden. Maar ze bloedde niet. Erger was het gesteld met haar rug die na de klap tegen de bank pijn deed.

Godzijdank zijn de kinderen buiten, dacht ze, maar toen schoot haar te binnen waar die waren. Bij de smid, waar ze brood en drinken kregen van manke Malin.

Ze maakte het avondeten klaar en haar zoons kwamen binnen. Ze stuurde Erik naar buiten om vader en Ragnar te halen. Broman kwam; hij keek verdrietig maar zei geen woord.

'Hebt u zich pijn gedaan, moeder?' vroeg Erik.

'Waar is Ragnar?'

'Hij loopt in het bos', zei Broman en Hanna fluisterde in paniek: 'Goeie God, dan moeten we hem zoeken.'

Ze zag er vreselijk uit; onder de zwellingen en de lelijke blauwe plekken was ze spierwit. Broman schaamde zich maar sprak met vaste stem: 'Die jongen komt wel terug. Tegen mij zei hij dat hij even alleen wilde zijn om na te denken. Dat is ook wel begrijpelijk.'

Hanna bewoog zich moeizaam toen ze het eten op tafel zette en ging afwassen. Toen Broman naar haar keek zei ze verontschuldigend dat ze haar rug had bezeerd aan de bank. Toen schaamde hij zich nog meer.

Ragnar kwam terug toen ze bezig waren de bedden in orde te maken voor de nacht. Net als Broman zweeg hij.

Goeie genade, hoe moet ik het uitleggen?

Toen ze in bed lagen, was dat precies wat Broman vroeg: 'Ik wil weten waarom je het Malin niet kunt vergeven dat ze je voor hoer uitscheldt, maar het wel goed vindt dat Ragnar hoerenjong wordt genoemd.'

Ze zweeg lange tijd maar zei ten slotte: 'Ik ben geen hoer, ik werd overvallen. Maar Ragnar is... een geboren bastaard, dat valt niet te ontkennen.'

'Dus jij bent onschuldig en hij is schuldig.'

'Zo bedoel ik het niet.'

De volgende ochtend kon ze zich maar met moeite bewegen, maar Broman wilde haar pijn niet zien en probeerde het nog eens: 'Hanna, jij bent niet dom, jij hebt verstand. Nu moet je het mij en de jongen eens uitleggen.'

Ze liep de hele dag te piekeren maar ze kon niets bedenken waarmee ze haar woorden voor anderen kon verduidelijken. Voor haar was het vanzelfsprekend. Bij het avondeten zei ze tegen Ragnar dat ze weer eens te snel haar mond had opengedaan.

'Ik werd zo bang dat ik niet wist waar ik het zoeken moest', zei ze.

Dichter bij een smeekbede om vergeving kon ze niet komen. Maar voor de jongen was het niet genoeg. Hij keek nog steeds met ijskoude ogen. Die week bleef het ijselijk stil in huis. Zowel Ragnar, Hanna als Broman kon goed zwijgen. De dagen gingen voorbij; het ging beter met haar rug en de blauwe plekken en zwellingen verdwenen. Maar in haar hoofd was het zwart van schaamte en verdriet.

Op een ochtend, voordat hij en zijn broers naar school gingen, zei Ragnar: 'Je bent toch niet goed bij je hoofd hoor, mamma.'

Het was de eerste keer dat hij 'je' zei en 'mamma'. Ze bleef lang aan de keukentafel zitten en realiseerde zich dat ze hem kwijt was en dat hij het liefste was geweest dat ze had gehad.

Opnieuw wenste ze dat ze zou kunnen huilen. Maar zoals gewoonlijk was het droog in haar gemoed.

Broman ging met meel naar Fredrikshald en Hanna was bang dat hij aan haar zuster zou vertellen wat er was gebeurd. Ze probeerde zichzelf gerust te stellen door zich voor te houden dat hij niet de gewoonte had te roddelen.

Maar toen hij 's avonds laat thuiskwam begreep ze dat ze ongelijk had gehad. In een paar woorden zei hij dat hij het er met zijn zwager over eens was geworden dat Ragnar werk zou krijgen in de viswinkel in Fredrikshald zodra hij dertien jaar werd.

Toen John haar vertwijfeling zag zei hij dat ze moest begrijpen dat de jongen volwassen begon te worden en een eigen leven moest krijgen. Op dat moment nam Hanna een besluit.

'Hij mag zelf kiezen', zei ze.

'Zeker, hij mag zelf besluiten wat hij wil.'

'We hebben hem nodig in de molen.'

'Nee, daar hebben we met Adolf en de jongens mensen genoeg.'

'We vragen het hem morgenmiddag aan tafel', zei Hanna en Broman knikte.

Zodra de mannen de volgende morgen het huis uit waren begon Hanna het beslag voor een cake te kloppen. Ze was niet zuinig met boter en suiker en proefde net zo lang totdat het beslag zoet en smeuïg genoeg was. Toen de cake klaar was ging ze er mee naar de smederij, waar manke Malin haast omviel van verbazing.

'Ik vind', zei Hanna, 'dat wij als buren geen ruzie moeten maken.'

Malin was zo sprakeloos dat ze niet eens op het idee kwam om de koffieketel op te zetten. Daar was Hanna blij om, want ze had moeite om het lang uit te houden in de viezigheid en de ongeventileerde lucht in het huis van de smid. Ze bleef even praten over Malins zoons, die zulke aardige jongens waren, zei ze. En over de winter, die maar bleef aanhouden.

Toen ze naar huis ging zei ze tegen Hem in de hemel: 'Nu heb ik het mijne gedaan. Nu moet U mij eens ter wille zijn.'

Maar toen Broman aan tafel aan de jongen vertelde wat er in Fredrikshald was besloten, was Ragnar door het dolle heen.

'En of ik dat wil', riep hij. 'Bent u gek, vader. En of ik dat wil…'

Broman vertelde dat Henriksen klanten door de hele stad had en dat hij een boodschappenjongen nodig had die op de fiets de bestelde waren ging afleveren. Sommigen wilden verse haring hebben als die op woensdag binnenkwam, en anderen wilden op donderdag makreel. En dan had je nog de kabeljauw die bijna iedereen op zaterdag wilde hebben.

John werd haast welsprekend toen hij de handel beschreef, maar Ragnar had maar één woord opgevangen.

'Fiets?' zei hij. 'Bedoelt vader dat ik een fiets krijg?'

Op dat moment begreep Hanna dat God ook deze keer niet naar haar had geluisterd.

Het was leeg in huis nadat Ragnar vertrokken was en Broman realiseerde zich dat die vrolijke jongen het hele huis had gevuld met zijn lach. Hij maakte zich ook zorgen over Hanna; ze was stug en moe. Niet zichzelf. Hij probeerde met haar te praten: 'Het was goed van je dat je het hebt bijgelegd met de vrouw van de smid.'

'Het was niet nodig geweest.'

Zoals gewoonlijk begreep hij haar niet.

Toen het voorjaar zich aankondigde doordat de sneeuw begon te smelten en de spreeuwen kwamen, waren ze aan de situatie gewend. Zelfs Hanna hervond haar oude vlotheid en begon zich weer meer voor haar andere zoons te interesseren. John keek naar de kleine John, hun roodharige oudste zoon die klein van stuk was, en ontdekte tot zijn verbazing dat de jongen de leegte die Ragnar had achtergelaten begon te vullen. Hij zat vol invallen, had precies dezelfde lach als zijn halfbroer en hetzelfde vermogen om luchthartigheid en vrolijkheid uit te buiten.

Teergevoelig was hij ook; hij zag zijn moeders verdriet en deed wat hij kon om haar te troosten. Met zijn vader had hij nooit op goede voet gestaan, maar Broman moest nu toegeven dat kleine John van alle zoons het hardst werkte in de molen.

'Je houdt het langer vol dan je broer', zei hij op een dag, bijna met tegenzin. Toen de jongen van vreugde begon te blozen werd Broman overvallen door een gevoel van schaamte. Hij had zijn zoons verwaarloosd. Niet alleen de kleine John, maar ook Erik en August, de jongste, die hem irriteerde doordat hij steeds ziek was en veel moest huilen.

Met Erik ging het goed op school. Hanna had het al vroeg gezegd: Die jongen kan leren. Het duurde niet lang voordat de koster hem zo'n beetje alles had geleerd wat hij zelf kon.

Broman begon op zolder zijn oude boeken te zoeken die hij na de verhuizing uit Värmland nooit had uitgepakt. Hij kwam *Robinson Crusoë* tegen en hij glimlachte weemoedig toen hij zich herinnerde hoe dat boek zijn jongensdromen had aangewakkerd.

'En je zegt niet dat dit geen brood op tafel brengt', zei hij waarschuwend tegen Hanna toen hij met het boek van de zolder kwam. Toen ze aan tafel waren gegaan voor het avondeten zei hij tegen de jongen: 'Hier heb ik een cadeautje voor je.'

Erik bloosde net zoals zijn broer had gedaan. Daarna verdween hij naar het kamertje op zolder waar het ijskoud was. Vanaf die tijd ging hij daar elk vrij moment naar toe. Hanna was bezorgd en ze ging naar boven met dekens en truien. 'Je haalt je de dood nog op de hals, jongen', zei ze.

Maar ten slotte gaf ze het op en stak ze het vuur voor hem aan.

Een paar dagen later zei ze tegen hem: 'Het bloed verrot nog in je aderen als je hier elke avond maar blijft liggen koekeloeren in dat boek.' Maar Erik lachte om haar. Ze herkende die lach; het was een vergevend lachje, net als dat van Ragnar.

Al gauw vond Erik zelf de weg naar de kist waarin Bromans oude boeken zaten.

Dat voorjaar kreeg August kinkhoest. Hanna liep nachtenlang met de jongen op de arm en gaf hem warme melk met honing. Maar het hielp niets; meestal braakte hij het eten er weer uit. John probeerde zijn rust te vinden op zolder, maar tevergeefs; de vreselijke hoest van het kind stimuleerde die van hem. Vader en zoon hoestten om het hardst.

'En het ging zo lang goed', zei Hanna ongerust.

John Broman stond er voor het eerst bij stil dat de gemene hoest hem niet meer had geplaagd sinds de genezer Johannes hem een lang leven had beloofd.

Henriksen was jaloers. Astrid, die slecht weer bij een ander voelde aankomen nog voordat degene het zelf opmerkte, had zich niet gemengd in het besluit om Ragnar naar Fredrikshald te halen.

Ze was gek op de jongen, maar hield dat goed verborgen. Toen hij kwam begroette ze hem vriendelijk maar kort en wees hem zijn knechtenkamer op zolder. Hij moet niet anders behandeld worden dan de anderen omdat hij familie is, had ze tegen Henriksen gezegd.

'Hij is thuis verwend', zei de vishandelaar.

'Dat is hij zeker. Maar dat halen we er wel uit.'

Zo kwam het dat Henriksen vriendelijker tegen Ragnar was dan hij van plan was geweest, om tegenwicht te bieden aan de aversie van zijn vrouw.

Het eerste dat Ragnar moest leren was dat hij geen Zweedse woorden moest gebruiken. Nu moest hij Noors praten. Maar het verschil was niet groot; binnen een week had hij het onder de knie.

'Hij heeft het snel opgepikt', zei Henriksen.

Ragnar begreep niet waarom hij Zweedse woorden moest vermijden. Fredrikshald was geen grote stad en de meesten die hij tegenkwam wisten dat hij een Zweed was, de neef van de vrouw van de vishandelaar. En de mensen hadden niets tegen gewone mensen uit Dalsland en Värmland.

Veel belangrijker voor Ragnar was dat niemand wist van zijn afkomst; hier was hij de zoon van de molenaar bij de Noorse meren aan de andere kant van de grens.

Op zijn fiets moest hij nog wachten totdat hij de weg in de stad wist, dus het eerste halfjaar liep hij voor de kar met vis. Bij elke deur glimlachte hij warm en de vrouwen smolten weg. Al gauw vertelde hij Henriksen dat hij meer vis zou kunnen verkopen dan er was besteld en na een poosje was de kar ook een winkel geworden.

'Hij is zeer ondernemend', zei Henriksen. Toen zijn vrouw daar niet op reageerde werd hij kwaad en hij voegde eraan toe: 'En verder is hij eerlijk en hardwerkend. Hij klaagt niet over lange werkdagen en hij kan elke öre verantwoorden.'

Op een dag had Ragnar in de nauwe steegjes aan de voet van de vesting een ontmoeting die een stempel zou drukken op zijn hele leven. Het was met een heer uit Kristiania die eraan kwam... in een auto met chauffeur! De ongelooflijke wagen moest wachten voor de jongen, die de kar eerst onder een poort moest trekken. Met glinsterende ogen bleef hij het merkwaardige voertuig nog lang nakijken toen het in de richting van de markt verdween. Zijn vader had het wel eens over auto's gehad en een keer had hij thuis hardop een krantenartikel voorgelezen over die nieuwe wagens die uit zichzelf reden, mensen de stuipen op het lijf joegen en paarden op hol lieten slaan met hun gebrul en hun ijzingwekkende snelheid. Maar woorden maakten op Ragnar, die een gevoelsmens was, nooit indruk. Nu was hij zo sprakeloos en zo gelukkig dat hij heel langzaam liep en te laat kwam met zijn boodschappen.

Aan Henriksen vroeg hij wat zo'n machine kostte.

'Ongeveer vijfduizend kronen.'

Dat was een onvoorstelbaar bedrag voor de jongen. Hij probeerde zich voor te stellen hoe vijfduizend kronen op een stapel op de grond zouden liggen te glinsteren. Zouden ze tot aan het plafond komen?

Vanaf die dag spaarde hij elke öre die hij verdiende.

Jarenlang wist John Broman zijn geheime belofte te houden om Hanna in bed niet aan te raken. Ze was nu over de dertig en de vroedvrouw had haar gewaarschuwd. Nog een bevalling kon haar dood worden.

De oude Anna was inmiddels weduwe, maar bleef op haar eigen boerderij wonen. Haar zoons zaten in Amerika, dus de grond verpachtte ze aan haar buren. De winter van de eeuwwisseling was zeer streng en John en Hanna hadden haar overgehaald om bij hen in het molenaarshuis te komen wonen. Allebei vonden ze dat Anna gezelligheid met zich meebracht en ze misten haar dan ook toen ze er in het voorjaar weer op stond om terug te gaan naar haar eigen huis.

Toen Broman weer thuiskwam nadat hij Anna had geholpen met verhuizen, was hij somber. Zijn oude zwaarmoedigheid zat hem weer op de hielen. Nu waren ze alleen en de stilte nestelde zich onder hun dak.

Hij was met de jaren minder spraakzaam geworden en had het geaccepteerd dat hij nooit vertrouwelijk met zijn vrouw zou worden. Wekenlang zweeg hij en als hij al eens wat zei dan was het iets vervelends.

'Je hebt zaagsel in je hoofd.' Of: 'Je ziet eruit als een armoedig oud wijf.'

Ze hadden ook moeite om in hun onderhoud te voorzien. Steeds meer mensen in de streek verlieten hun boerderij, dus er kwam steeds minder meel in de ton van de molenaar. Ze werden steeds meer afhankelijk van hun aardappelveld, hun koeien en van vis.

John was bovendien ongerust over de crisis met Noorwegen. Twee keer in de week ging hij een krant halen in Alvarssons winkeltje aan de grens en daarin werd geschreven over steeds nieuwe tegenstellingen en steeds fellere taal. De vijandschap begon ook de mensen te beïnvloeden. Ragnar, die een keer in de maand thuiskwam, vertelde soms over de scheldwoorden die elke Zweed aan de andere kant van de grens konden treffen. Wanneer Astrid en haar man samen op bezoek kwamen, vermeden ze het helemaal om over politiek te praten. Henriksen was stiller dan anders en Broman begreep dat de Noor nu ook bang was voor wat er zou gebeuren.

Tegenwoordig bracht Ragnar het meel van de molen naar Fredrikshald. Broman zei dat hij blij was dat hij het niet meer hoefde te doen; hij had er niet langer de energie voor. Maar hij miste de reisjes wel.

Dat voorjaar was hij gedwongen om op Framgården een lening te nemen om te kunnen rondkomen. Ragnar sprong ook bij met geld dat hij overhield. Het ging goed met de jongen in Noorwegen. Zo goed, dat Arne Henriksen zei: 'Als hij geen Zweed was geweest had ik hem compagnon gemaakt.'

De zomer was koud en regenachtig en ze zaten veel binnen. Ze liepen elkaar steeds meer in de weg. Broman hoestte nog meer dan anders wanneer hij 's nachts in bed lag en een gevoel van verlatenheid hem overviel. Het was tijdens zo'n nacht dat hij toenadering zocht tot zijn vrouw.

Ze ontving hem met een warmte alsof de eenzaamheid ook voor haar te zwaar was geweest. Ze ontdooiden allebei van de bedgemeenschap. Toen er in de nazomer eindelijk wat zon kwam, hadden ze van hun nachtelijke ontmoetingen een gewoonte gemaakt.

In november trok de oude Anna weer bij hen in. Ze werd ontvangen met koffie en versgebakken tarwebrood. Ze had groot nieuws. Anders Olsson, de jongere broer van August, en Hanna's oom, had haar opgezocht en een bod gedaan op haar boerderij. Hij had jarenlang op de werf in Fredrikshald gewerkt, zijn verdiensten opgespaard en nu wilde hij naar huis terugkeren.

'Maar dit is nooit zijn thuis geweest', zei Hanna verwonderd. 'Hij is in Noorwegen geboren, net zoals vader.'

'Dat heb ik hem ook gevraagd', zei Anna. 'Maar hij zegt dat, zoals de tijden er nu voorstaan, Zweden je thuis is als je Zweeds bent.'

Hanna keek John aan; ze dacht aan Ragnar.

'Voor Ragnar komt er vast een andere oplossing', zei John. 'Hij zal wel snel voor de dienstplicht worden opgeroepen.'

'Denkt u dat het oorlog wordt?'

'We hebben net een nieuwe wet op de dienstplicht.'

Zou Anna haar boerderij verkopen? Een boerderij erbij in de buurt zou van betekenis zijn en wat leven in de streek brengen. Anders Olsson had vier zoons en drie dochters. De oudste zoon had al geïnformeerd of hij Svackan kon kopen, de boerderij aan de voet van Trollåsen. Die boerderij was al een paar jaar niet meer onderhouden, maar er waren nog goede weilanden.

Anna voelde wat het molenaarsgezin dacht en knikte; daar had ze zelf ook al aan gedacht. Maar ze wist ook wat ze wilde: 'Ik wil een kamer voor mezelf met mijn eigen meubels. En ik zal jullie goed betalen.'

'Met betalen zien we wel hoe het gaat', zei John.

'Als je wat meehelpt is het al voldoende', zei Hanna.

'Ik weet hoe jullie er financieel voorstaan', zei de oude vrouw. 'En ik ben op jullie gesteld geraakt. Maar ik wil jullie niet tot last zijn dus het gaat zoals ik besloten heb.'

John voelde zich haast gelukkig toen hij het meer op roeide. Hij sloeg twee snoeken aan de haak. Ze brengt nu al geluk, dacht hij.

Hun nieuwe vreugde hield een paar maanden aan en er werd geweckt en sap gemaakt en de keuken vulde zich met heerlijke geuren en vrouwenpraat. Maar toen de herfst de dagen korter maakte was het Anna duidelijk hoe het met Hanna gesteld was.

'Je krijgt een nieuw kind', zei ze tegen Broman. Haar stem was nors en haar gezicht stond hard maar toen ze zag hoe bang hij werd, werd ze wat zachter.

'We moeten maar bidden tot God', zei ze.

John ging naar het bos, vervuld van schrik en schuldgevoel. Goede God, zei hij, maar verder kwam hij niet. Hij had niet meer gebeden sinds zijn kindertijd en toen had het hem nooit geholpen.

Toen hij thuiskwam had hij eens nagedacht. Moesten ze niet naar de dokter om het kind te laten weghalen?

'Dat zou kunnen', zei Anna, nadat ze een poosje had nagedacht.

Dat deden ze wel eens, de dokters, als het nodig was. En voor Hanna was het eigenlijk wel nodig.

Beiden keken ze naar Hanna die stijf bij het fornuis stond met een gebalde hand voor haar mond. Keer op keer haalde ze de hand weg om naar adem te snakken. Maar ze kon haast niet praten. Ten slotte schreeuwde ze: 'Nooit! Snappen jullie niet dat dat een doodzonde is, die je in de hel brengt?'

'Maar Hanna. Als je het niet haalt, hebben je kinderen geen moeder meer.'

'Dat is dan de bedoeling van God.'

'Maar je zegt zelf altijd dat we die nooit kunnen doorgronden.'

'Nee. Daarom moet je je er ook aan onderwerpen.'

Er werd niet verder over gesproken, want de jongens kwamen binnen en die waren moe en hongerig. Ze gebruikten de avond-maaltijd zoals altijd, maar toen Hanna naar bed ging zei ze met vaste stem tegen Broman: 'Wees niet ongerust. Ik red het wel.'

Even durfde hij op haar te vertrouwen. Hij fleurde op en fluisterde tegen haar: 'Jij bent ook zo verschrikkelijk sterk.'

De volgende dag was ze weer de oude Hanna; vlot in haar be-wegingen en daadkrachtig. Zoals iedere ochtend sinds de oude Anna bij hen in was komen wonen, hoorde hij haar in zichzelf mompelen dat ze de sofa miste. Die was uiteindelijk op de zolder beland nu Anna hun slaapkamer had gekregen en John en Hanna hun bed in de woonkamer hadden gezet.

Zou ze het soms vergeten zijn? vroeg hij zich af. Of is ze niet bang voor de dood?

Maar vergeten was ze het niet, dat begreep hij wel toen hij haar op een dag toevallig met hun zoons hoorde praten. Fluisterend gaf ze hen levenswijsheden mee. Het ging over reinheid van kleren en lichaam en over hun manier van leven. En ze moesten beloven dat ze goed voor hun vader zouden zorgen als haar iets zou overkomen.

Hij was ontroerd, maar de jongens lachten om haar: 'U blijft leven tot u honderd jaar bent', zei Erik.

'Precies', zei Hanna. 'Maar als ik dat niet doe moeten jullie onthouden wat ik heb gezegd.'

Anna had uitgerekend dat het kind in maart zou komen. Maar al vanaf midden februari dwong ze Hanna om in bed te blijven. Ze moest rusten en kracht verzamelen. Anna zat vaak in de woonkeuken te praten om Hanna te doen vergeten dat zij, zo'n gezond mens, midden op de dag lag te luieren. Ze spraken over allerlei dingen, ook over de dood.

'Ik wil fatsoenlijk het graf in gaan', zei Hanna. 'In die kast daar heb ik geld neergelegd dat ik gespaard heb van mijn botergeld, het beetje dat ik opzij kon leggen. Jij moet het nemen en ervoor zorgen dat de jongens zwarte kleren krijgen voor de begrafenis.'

'Dat beloof ik.'

Soms moest Hanna eruit om naar de plee te gaan. Op vijftien februari kwam ze er vandaan en vertelde ze Anna dat ze bloed verloor. De vroedvrouw keek tevreden en bereidde een drankje van kruiden met een samentrekkende werking.

'Nu moet je drinken, zodat het gaat beginnen. Het is goed dat het te vroeg is, dan is het kind nog niet zo groot.'

'Je moet Broman maar wegsturen', zei Hanna.

Maar Broman weigerde en nooit zou hij de drie dagen die volgden vergeten. Hanna perste en schreeuwde, maar het kind bleef zitten alsof het was vastgegroeid in de baarmoeder. Anna probeerde alle oude trucs. Op het laatst hing Hanna aan een balk aan het plafond en kwamen de persweeën steeds korter na elkaar maar het kind verroerde zich niet.

'Dan moet ik je opensnijden.'

'Doe dat maar.'

'Jij gaat weg', zei de oude vrouw tegen Broman.

Anna was verstandig genoeg om haar scherpe schaar in kokend water op het fornuis te dompelen, voordat ze de baarmoedermond openknipte. Het kind schoot te voorschijn als een kurk uit een fles. Hanna viel flauw maar het bloedverlies was niet zo groot als Anna gevreesd had. Dichtnaaien kon ze de snee niet maar ze klemde hem dicht zo goed als ze kon en smeerde er zalf van maretak op.

Hanna kwam langzaam weer bij en Anna fluisterde: 'Je hebt het gered, Hanna. Het is voorbij. Ga maar slapen.'

Het kind zat onder het bloed en was wat blauw, maar na een tik op de billen begon het te ademen en Anna bond de navelstreng af en deed het in bad.

'Het is een meisje', zei ze en ze hoorde Hanna op de rand van de slaap fluisteren: 'God, heb medelijden, het arme kind.'

Broman was op de zolder van de molen gaan liggen; hij lag in elkaar gekropen en was zo koud als ijs. Toen Erik aan kwam rennen met het bericht dat alles voorbij was en dat Hanna sliep, durfde hij het eerst niet te geloven. Pas toen Anna met een grote borrel aankwam drong het tot hem door.

'Je hebt een dochter gekregen', zei de oude vrouw.

De woorden maakten een oude herinnering in hem los. Maar hij sloeg de borrel achterover en de brandewijn deed hem weer vergeten. Pas toen hij zich gewassen had, een schoon hemd had aangetrokken en in de woonkamer stond met het kleintje in zijn armen, sloeg de herinnering in volle hevigheid toe.

'Ze krijgt de naam Johanna', zei hij.

Maar de vroedvrouw was daar tegen en fluisterde: 'Het belooft nooit iets goeds om kinderen naar hun dode broer of zuster te noemen.'

De blik die hij haar toewierp vertelde duidelijker dan woorden dat ze er niets van had begrepen.

Toen Hanna de volgende ochtend wakker werd, was ze nu eens aan het jammeren, dan weer aan het huilen.

'Ze heeft pijn', zei Anna, maar zelf zei Hanna dat het kwam omdat ze het zo erg vond dat ze een meisje had gekregen, vanwege het vreselijke lot dat alle vrouwen wachtte. Op de naam had ze niets tegen en zowel John als Anna ging ervan uit dat ze allang was vergeten hoe John Bromans dode dochter had geheten. Maar daarin hadden ze ongelijk; Hanna wist het nog wel en ze was zeer tevreden over het feit dat ze hem een dochter had geschonken in de plaats van de dochter over wier dood hij zo veel verdriet had gehad. En ze kon immers met eigen ogen zien dat de pasgeborene op haar vader leek.

Ze zag ook dat het een ongewoon mooi kind was.

'De arme stakker', zei ze toen ze het kind aan de borst legde.

Ze kwamen er nooit achter wat de vroedvrouw toevoegde aan het water waarmee ze Hanna's onderlichaam dagelijks waste. Maar in de keuken hing de eerstvolgende weken een sterke geur van geheimzinnige brouwsels. Anna liet Hanna het bed houden; ze dwong haar om stil te liggen en smerig smakend kruidenwater te drinken.

Haar inspanningen waren niet voor niets, want Hanna genas en na veertien dagen stond ze weer op. Maar ze stond te trillen op haar benen en het duurde nog even voordat ze de verantwoordelijkheid voor de huishouding weer op zich nam.

'Ik zorg voor het huishouden en jij voor het kind', zei Anna.

Maar zo ging het niet. Broman zorgde grotendeels alleen voor het kind. Hij verschoonde het, smeerde het in, brabbelde ertegen en wiegde het.

'Hij is nog erger dan een vrouw', zei Hanna, die zich schaamde.

'Hij is oud en moe. Waarom zouden we hem het kind niet gunnen als hij er zo veel plezier van heeft?'

'Het is niet natuurlijk', zei Hanna. Ze was blij dat ze zo afgelegen woonden. Manke Malin kwam niet meer op bezoek dus er waren hier geen vrouwenogen die alles zagen en geen monden die praatjes konden rond vertellen door de streek. Toen de nieuwe buren op bezoek kwamen zorgde ze er wel voor dat ze het meisje aan de borst had.

Het waren aardige mensen, de oom en de tante uit Noorwegen. Hanna was blij; het was geweldig om na de jaren alleen weer familie terug te krijgen.

Toen Ragnar thuiskwam raakte hij bijna net zo gehecht aan zijn kleine zusje als Broman. Hij had ook cadeautjes bij zich van Astrid: jurkjes voor de kleine en linnengoed van de mooiste kwaliteit voor de wieg.

Hanna kreeg ook een cadeau. Het was een ketting van gitten en hij was zo lang dat ze hem drie keer om de hals kon slaan. Hij had hem zelf gekocht nadat Astrid toevallig een keer zei dat Hanna zo verlangend naar de gitten had gekeken toen ze de laatste maal in Fredrikshald was.

Hanna huilde zoals ze altijd deed wanneer ze blij was en de lange jongen bloosde. Nooit, dacht hij, nooit mag ze weten wat Astrid en ik doen in het beddenstro wanneer Henriksen voor zaken naar Kristiania is.

Het werd een vroeg en warm voorjaar. Broman vlocht een rugzak van berkenbast, bekleedde die met schapenvacht en wandelde met zijn dochter op zijn rug langs de meren. Hij leerde haar kijken : naar de leverbloempjes die voorzichtig hun kopjes opstaken uit het gras van vorig jaar, de voorn die het wateroppervlak beroerde, de eerste vlinder, de trek van de wolken aan de blauwe hemel.

De oude Anna lachte om hem; het kind was toch veel te klein om zulke praat te begrijpen, zei ze. Maar Broman kon aan de glinstering in de honingbruine ogen van het meisje wel zien dat ze het begreep.

Hij leerde haar ook luisteren: 'Hoor hoe het duikertje roept.'

Tegen midzomer stierf eindelijk de oude Eriksson van Framgården. Jarenlang had hij als een houten plank op bed gelegen; hij sprak niet meer en begreep niets meer. Ingegerd zelf kwam naar de molen om het bericht te brengen. Ze feliciteerde hen met de geboorte van hun dochter en ze vroeg aan Broman of hij de familie de volgende zaterdag bijeen wilde roepen in het molenaarshuis, zodat alles geregeld kon worden.

'Er is toch zeker wel een testament?'

Het was Hanna die dat vroeg, maar Ingegerd schudde haar hoofd. Ze zei dat hij nooit tijd had gehad om er een te schrijven en toen hij door zijn ziekte zijn denkvermogen verloor was het te laat.

Die zaterdag zette Ingegerd helder en duidelijk haar plannen uiteen. Ze wilde Framgården verkopen en het geld eerlijk verdelen onder Hanna's broers en zichzelf. Hanna zou het eigendomsrecht van de molen en het molenaarshuis krijgen en van de meubels die ze wenste uit de oude familieboerderij. Verder mocht ze de dieren die ze wilde hebben meenemen uit stal, schuur en varkenshok. Astrid zou alle familiesieraden krijgen uit de tijd van de grootmoeders.

'Ik heb ze laten taxeren dus ik weet zeker dat Astrid niet minder krijgt dan de anderen.'

Iedereen vond het een redelijke regeling. Maar één ding verwonderde hen; de bastaard Ragnar zou duizend rijksdaalders krijgen.

'Hij is toch familie, zowel van vaders als van moeders kant', zei Ingegerd.

Broman was tevreden; het was fijn om eigenaar van de molen te worden. En van de beesten konden ze er een heleboel verkopen.

'Maar jij zelf? Wat ga jij doen?'

Toen kregen ze te horen dat Ingegerd huishoudster zou worden in een koopmanshuis in Stockholm.

Stockholm, dat wekte grote verbazing. Daar trok niemand uit Dal naar toe, dat was zo ver, bijna het einde van de wereld. Ingegerd moest lachen. 'Het is anders heel wat dichterbij dan Amerika', zei ze en ze voegde eraan toe dat ze altijd al naar de Zweedse hoofdstad had verlangd.

'Ik wil de koning zien', zei ze. 'Ik heb het gevoel dat dat moet in deze slechte tijden.'

Ze had overal papieren van, alles duidelijk tot in de kleinste details opgeschreven.

'Lees het goed door', zei ze. 'Het is belangrijk dat jullie alles goed begrepen hebben, want ik wil geen ruzie om de erfenis op mijn geweten hebben.'

Ze lazen het en zetten hun namen eronder.

Ingegerd was de deur nauwelijks uit of Hanna begon haar handen te wringen. Hoe zouden ze ooit van zijn leven aan weilanden komen voor de vele koeien en de mooie paarden? Broman zei dat ze ervan uit moesten gaan dat ze een aantal van de dieren in Fredrikshald zouden moeten verkopen. Ragnar moest daar maar voor zorgen, dat was immers een goede zakenman. Hanna keek sip maar was het met Broman eens dat ze contant geld nodig hadden.

Broman dacht bij zichzelf dat hij Ingegerd nog zou missen.

Dat najaar beleefden ze in het molenaarshuis een wonder. Zoals altijd riep het duikertje in de avond en opeens zei Johanna, die bij haar vader op schoot zat: 'Luite, luite. Uiketje, uiketje.'

Haar vader en haar broers waren dolenthousiast, maar Hanna keek ongerust naar Anna. Ze hadden nog nooit gehoord van een kind van acht maanden dat al kon praten.

'Ik schrok me dood', zei Hanna toen de beide vrouwen alleen in de keuken waren. 'Betekent dit dat ze niet lang te leven heeft?'

'Nee, dat is maar bijgeloof', zei Anna. Maar dat najaar had ze zelf ook gedacht aan de oude uitdrukking dat degene van wie God houdt, jong sterft.

Het kleine meisje was een zeldzaam mooi en verstandig kind.

Toen Johanna een maand of wat later in de keuken haar eerste stapjes zette, moesten ook de beide vrouwen instemmen met de vreugde.

'Nog nooit heb je zo'n voorlijk kind gezien', zei Hanna, die heen en weer werd geslingerd tussen angst en trots.

Broman was moe en die winter zat hij veel binnen in de warmte. Maar die lelijke hoest had hem niet meer zo erg te pakken als vroeger en ook was hij monter gestemd.

'Ik heb hem nog nooit zo blij gezien', zei Hanna.

'Ik had nooit gedacht dat hij zo veel verhalen kende en zo goed kon zingen', zei Anna.

Johanna lachte, net zo veel en zo vaak als Ragnar had gedaan, en Hanna dacht dat het vreemd was dat de kinderen die ze met de meeste pijn ter wereld had gebracht de vrolijksten waren van het hele stel.

'Er was eens een arme pachtersvrouw die een kind kreeg. Maar niemand wilde het kind naar de dominee brengen om het te laten dopen, want zie je, ze waren zo arm dat de mensen dachten dat het een schande was als ze zich met hen inlieten. Toen moest de pachter zijn kind zelf naar de dominee brengen.'

In zijn vetste dialect vertelde John het sprookje van de pachter en de Dood aan Johanna. Telkens opnieuw wilde ze het horen. Op het laatst kende ze het sprookje zo goed dat ze hem, als hij een woord verwisselde of een stukje oversloeg, verbeterde.

'Dat vreemde verhaal kan ze toch helemaal niet begrijpen', zei Hanna.

'Ze begrijpt er vast wel iets van, want ze is zo geestdriftig', zei Broman. Hij moest lachen, want hij dacht aan de eerste keer dat hij het sprookje over de Dood had verteld. Hanna werd er toen zo door gegrepen dat ze de waterketel op de vloer had laten vallen. Dat gebeurde toen de pachter op weg was met het kind en God zelf tegenkwam, die besloot mee te gaan naar de dominee. Toen zei de pachter: "Ik geloof dat ik met jou niets te maken wil hebben, want je bent zo'n onrechtvaardige vader. Sommigen geef je veel, anderen weinig, en mij heb je helemaal niets gegeven. Nee, ga maar weg."'

Het was een hele consternatie die keer dat de waterketel op de grond viel. Hanna had lang op haar knieën moeten liggen om al het water opgedweild te krijgen. Ze dweilde en wrong haar lap uit en de hele tijd moest ze lachen.

John lachte ook.

'Daarna,' zei Johanna met glinsterende ogen, 'daarna ontmoette hij de Duivel.'

'Ja, de Schande zelf, en ook hij vroeg of hij mee mocht naar de dominee.'

'"Oh nee," zei de pachter, "als het mijn tijd is kom ik vanzelf wel in jouw klauwen terecht. Ga maar weg."'

'Daarna', zei Johanna, 'ontmoette hij de Dood zelf!'

'Jazeker, en de Dood vroeg ook of hij mee mocht naar de dominee. En jawel, dat mocht, want de pachter vond dat de Dood een goede vent was.'

'"Jij behandelt iedereen tenminste gelijk, of hij nou rijk is of arm", zei de pachter.'

John maakte het verhaal nog wat langer; het nam een omweg door het bos voordat het de pachter en de Dood naar de dominee voerde waar het kind gedoopt werd.

'Nu komt het mooiste', zei Johanna. En dat was ook zo, want de Dood nodigde de pachter bij hem thuis uit: '"Nu moet je eens meegaan naar mijn huis om te zien hoe ik woon."'

Toen ze bij het huis van de Dood aankwamen werd de pachter verblind.

'Want daar waren zo veel kaarsen; een voor ieder mens die op aarde leefde. En ook een voor het nieuwe kind van de pachter.'

'Wacht, vader, wacht', fluisterde Johanna, want ze wilde graag lang in het huis van de Dood blijven om haar eigen kaars te zoeken om te zien of hij nog groot was en rustig brandde. De kaars van moeder was ook een flinke. Maar die van haar vader kon ze niet vinden.

Het sprookje eindigde ermee dat de Dood de pachter in dienst nam en hem leerde hoe hij mensen kon genezen en wanneer hij moest vertellen dat het geen zin meer had om het leven nog verder te rekken. De pachter werd rijk en beroemd en leefde nog lang en gelukkig, totdat zijn eigen kaars opgebrand was en uitging.

'In het huis van de Dood', zei Johanna, terwijl ze rilde van genot.

'Ik vind dat je moet gaan', zei John tegen Hanna. 'Niemand weet wanneer jullie elkaar anders weer zullen zien, jij en Astrid.'

'Staat het er zo slecht voor?'

'Ja. En neem het meisje mee, want daar mag je wel mee voor de dag komen.'

Hanna knikte; dat was zo.

Ragnar was voor een kort bezoek thuis. Daarna zou hij voor de laatste keer naar Fredrikshald gaan om afscheid te nemen en zijn spullen te pakken. Van daaruit moest hij door naar Vänersborg om rekruut te worden bij het regiment Västgöta-Dal. Twaalf maanden dienstplicht!

Hij was blij dat hij Noorwegen kon verlaten. Het was nu mei 1905 en de Noorse regering was afgetreden. Toen de koning in Stockholm weigerde het regeringsaftreden te accepteren, verklaarde het Noorse parlement dat er wat Noorwegen betrof een einde aan de koninklijke macht was gekomen en dat de unie ontbonden was. In Zweden werd dat revolutie genoemd. De Noren waren bezig hun vestingen aan de grens te versterken.

John Broman las in de krant dat het Zweedse volk was vervuld van een rechtvaardige razernij. Maar hier in de grensstreek wachtten de mensen met angst en beven af wat er zou gaan gebeuren, ook al scholden ze zo nu en dan wel eens op die Noren met hun grote bekken.

Hanna had al het gepraat over de crisis van de Zweeds-Noorse unie niet zo serieus genomen; zoals gewoonlijk had ze het druk genoeg met de beslommeringen van alledag. Maar toen ze zag hoe het aan de grens en in Fredrikshald zelf wemelde van de soldaten, werd ze bang. Nog angstaanjagender was het om Astrid te ontmoeten, die rondfladderde als een opgesloten vogel. Ze was veel te nerveus om stil te zitten en een gesprek te voeren. Tussen haar en de vishandelaar ging het ook niet goed; hij was alles wat Zweeds was gaan haten.

'Ja, misschien moet ik met jou mee naar huis gaan', zei Astrid tegen Hanna.

'Onzin', zei Henriksen. 'Je bent nu een Noorse en je thuis is in Noorwegen. Als je bang bent voor de oorlog, dan ben je veiliger aan deze kant van de grens.' Tegen Ragnar was hij kortaf en onvriendelijk. Maar zijn schoonzuster en haar kleine meid nam hij mee om te laten zien hoe onneembaar de vesting van Fredriksten was.

'Daar hebben we hem doodgeschoten, die verdomde Zweed', zei hij.

Het bezoek duurde maar twee dagen. Toen ze de grens over waren slaakte Hanna een zucht van verlichting. Ze zei tegen Ragnar: 'Ik begrijp niet hoe je het hebt uitgehouden.'

'Ze waren niet gemakkelijk.'

Hanna zag tot haar verwondering dat hij bloosde.

Ragnar had een kort gesprek met John Broman, voordat hij doorreisde naar Vänersborg.

'U moet de grot in orde maken, vader.'

Maar John schudde zijn hoofd.

In augustus had Ragnar voor het eerst verlof. Er werd nu in Karlstad onderhandeld en de Zweden eisten dat de Noren niet alleen de versterkingen langs de grens zouden ontmantelen maar ook de oude vestingen van Kongsvinger en Fredriksten zouden afbreken.

'Ze zijn gek', zei Ragnar, die ook wist te vertellen dat het buitenland Noorwegen steunde. Engeland had verklaard dat het land erkend moest worden en Rusland en Frankrijk dat ze de Zweedse eisen over de beide vestingen 'hogelijk van de hand wezen'.

Het was toen dat hij het gezin wist te overreden om in de grot te gaan wonen.

Maar een paar weken later al werd er in Karlstad een overeenkomst bereikt. De versterkingen aan de grens verdwenen en de mensen aan beide zijden van de grens haalden opgelucht adem. Bromans conservatieve krant haalde de woorden aan van Hjalmar Branting, die deze eerder in het voorjaar in *Socialdemokraten* had geschreven: 'Op 27 mei 1905 stierf de personele unie tussen Noorwegen en Zweden op een leeftijd van negentig en een half jaar. Rest ons nog de begrafenis en het opmaken van de boedel. We moeten in vrede scheiden als broeders.'

'We hadden *Socialdemokraten* moeten lezen, dan hadden we de zomer als rustiger ervaren', zei John tegen Hanna.

'U bent gek. Dan hadden de mensen ons voor socialisten uitgemaakt!'

'Wat mij betreft zitten ze er niet ver naast.'

Hanna keek haar man lang aan, voordat ze de juiste woorden vond: 'Dus u bent niet alleen een godslasteraar maar ook een koningsmoordenaar?'

'Hoe kom je bij die onzin?' zei John lachend.

Johanna, die op de grond met haar pop zat te spelen, zou deze woordenwisseling nooit vergeten.

Niet alleen John besteedde al zijn vrije tijd aan Johanna. Ook de oude Anna bekommerde zich om haar. Ze leerde haar vrouwenbezigheden en vertelde haar alle bijzondere verhalen uit de streek.

Op die manier was er voor Hanna weinig plaats in het leven van haar dochter. Voor haar bleef alleen de taak over om het meisje te leren luisteren en gehoorzamen. En dat deed ze met overtuiging. Van vertrouwelijkheid tussen moeder en dochter was geen sprake.

Johanna was vijf jaar toen ze kon lezen en schrijven. Toen Hanna daar achter kwam was ze woedend. Wat zouden de mensen wel zeggen? Zij wist hoe er geroddeld werd over iedereen die anders was en meende meer te zijn dan een ander. En wat moest de juffrouw met het kind als het op school kwam?

Broman zei haar dat ze haar mond moest houden. Maar hij vond wel dat er een kern van waarheid in haar woorden zat. Omdat hij goed kon opschieten met de nieuwe schooljuffrouw ging hij naar haar toe om uit te leggen hoe het zat met Johanna.

De juffrouw, die zo jong was dat ze nog in haar taak geloofde, lachte alleen maar en zei dat het een leuk probleem was, een kind dat al kon lezen. En ze was als lerares best in staat om het kind bezig te houden, terwijl ze de letters erin stampte bij de andere beginnertjes.

'Ze mag tekenen en verven', zei ze. 'En ik zal eens kijken naar boeken die ze voor zichzelf kan lezen onder schooltijd.'

John was tevreden. Alleen hielden hij en de juffrouw geen rekening met de andere kinderen. Johanna kreeg het moeilijk; de anderen wilden niet met haar spelen want ze mochten haar niet en ze werd veel geplaagd. En in de streek werd er gepraat, precies zoals Hanna al had voorspeld.

Maar het meisje zei niets over het plagen op school. Moeder zou maar kwaad worden en ze verdroeg het wel. Bovendien zou het haar vader verdrietig maken, en dat was onverdraaglijk.

Johanna was net zeven jaar geworden toen Anna overleed. Het was een zachte dood. Ze had een paar dagen pijn op de borst gehad en op een zaterdagavond zag Hanna dat ze een medicijn voor zichzelf aan het bereiden was dat de pijn moest verzachten. Hanna keek met verwondering toe hoe Anna grote hoeveelheden belladonna en bilzekruid in het drankje mengde.

'Je neemt toch niet te veel, hè?' zei ze.

'Ik weet wat ik doe', zei de oude vrouw.

De volgende ochtend vonden ze haar dood. Hanna stond verstijfd en bleek aan het bed; de jongens snikten en snotterden. John Broman stond plechtig met Johanna in zijn armen en had de tranen in zijn ogen staan.

'Nu is ze bij God', fluisterde het kind en John knikte, terwijl hij een strenge blik op Hanna wierp; hij was bang dat ze het kind haar troost zou ontnemen. Hanna zag zijn blik niet, zo verzonken was ze in vreemde gedachten. Maar ze zei tegen niemand iets over het drankje dat de oude vrouw de avond tevoren bereid had.

Toen de sneeuw begon te smelten beleefden de mensen in het molenaarshuis iets dat ze hun hele leven niet meer zouden vergeten. Ze zaten 's middags te eten toen Broman opeens met zijn vuist op tafel sloeg en schreeuwde: 'Stil!' In de stilte hoorden ze gebulder, gebrom en geknars. John en de jongens renden het huis uit, bang voor wat er met de molen gebeurd zou kunnen zijn.

Het schot in de dam!

Maar daar was niets mee aan de hand. Ze bleven op het erf staan en ontdekten tegelijkertijd dat het geluid van de weg af kwam, uit de verte.

Het kwam dichterbij.

Geschrokken sloeg Hanna haar armen om Johanna heen, terwijl ze dacht aan de Duivel zelf; hij die op de uiterste dag met zijn vuurwagen zou komen om de zondige mensen naar de Hel te voeren.

Een soort vuurwagen was het wel. Dat zagen ze toen het gevaarte over de heuveltop aan kwam zetten met een vaart alsof het door een kanon was afgeschoten. Maar het was niet de duivel die achter het stuur zat, maar Ragnar die de heuvel op kwam rijden, met piepende remmen en toeterend als een gek.

Daarna werd het stil. Ze stonden allemaal met grote ogen en open monden te kijken en ze vonden dat het nog nooit zo stil was geweest aan het Noorse water.

'Het is een auto', zei Broman. 'Die dekselse jongen heeft een auto aangeschaft!'

Toen begon hij te lachen en toen Ragnar uit het bakbeest geklommen was moesten vader en zoon zo lachen dat de tranen hen over de wangen liepen.

Ten slotte had Ragnar zichzelf weer zo in de hand dat hij kon uitbrengen: 'Moeder, nu wil ik iets in mijn buik hebben. Ik heb honger als een wolf.'

Hanna liep met trillende benen naar binnen om het koud geworden eten weer op te warmen, terwijl de broers als bijen om het voertuig heen zwermden.

'Heb je die van je eigen geld gekocht?' vroeg Broman.

'Ja. Vanaf het moment dat ik voor de vishandelaar ben gaan werken heb ik elke rijksdaalder gespaard. En alles wat ik heb verdiend in de bouw in Göteborg. En toen kreeg ik nog de erfenis. Nu gaat de auto mij onderhouden.'

John durfde niet te vragen wat hij gekost had. Duizend, een paar duizend?

Ragnar at en legde uit, met volle mond, maar Hanna durfde niets te zeggen over tafelmanieren. De stad aan de monding van de rivier de Göta groeide. Fredrikshald was maar een boerendorp vergeleken met de grote stad aan zee. Er waren veel mensen die huizen en fabrieken lieten bouwen, maar het was moeilijk om aan hout, stenen en metselspecie te komen.

'Het transport heeft de ontwikkelingen niet gevolgd', zei hij. Paarden en wagens verstopten de wegen. Auto's waren de oplossing. Hij kon zo veel werk krijgen als hij wilde.

Hanna begreep in grote lijnen wel wat hij vertelde, maar bleef zitten met een vraag: Wat was het in Gods naam voor taaltje dat hij sprak?

Ten slotte kwam ze met haar vraag voor de dag en Ragnar lachte weer toen hij antwoordde: 'Zweeds, moeder. Ik heb eindelijk Zweeds leren spreken.'

'Je klinkt net zoals het in de boeken staat', zei John, die diep onder de indruk was.

's Middags gingen ze een ritje maken, bepaalde Ragnar. Ze moesten wat oude stromatrassen meenemen en het zich op de laadbak gemakkelijk maken.

'Moeder mag in de cabine zitten met Johanna op schoot.'

Maar tegen die tijd had Hanna zichzelf weer in de hand: 'Ik ga nooit van mijn leven in die duivelskar zitten. En mijn kind ook niet.'

Dus ging John voorin zitten, terwijl de broers op de laadbak klommen. Johanna probeerde haar tranen te bedwingen en toen Ragnar dat zag fluisterde hij: 'De volgende keer, meisje. Ik ga hier niet weg voordat jij ook een ritje gemaakt hebt.'

Toen ze na een tijdje terugkwamen praatten ze allemaal door elkaar over hoe de boeren met open monden hadden staan kijken en de vrouwen van angst en de kinderen van opwinding hadden gegild. Alvar Alvarsson had zijn pet voor Broman opgelicht toen hij de auto uitkwam om zijn krant te halen en zelfs de dominee was naar buiten gekomen om het voertuig te bestuderen.

Ik wist wel dat hij ook in deze afgelegen streken zou komen, had hij gezegd. Maar dat het al zo snel zou gebeuren, dat had hij niet gedacht.

Het stond Hanna wel aan dat te horen, dat kon je wel zien. En toen Ragnar zei dat Johanna en zij morgen mee moesten gaan, zei ze: 'Iedereen verandert wel eens van gedachten.'

In het jaar 1910 kwam de lente met zachte tred naar Dalsland. Het ging niet zoals anders, heel plotseling, waarna ze zich weer terugtrok alsof ze spijt had gekregen. Nee, ze sloop zo voorzichtig naderbij dat niet eens de leverbloempjes koude voeten hoefden te krijgen.

De spreeuwen kwamen vroeg en troffen hun huis in het noorden vriendelijker aan dan anders. Het regende af en toe, de zon scheen en de bosanemoontjes volgden de leverbloempjes op. Op een ochtend in mei stonden de esdoorns in bloei en het Noorse water was gehuld in honinggeuren.

John Broman was vermoeider dan anders toen hij met zijn dochter door het bos slenterde. Maar alleen zijn lichaam was moe; zijn zintuigen waren nog nooit zo scherp geweest.

Samen met Johanna zag hij hoe de trekvogels terugkwamen om hun oude plekjes weer in bezit te nemen. Toen de zwaluwen hun nestjes bouwden in de klippen van de Wolvenrots had het duikertje al eieren gelegd en had de slechtvalk al jongen.

Hij was gelukkig en het meisje zou zich dat herinneren.

Het was in dit voorjaar dat Johanna een religieus mens werd. En dat zou ze ook blijven. Zelfs als socialist en godloochenaar.

Het duurde tot de zomer, voordat John uit het vreemde gevoel van monterheid dat hij had de conclusie trok dat de dood en het leven een afspraak binnenin hem hadden gemaakt. Soms had hij het idee dat ze elkaar toedronken als goede kameraden, want het gevoel dat zich door zijn lichaam verspreidde deed hem denken aan de lichte roes wanneer je je eerste borrel hebt gedronken.

Toen hij daar zo bij de beek zat en Johanna haar dorst zag lessen aan het schuimende water, begreep hij hoe het zat en het beangstigde hem niet. Hij voelde zich opgelucht. En verdrietig. Maar het verdriet was niet van de zware soort; het was blauw als de weemoed die de wereld reliëf geeft.

In de weken die volgden probeerde hij een aantal keren een balans op te maken. Soms kwam hij tot de slotsom dat het leven hem goed gezind was geweest en dat hij in grote lijnen had gedaan wat hij moest doen. Op andere dagen beangstigde het eindresultaat hem. Vol wroeging dacht hij aan zijn moeder die hij al twintig jaar niet meer gezien had. En aan zijn zoons, die hij had verwaarloosd en werk had laten doen dat al te zwaar was voor lichamen in de groei.

En dan Johanna. Het meisje huppelde om hem heen wanneer ze rondzwierven door de bossen en langs de meren. Was zijn liefde misschien egoïstisch geweest en was het kind slecht voorbereid op het harde leven?

Johanna, acht jaar. Precies zo oud nu als het eerste meisje was geweest toen het overleed. Dit meiske zou blijven leven, zo gezond als zij al vanaf de geboorte was geweest.

Dankzij Hanna.

Hij dacht aan Hanna. Verwonderd zag hij in dat zijn vrouw de enige was bij wie hij niet in de schuld stond. Niet omdat hij zo'n door en door goede huisvader was geweest, nee, er waren wel dingen gebeurd waarvan hij spijt had. Maar hij hoefde zich niet schuldig te voelen omdat zij geen verwijten jegens hem koesterde.

Hij dacht daar lang over na en kwam tot de conclusie dat degene die onrechtvaardigheid verwacht geen onrechtvaardigheden met zich mee blijft dragen.

Dan had je natuurlijk nog al het aardse. Dat moest geregeld worden en op Ragnar kon hij vertrouwen. De molen had zijn waarde, al stond hij meestal stil nu de mensen in de streek de boerderijen verlieten. Maar John had een verbazingwekkend aanbod gekregen.

Dan was er de erfenis uit Värmland.

Hij werd opeens getroffen door de overtuiging dat zijn moeder zou sterven zodra ze had gehoord dat hij niet meer in leven was.

Hij moest Ragnar een brief schrijven; ze moesten eens lang en grondig met elkaar praten voordat het te laat was.

Hoeveel haast was er geboden?

Ragnar kwam eind juli. Bij zich in de auto had hij een vrouw. Ze had een bleek stadsgezichtje en was verlegen.

'Een onnozel wicht', zei Hanna.

Maar Johanna zei dat Lisa aardig was.

'Ze heeft een winkel in garen en band in Göteborg, dus zo onnozel als ze eruitziet kan ze nauwelijks zijn', zei Hanna tegen John. En John, die vanaf het begin al had gezien dat Lisa's slaafsheid alleen Ragnar betrof en dat zij een van die arme zielen was die te veel liefhad, zei tegen zijn vrouw: 'Je moet oppassen, Hanna, dat je niet ook zo'n gemene schoonmoeder wordt.'

Maar die woorden vielen niet in goede aarde. Geen van Hanna's schoondochters zou goed genoeg zijn voor haar zoons.

John had de zolderkamer in orde gebracht, er de grote klaptafel neergezet en al zijn papieren bij elkaar gezocht. Tegen zijn vrouw had hij gezegd dat hij Ragnar gevraagd had te komen om hem te helpen met het schrijven van zijn testament. En dat hij wilde dat zij erbij was wanneer ze alles doornamen. Toen hij haar ogen donker zag worden probeerde hij haar te kalmeren. Dit was immers wat elke huisvader die vijfenzestig was geworden moest doen.

Ze had geen antwoord gegeven, maar ze had haar eigenwijze hand voor de mond gehouden, zich omgedraaid en was met stijve bewegingen de trap afgegaan.

Ze weet het, had hij gedacht.

De hele middag bleven Broman, Ragnar en Hanna aan de tafel zitten. Hanna zei niet veel. Niet eens toen Ragnar zei dat, als het ergste mocht gebeuren, Hanna en de kinderen naar Göteborg moesten verhuizen.

'Wat vindt u daarvan, moeder?'

'Ik moet erover nadenken.'

'Hier is geen toekomst voor de jongens', zei Broman. 'Van de molen kunnen ze niet leven, dat weet je. En ik wil niet dat jij hier in deze verlaten streek alleen blijft zitten.'

'U kunt toch proberen nog een poosje te blijven leven', zei ze, maar ze had meteen spijt van haar woorden. Ragnar keek zijn stiefvader lang aan. Op dat moment werd het hem duidelijk dat Broman wilde ontsnappen, voordat de herfst en de winter invielen.

Ragnar kreeg een brok in zijn keel.

Maar Broman ging verder alsof er niets was gezegd. Nu was het moment gekomen om over het aanbod te vertellen.

Afgelopen herfst, toen Hanna een keer in het bos was om vossebessen te plukken, was een ingenieur van de Elektriciteitsmaatschappij in Ed naar het Noorse water gekomen. Hij had de waterval lange tijd staan te bekijken en John zelfs verzocht om het schot in de dam open te maken. Vervolgens had hij gezegd dat ze overwogen de plaats te kopen. Vijfduizend rijksdaalders wilden ze ervoor betalen. Contant.

'Waarom hebt u niets gezegd?'

'Ik wilde je niet ongerust maken.'

Hanna zweeg. Ragnar zei dat hij contact op zou nemen met de maatschappij in Ed. Aan zijn stem was te horen dat hij opgelucht was.

Dan was er het Värmland-verhaal. John wist niet hoeveel de boerderij daar waard zou zijn.

'Daar begint het ook een uitgestorven streek te worden, net als hier', zei hij. 'Maar mijn moeder heeft niet lang meer te leven; ze is nu achtennegentig. Ragnar, jij moet in contact blijven met mijn zuster Alma. Zij en haar man zijn fatsoenlijke mensen, die jullie niet zullen bedriegen met de erfenis.'

Hij zei niets over zijn voorgevoel dat zijn moeder ook zou sterven zodra ze het bericht kreeg dat haar zoon dood was.

De volgende morgen schreef Ragnar met onvaste hand het testament. Het zat vol spelfouten; hij was alleen goed in gesproken taal.

'We moeten Lisa vragen of ze het in het net over wil schrijven', zei hij en zijn ouders knikten. Broman aarzelde eerst maar durfde uiteindelijk te vragen of ze trouwplannen hadden. Ragnar bloosde en zei dat het waarschijnlijk wel die kant opging.

Zelfs Hanna moest toegeven dat het testament mooi werd en dat Lisa schreef als een dominee. De smid werd erbij geroepen om samen met Lisa als getuige op te treden.

Toen Lisa die middag de auto inpakte, zag ze hoe Ragnar lang bij zijn stiefvader stond en diens handen in de zijne hield. Johns ogen waren vochtig, Ragnar huilde. Hanna keek ook naar de beide mannen en ze herinnerde zich die keer, jaren geleden, dat de vreemde molenaar zijn hand naar het hoerenjong had uitgestrekt en had gezegd: 'Goedendag, ik ben John Broman.'

Toen de eerste herfststorm de bladeren van de bomen trok, hoestte John Broman zich dood.

Het was de eerste en enige keer dat de kinderen van het Noorse water hun moeder zagen huilen. Hanna was er zelf verbaasd over. Nooit had ze gedacht dat er zo veel water in haar hoofd zou zitten, zei ze. Ze snikte en huilde dagen en nachten lang, terwijl ze ondertussen de begrafenis aan het regelen was.

Niemand in huis dacht aan Johanna, die zich vreemd bewoog en het ontzettend koud had.

'Maar schiet eens op, meisje', schreeuwde Hanna af en toe als er iets gedaan moest worden. Het was maar een enkele keer dat ze zag dat het kind het koud had. Ze voelde aan Johanna's handen en zei: 'Je moet je dikke trui aantrekken.'

Het viel niemand op dat het meisje geen woord zei.

Pas toen Ragnar kwam werd het opgemerkt: 'Johanna is stom geworden', schreeuwde hij. 'Hebt u dat niet gemerkt, moeder!'

Hanna schaamde zich. Ragnar liep met het meisje op zijn arm over het erf rond, al pratend, terwijl hij haar probeerde over te halen om ook wat te zeggen. Ze werd warmer maar wilde niet kijken; niet naar de Noorse meren, niet naar de waterval en ook niet naar het grote meer. En hij kreeg haar niet aan het praten of aan het huilen.

In huis was Hanna bezig om tarwebrood en koekjes te bakken, terwijl Lisa de tafel dekte voor de koffie na de begrafenis. Ragnar liep recht op Lisa af met het meisje en zei tegen haar: 'Wil jij het eens proberen?'

Lisa kon het kind niet dragen, maar het meisje gaf haar een hand toen ze naar de plaats gingen waar Broman opgebaard lag. Hanna wilde gaan schreeuwen om het te verbieden maar Ragnar snauwde: 'U zwijgt, moeder.'

Lisa sloeg het laken terug van het gezicht van de dode en zei: 'Johanna. Wat hier ligt is niet je vader, het is alleen maar zijn omhulsel. Zelf wacht hij op jou in de hemel.'

Dat was voldoende. Johanna huilde in de armen van de vreemde mevrouw en op het laatst wist ze te fluisteren dat ze dat eigenlijk zelf ook al had gedacht.

Ze bleven daar lang staan. Later zei Lisa dat ze wilde dat Johanna met haar meeging naar Göteborg zodra de begrafenis achter de rug was. Ze zouden het goed hebben met z'n tweetjes in afwachting van moeder en de broers, die later zouden komen.

En zo gebeurde. De dag na de begrafenis bracht Ragnar Lisa en Johanna met de auto naar de trein. Zelf ging hij naar de ingenieur in Ed. Daarna zou hij teruggaan naar zijn moeder en broers.

'Om alvast oude spullen uit te zoeken', zei hij.

Bij de Elektriciteitsmaatschappij ging het boven verwachting; de koop zou volgend voorjaar al doorgaan. Toen hij over de slechte oude weg langs de noordkant van het meer reed, was Ragnar tevreden. Maar hij dacht vooral aan de woorden die Broman had gesproken bij hun afscheid, en die hij nu pas begreep: 'Je moet me beloven dat je voor Johanna zult zorgen. Zij is anders, begrijp je.'

In de trein zat Johanna bij Lisa op schoot en ze bedacht dat hier, in deze wagen die door het donker vloog en floot als een monster, een nieuw leven begon; ze vond het eng.

Al op de eerste ochtend na de dood van John had Hanna Erik met het bericht naar Alma in Värmland gestuurd. Toen hij thuiskwam vertelde hij met veel omhaal van woorden hoe statig Brogården was en hoe wijds en groot de vele akkers en weilanden waren.

Daar heeft John nooit iets over gezegd, dacht Hanna. Maar ik heb er ook nooit naar gevraagd.

Op de dag dat Ragnar was vertrokken, werd er 's avonds op de deur geklopt. Er stond een man die ze nooit eerder had gezien, een man uit Värmland. Hij zei dat hij Alma's schoonzoon was. Nu kwam hij de boodschap brengen dat de oude vrouw op Brogården afgelopen zondag was overleden. Konden ze op de begrafenis komen?

Hanna bakte spek en haalde brood te voorschijn, terwijl de vreemdeling zijn paard in de stal zette. Erik stak het vuur op de zolderkamer aan en Hanna warmde het beddengoed op voor de gast. De volgende ochtend zei ze dat ze van plan was om haar twee oudste zoons naar de begrafenis te sturen. Zelf had ze daar niets te zoeken, zei ze.

De man knikte alsof hij dat wel begreep en ze namen als vrienden afscheid.

Toen hij vertrokken was zat Hanna lange tijd stil op de bank in de keuken na te denken over het merkwaardige feit dat de oude vrouw precies een week na haar zoon was overleden.

Op woensdag 22 april 1911 ging Hanna naar de boerderij in de buurt om afscheid te nemen van haar familieleden, die tijdens de crisis van de Zweeds-Noorse unie uit Noorwegen hierheen waren verhuisd. Ze had de koeien, de varkens en de vijf schapen bij zich. Het was een zware tocht en het feit dat de Olssons van Kasa eerlijk betaald hadden voor de dieren deed daar weinig aan af.

Van Kasa ging ze verder naar de dominee om een verhuisbewijs te halen voor de parochie Haga in Göteborg. Voor zichzelf en haar vier kinderen. Ze zeiden niet veel tegen elkaar. Toen ze afscheid nam vond ze dat hij gekrompen was, de dominee, sinds hij tot ieders verbazing opeens met de brandewijn was gestopt.

Als laatste ging ze naar de smid en zijn vrouw. Zij waren nu oud en ze waren geschrokken van het nieuws over de krachtcentrale die op de plaats van de molen zou komen. Hanna liet het bezoek niet langer duren dan noodzakelijk was. Maar toen ze al op de drempel stond zei ze: 'Er blijft het een en ander over, kleden en zo, die we niet meenemen naar Göteborg.' Ze zou ze onder het voorraadhuis leggen en wat ze konden gebruiken mochten ze nemen.

De vrouw van de smid begon te stralen, hebberig en nieuwsgierig als ze was. Dus toen Hanna over het erf naar haar huis liep bedacht ze dat ze er wel voor zou zorgen dat er niet zo gek veel overbleef voor Malin. Maar toen moest ze aan de woorden van Ragnar denken: 'Geen oude rommel op de verhuiswagen. Alleen het meest noodzakelijke meenemen.'

Dat waren woorden die Hanna zo bezighielden dat ze geen tijd had om verdriet te hebben over het afscheid van het Noorse water of om zich over de toekomst zorgen te maken. Wat was er nou in vredesnaam rommel van alles wat ze in de loop der jaren had verzameld?

Ze gooiden alle geweven matten, de kleren van Broman en de twee uittrekbanken uit de keuken weg. Van dat laatste zou ze nog spijt krijgen.

De meubels uit Värmland wilde ze meenemen. Als hij wat zegt van mijn mooie sofa dan geef ik wel een brul, dacht Hanna.

Maar toen Ragnar met de auto kwam zei hij alleen maar: 'Voor die sofa zult u weinig plek hebben, mammaatje. Maar u kunt hem misschien verkopen en er een goede prijs voor krijgen.'

Toen alles op de laadbak was geladen en vastgesjord en de jongens het zich gemakkelijk hadden gemaakt, stond Hanna nog op het erf te kijken naar het huis, de waterval en het langgerekte meer. Ze haalde diep adem en toen ze naast Ragnar in de cabine ging zitten begon ze snikken.

'U hoeft toch niet te huilen, moeder?'

'Natuurlijk niet', zei Hanna, terwijl de tranen haar over de wangen stroomden.

'Over een paar jaar gaan we hier weer eens kijken.'

'Nee jongen, ik ga hier nooit meer naartoe.'

Toen ze een stuk afgelegd hadden vroeg ze naar Johanna, of ze zich kon redden daar bij Lisa in die grote stad.

'Ze is niet zo vrolijk meer als vroeger. Maar ze is tevreden en ze is erg gesteld op Lisa.'

'Dat kan ik me voorstellen', zei Hanna kortaf.

Ze volgden de slingerende weg langs het meer in de richting van Ed. Toen de kerktoren in zicht kwam zei Hanna: 'Wanneer gaan jullie trouwen, jij en Lisa?'

Hij werd rood en met kille stem antwoordde hij: 'Bemoeit u zich niet met iets waar u niets mee te maken hebt.'

Maar Hanna werd boos: 'Heeft een moeder soms niet het recht om te vragen wanneer haar kind gaat trouwen?'

Ragnar had spijt van zijn woorden maar hij gaf niet toe.

'In de grote stad is het anders, moedertje. Daar maakt het niemand wat uit of mensen die van elkaar houden samenwonen zonder getrouwd te zijn.'

'Ik moet nog een hoop nieuwe dingen leren', zei Hanna verbouwereerd.

'Ja, u zult uw mening nog vaak moeten herzien, moeder.'

Ze lieten Ed achter zich en nu was Hanna in onbekend land. Verder dan hier was ze nooit geweest. Bij Vänersborg hielden ze een pauze om hun meegebrachte brood op te eten. Hanna staarde over het meer Vänern; ver weg zag ze het water de hemel raken.

'Is dit de zee?'

'Nee, moedertje. De zee is een stuk groter dan dit.'

Hij lachte om haar, dus ze wilde geen andere vragen stellen. Maar ze kon zich moeilijk voorstellen hoe er water kon zijn dat nog groter was dan dit meer. De hele weg door het rivierdal zweeg ze en ze antwoordde ook niet, toen hij zei dat dit toch ook een prachtig landschap was.

Pas toen ze de stenen stad binnenreden begon ze weer te praten: 'Zoiets als dit, dat had je je in je dromen nog niet kunnen voorstellen.'

Tussen paardenkarren, mensen en auto's door kropen ze in de richting van het plein Järntorg. Om indruk te maken op zijn moeder en broers nam Ragnar een omweg door Linnégatan met zijn statige gevels. Hij maakte een rondje over Skanstorget en draaide toen Sprängkullsgatan in naar Haga Nygata.

'Is er soms markt dat er zo veel mensen zijn?'

'Nee, zo is het hier altijd.'

'Heremetijd', zei Hanna. Ze was niet bang, eerder opgewonden. En toen ze uiteindelijk onder de poort van de binnenplaats doorreden naar het gouvernementshuis straalde ze helemaal.

'Wat… wat chic', zei ze. 'Waar gaan wij wonen?'

'Daarboven', zei hij en hij wees het aan. Ze had het idee dat hij naar de hemel wees.

'Op de derde etage, aan de voorkant', zei hij trots. 'Lisa heeft al nieuwe gordijnen opgehangen, dus jullie kunnen je verstoppen.'

'Dat is ontzettend aardig', zei Hanna, die zich over gordijnen al zorgen had gemaakt. En toen kwam Johanna uit een van de vele deuren aangerend.

Hanna bekeek het meisje lange tijd en dacht: Mijn kind, mijn kind. Toen zei ze: 'Wat zie je er mooi uit!'

'Ik heb nieuwe kleren gekregen, stadskleren. Lisa heeft ze genaaid.'

Hanna keek niet blij, maar ze deed haar best om te denken dat ze moest leren om van Lisa, dat lieve mens, te houden.

Toen ze de meubels naar boven brachten staarden nieuwsgierige ogen hen aan uit ramen en deuren. We zien er boers uit, dacht Hanna. Ze schaamde zich en wilde uit het zicht verdwijnen. Toch wilde ze weten wat dat voor lange huizen waren die daar op de grote binnenplaats onder de kastanjes door slingerden.

'Dat zijn plees en schuurtjes. Elk gezin heeft er een met een eigen sleutel.'

'Wat chic!'

Je stapte zo de keuken binnen en het was een flinke keuken, met een ijzeren fornuis, zo een als Hanna had bewonderd bij Astrid in Fredrikshald. Er was ook een aanrecht, een afvoer en water. Hanna had al wel horen praten over dat vreemde fenomeen dat stromend water werd genoemd maar nu stond ze hier zelf de kraan open en dicht te draaien.

'Raakt het nooit op?'

'Nee, moedertje, het raakt nooit op.'

'Tjonge!'

Er stond een tegelkachel in de kamer en er lag een glimmende vurenhouten vloer. Hanna vond dat het wel een herenhuis leek, zo mooi was het.

Maar het meest bijzonder was het licht. Daar zouden ze nog jaren over praten en om lachen. Gelukkig sloeg niet Hanna deze flater, maar John.

'Het begint te schemeren, moeder. Ik ga gauw naar beneden om de petroleumlamp te halen.'

'Dat hoeft toch niet', zei Johanna. 'Kijk, je hoeft alleen maar dit te doen.' En ze draaide de schakelaar aan de muur naast de keukendeur om en iedereen baadde in het licht.

Toen Hanna weer was bijgekomen van haar verbazing, bedacht ze dat het maar goed was dat Ragnar niet had gezien hoe ze hier met open monden hadden staan kijken. Hij was weggegaan om eten te kopen en Lisa op te halen. Ze kwamen terug met warme soep, die Lisa had gekookt, en met brood en boter, die Ragnar had gekocht.

'Welkom in de stad', zei Lisa.

'Je bent een heel lief mens', zei Hanna. 'Bedankt voor de gordijnen. En dat je Johanna zo prachtig hebt aangekleed.'

Lisa zei dat ze dat alleen maar leuk had gevonden.

'Morgen moeten we voor u ook maar eens nieuwe kleren gaan kopen, schoonmoeder.'

'Ik heb vast alle hulp nodig die ik kan krijgen', zei Hanna tegen Lisa, die niet begreep hoe bijzonder het was dat Hanna dat zei.

Maar haar zoons schrokken ervan. Ze hadden moeder nog nooit zoiets horen zeggen.

Ze installeerden zich in het gouvernementshuis. De oudste jongens kregen elk een uittrekbed in de grote kamer en August en Hanna kregen een bed dat opgeklapt in de kast kon worden gezet.

Midden in de kamer pronkte een grote, ronde, moderne tafel. De oude stoelen uit Värmland pasten er goed bij, vond Hanna.

Hanna en Johanna sliepen in de keuken. De klapbanken uit Dalsland zouden hier goed van pas zijn gekomen, maar Hanna troostte zich met de gedachte dat ook de nieuwe keukenbank modern was.

'Het is verschrikkelijk hoe het geld me door de vingers glipt', zei ze tegen Ragnar. Hij stelde haar gerust: 'Je kunt het je veroorloven, moedertje.'

Toen het huis helemaal was ingericht vroeg Hanna de buurvrouwen op de koffie. Ze had er een ontzettend dure taart bij gekocht. Dat deed men hier, had Lisa gezegd. Hanna had een nieuwe confectiejurk aan. Modern. Het waren heel verschillende mensen, maar ze beklaagden haar allemaal toen ze vertelde dat ze net weduwe was geworden en ze maakten het dialect dat ze sprak niet belachelijk.

'Komt u uit Noorwegen?'

'Dat niet' zei Hanna. 'We zijn helemaal Zweeds maar we hebben aan de grens gewoond. Mijn vader kwam wel uit Noorwegen en mijn zuster is Noorse.'

Hulda Andersson, die op de bovenste etage woonde, leek in haar manier van doen nogal op Hanna. Die twee konden het meteen

goed met elkaar vinden. De dag na de koffievisite vroeg Hulda:
'Heb je geld of moet je werken?'

'Ik moet natuurlijk werk hebben.'

'Bij de stoombakkerij van Asklund aan Risåsgatan hebben ze mensen nodig. Ik werk daar zelf ook. Je kunt zeker wel bakken?'

Hanna moest vreselijk lachen en zei: 'Als er iets is dat je als molenaarsvrouw leert dan is het wel bakken.'

En zo kwam het dat Hanna bakster werd. Het was hard werken. Ze moest elke ochtend om vier uur beginnen. Maar dat was goed want om twee uur was ze klaar en op die manier had ze genoeg tijd om het huishouden te doen.

Op 1 mei stond ze op Järntorget te kijken naar de rode vlaggen die boven de marcherende mensen wapperden en ze hoorde het volk zingen: 'Ontwaakt, verworpenen der aarde…'

Hanna schrok ervan.

'Ze zijn niet wijs', zei ze tegen Hulda, die het met haar eens was.

Ze schrok nog meer toen zij en Hulda op een ochtend het plein overstaken en twee uitgedoste vrouwspersonen tegenkwamen met roodgeverfde monden.

'Wat zijn dat voor types?'

'Hoeren', zei Hulda. 'Ze verkopen zichzelf aan de zeelieden in de haven en zijn nou zeker op weg naar huis.'

Het duurde een hele poos voordat Hanna het durfde te vragen.

'Bedoel je dat ze elke nacht een nieuwe kerel hebben?'

'Nee, ze moeten er meerdere hebben op een nacht. Anders verdienen ze niet genoeg.'

Hanna had er geen woorden voor. Het was leeg in haar hoofd.

Maar wie de meeste indruk op haar maakte, die eerste tijd, was de man die haar had aangenomen in de bakkerij. Niet dat hij onaangenaam was; hij was alleen hooghartig. En dat mocht hij ook zijn, zo voornaam als hij was.

'Hoe was de naam?'

Het duurde even voordat ze het antwoord wist: 'Hanna, Lovisa, Greta… Broman.'

'Getrouwd?'

'Maar mijn man is dood.'

'Weduwe dus', zei de man, terwijl hij het op schreef.

'Geboren?'

Ze zweeg; zoiets absurds had ze nog nooit gehoord. Hij moest het herhalen: 'Waar en wanneer ben je geboren, mens?'

Ze wist het jaartal en de gemeente en toen was ze aangenomen. Ze kreeg een witte jas aan en moest tarwekransen vlechten. Dat ging vlot en het zag er netjes uit, dus de voorman keek tevreden.

Al gauw vond ze de warmte en het gepraat van de vrouwen in de grote bakkerij plezierig. Zodra de voorman weg was, begon het geklets. Hier waren veel vrouwen zoals zij, boerenvrouwen en pachtersvrouwen die een dialect spraken dat nog lelijker was dan dat van haarzelf. En die het beroerder hadden dan zij, met veel kleine kinderen thuis.

Het verhoor zou ze nooit vergeten. Nog een lange tijd herhaalde ze het elke avond voor zichzelf: Naam, getrouwd, geboren? Ze had het gevoel alsof ze recht naar beneden in de reuzenkloof van de Wolvenrots was gevallen. Wie was ze in godsnaam als niemand wist dat ze Hanna Augustdochter van Bråten was, een kleindochter van de rijke Erik van Framgården en zelf molenaarsvrouw aan het Noorse water?

Gelukkig had ze geen aanleg voor gepieker. Maar het gevoel vaste grond onder de voeten te hebben verloren, moest ze de eerstvolgende jaren nog vaak verdrijven.

De bakkerij was zo groot als een kasteel en omsloot als een vesting een grote binnenplaats. De vier bakstenen zijkanten waren drie etages hoog en versierd met figuren in groen speksteen. Er waren bakkerij-afdelingen voor het knäckebröd *Delikatess,* voor gewoon brood, voor luxe broden en voor kleine broodjes, tarwekransen en koffiebroodjes.

Het mooiste was de grote winkel op de hoek van Öfre Husargatan en Risåsgatan.

Er was veel dat Hanna moest leren begrijpen en in zich opnemen, en vaak had ze het gevoel dat er in haar hoofd geen plaats voor alles was. Op een dag vroeg Hulda aan de voorman of ze Hanna de molen helemaal bovenin het kasteel mocht laten zien. Daar waren een molenaar en een heleboel molenaarsknechten en daar werd het meel voor de verschillende broodsoorten gemengd en gezeefd.

'Waar halen ze energie vandaan?' fluisterde Hanna. Toen werd haar verteld over de stoommachines die dag en nacht stonden te dreunen en over de dynamo die de energie in stroom omzette.

Broman zou flauw zijn gevallen als hij dit had gezien, dacht Hanna.

Maar het meest bijzondere van alles bevond zich op de tweede verdieping en Hanna was sprakeloos. Daar stond de ene enorme deegkneedmachine naast de andere om het zware vrouwenwerk te doen.

Ze gingen met de lift naar beneden en ook dat beangstigde Hanna.

Haar zoons hingen rond in de stad en verdreven de leegte met brandewijn. Precies zoals hun vader had gedaan. Maar angst liet zich met zulke middelen niet verjagen.

Ragnar bezorgde hen werk in de bouw, waar ze werden uitgelachen om hun gekke dialect en hun fijne molenaarshandjes. Dus hielden ze op met het werk en gingen naar huis om zich nieuwe moed in te drinken. Toen het zo erg werd dat ze overdag helemaal hun bed niet meer uitkwamen, pakte Ragnar hun serieus aan. Maar ze lachten hem uit en het werd vechten, en van Hanna's mooie stoelen uit Värmland bleef alleen brandhout over.

'Nooit,' zei Ragnar, 'nooit had ik gedacht dat jullie zo ontzettend verwend waren. Schamen jullie je niet? Je door moeder laten onderhouden, volwassen kerels.'

Toen gooide hij ze de deur uit, draaide de deur aan de buitenkant op slot en ging weg.

Hanna was nog nooit zo bang geweest als die nacht, toen ze opgesloten en alleen in het appartement zat en probeerde de brokken van de vechtpartij op te ruimen. Ragnar had Johanna meegenomen naar Lisa: 'Het meisje komt bij ons wonen totdat u die verdomde jongens weer in het gareel hebt.'

Toen hij de volgende ochtend, een zondag, weer terugkwam was hij gekalmeerd: 'Wat moeten we beginnen, moeder?'

'Om te beginnen moet je mij eruit laten, zodat ik ze kan gaan zoeken.'

'Ga maar naar de politie. Waarschijnlijk zitten ze daar. De politie zorgt voor alle dronkelappen die in de stad rondlopen.'

'Goeie God', zei Hanna, maar ze schudde meteen haar hoofd; ze wist immers beter dan wie ook dat God niet goed was. Dus ze kamde haar haar extra netjes, trok haar mooiste jurk aan, zette haar nieuwe hoed op en ging naar het politiebureau aan Södra Allégatan. Daar zaten ze achter de tralies. Ze moesten hun namen opschrijven voordat ze ze meekreeg.

Ze moesten boete betalen.

'Gebeurt het weer, dan wordt het het tuchthuis', zei de adjudant tegen hen bij het weggaan.

Vanaf dat moment nam Ragnar John, de oudste en sterkste, mee op de vrachtwagen.

'Veel kan ik je niet betalen. En als je onder het werk drinkt, sla ik je tot moes.'

De andere twee gingen naar zee.

'Daar zullen jullie wel discipline leren', zei Ragnar.

Hanna durfde er niets tegenin te brengen, maar in haar slaap lag ze 's nachts te jammeren uit ongerustheid over haar zoons. Met die onrust moest ze een heel jaar lang leven. Maar de jongens overleefden het en toen ze thuiskwamen waren ze sterker, zwaarder en ernstiger. Ze kregen vast werk en na een tijdje gingen ze trouwen en dronken ze alleen nog maar in het weekeinde.

Hanna was nu vaak alleen. Haar dochter was meestal bij Lisa. Met John, die nog thuis woonde, praatte ze niet veel. Maar ze had nog wel Hulda Andersson, haar vriendin op de bovenste verdieping, en tegen haar zei ze: 'Als ik jou niet had zou ik gewoon gek kunnen worden.'

Met Lisa werd ze nooit vertrouwelijk. Maar ze kreeg wel een gelegenheid om haar schoondochter te bedanken voor de hulp die ze van haar had gekregen. Hoewel ze geen echte schoondochter was, omdat Ragnar weigerde om te trouwen.

Lisa werd namelijk zwanger. Ze zocht haar schoonmoeder op en

Hanna vond dat ze ontzettend kermde. Zij nam de taak op zich om met Ragnar te praten. Wat ze tegen hem zei tijdens dat lange gesprek in de keuken kwam niemand aan de weet, maar er werd vast gesproken over hoerenjongen en dat het verschrikkelijk was om je eigen kind een leven van schande aan te doen.

In elk geval zei Ragnar tegen Lisa dat ze dan maar moesten trouwen.

'Maar je moet me nemen zoals ik ben, want je weet dat ik met vrouwen niet te vertrouwen ben.'

Lisa was dankbaar.

Hanna miste haar oude stoelen uit Värmland, maar samen met Hulda haalde ze de sofa te voorschijn. Eigenlijk was er geen plaats voor maar Hulda en zij vonden allebei dat het chic leek.

Als haar zoons thuiskwamen gebruikten ze de zijden sofa om hun smerige werkkleren op te gooien. Hanna steunde en ze schold op Johanna, die de boel niet voor de jongens opruimde. Het meisje werd steeds stiller, maar dat viel Hanna niet op. Dat het met voortdurende ruzies en elk weekeinde een drinkgelag niet zo gezellig was in haar huis wilde ze niet zien. Ze had pijn in haar rug.

De pijn verspreidde zich vanaf de schouderbladen langs haar ruggengraat naar beneden. In het begin dacht ze nog dat het wel over zou gaan, maar toen hoorde ze dat de meeste vrouwen in de bakkerij aan dezelfde kwaal leden. En dat het met de jaren alleen maar erger werd.

Je moet maar gewoon volhouden, zeiden ze. En geen woord tegen de voorman want dan moest je weg.

Lisa had een zoon gebaard. Het bijzondere was dat Ragnar zo gek op het jongetje was, dat hij elk vrij uur thuis bleef. Hij had steeds minder tijd voor zijn moeder en zijn broers en zuster.

De jaren verstreken; de Eerste Wereldoorlog brak uit en er was gebrek aan voedsel. In de wijk Haga ontstond hongeroproer. De politie en het leger kwamen eraan te pas. De mensen schreeuwden hun haat uit tegen de koningin, die van Duitse afkomst was, en over wie werd geroepen dat ze voedsel voor de gekke keizer Zweden uitsmokkelde. Hanna zweeg als het graf over haar rugpijn en dankte het lot dat ze werk in een bakkerij had en haar loon in brood kreeg uitbetaald. Zij en haar kinderen leden geen honger. Toen brak de Spaanse ziekte uit en weer was Hanna dankbaar, want niemand in haar gezin kreeg die vreselijke ziekte.

Johanna was van school af en kon bijdragen in het onderhoud. Thuis was het nu rustiger, want de jongens waren eindelijk verhuisd. Mooier was het er nu ook. Maar Hanna en Johanna hadden het niet goed samen. Het meisje was brutaal en opstandig, niet zo lief en meegaand als de zoons. Ze schold op haar moeder dat ze dom was en geen scholing had, ze had aanmerkingen op haar spraak en schreeuwde tegen haar dat ze zich eens van dat bijgeloof moest losmaken en zelf moest gaan denken. In het begin probeerde Hanna zich nog te verdedigen. Met woorden. Maar Johanna had zo veel meer woorden dan zij en zo veel helderder gedachten.

Ze was immers altijd al slimmer geweest dan de meesten, dacht Hanna.

Toen Johanna meeliep in de 1 mei-optocht van de sociaal-democraten schaamde Hanna zich de ogen uit haar hoofd.

'Ben je je verstand kwijtgeraakt?' schreeuwde ze.

'Daar weet u niets vanaf, want u hebt zelf nooit verstand gehad', schreeuwde het meisje terug.

Met de jaren werd haar rug steeds slechter; Hanna werd krom en bewoog zich moeilijk. Maar ze hield het vol tot aan haar pensioen. Toen mocht ze voor het eerst van haar leven uitrusten. Ze had wel zo haar ideeën over het pensioen dat elke maand binnenkwam. Het was een schande om geld te krijgen dat je niet eerlijk verdiend had, zei ze tegen Johanna. Maar dat deed ze maar één keer, want het meisje werd zo kwaad dat Hanna er bang van werd.

Johanna ging trouwen. Hulda Andersson overleed.

En Hanna kreeg zo veel kleinkinderen dat ze ze niet uit elkaar kon houden. Alleen die akelige meid van Johanna herkende ze. Het was een kind met een doordringende blik, dat iedereen beschuldigend aankeek en recht door iemand heen zag. Ze was slecht opgevoed en lelijk: mager, met dun haar.

In de jaren veertig werd er een tehuis voor gepensioneerden gebouwd in Kungsladugård en Johanna zorgde ervoor dat Hanna daar een moderne eenkamerflat kreeg. Ze vond dat ze in het paradijs was aangekomen; er was hier een badkamer met toilet, warm water en centrale verwarming.

'Wat moet je in vredesnaam de hele dag doen, als je niet meer zelf hoeft te stoken?'

'U mag uitrusten, moeder.'

En Hanna rustte uit en gek genoeg verveelde ze zich nooit. Ze kon lezen, maar had zo veel moeite met spellen dat ze de samenhang niet begreep. Een enkele keer luisterde ze naar de radio, maar zowel het gepraat als de muziek irriteerde haar.

Wel hield ze ervan om naar de bioscoop te gaan. Naar de kinematograag, zoals ze die noemde. Haar zoons namen haar mee zo vaak ze tijd hadden; haar dochter wat minder. Johanna hield niet van de filmster Åsa-Nisse en ze schaamde zich voor het harde gelach van haar moeder. Ronduit pijnlijk werd het wanneer op het witte doek een man een vrouw kuste. Dan sloeg Hanna de handen voor de ogen en riep luid: 'Schamen jullie je niet!'

Het publiek lachte om haar. Merkte ze dat? Nee, nauwelijks, dacht Johanna.

Met de tijd werd ze ontzettend dik. Na veel strijd kreeg Johanna haar eindelijk mee naar een dokter, die zei dat ze een maagaandoening had die gemakkelijk te opereren was. Hij joeg Hanna de stuipen op het lijf met wat hij zei; ze was net zo bang voor een mes als voor het ziekenhuis. Na het bezoek aan de dokter moest Johanna haar beloven dat ze thuis voor haar zou zorgen, wanneer het tijd was om te sterven.

'Ik zal niet lastig zijn.'

'Het komt wel goed, mammaatje.'

Toen August zelfmoord pleegde werd ze bijna gek van verdriet. In één maand tijd werd ze tien jaar ouder.

Maar toen ze stierf, op een leeftijd van bijna negentig jaar, was haar hoofd zo helder als glas. Op de dag af een week later stierf Ragnar bij een elandenjacht in Halland.

Per ongeluk neergeschoten, net zoals zijn vader.

Maar er was niemand meer die zich Rickard Joelsson en zijn dood in de bossen van Dalsland tijdens een berenjacht van de boeren uit Trysil nog kon herinneren.

Anna

Intermezzo

Anna zat in haar werkkamer met het dikke blauwe aantekeningenschrift voor zich. Op de kaft had ze met blokletters geschreven: 'Johanna' en op het voorblad stond: 'Poging om in kaart te brengen hoe je je moet opstellen tegenover je moeder zonder aan haar goede kanten voorbij te gaan of jezelf tekort te doen.'

Nu vond ze dat dat aanmatigend klonk.

Op de eerste bladzijde bevonden zich verspreid wat aantekeningen, zonder samenhang. De rest was leeg, bladzijde na bladzijde was onbeschreven wit. Ik ben er nog niet, dacht ze. Ik ben nog niet waar ik wezen wil.

Dus pakte ze het grijze schrift weer. Honderd bladzijden A4-formaat, volgeschreven, uit elkaar barstend van losse aantekeningen, brieven, krantenknipsels. Op de kaft stond: 'Hanna'.

Grootmoeder.

Ze was begonnen in de kerkboeken in Dalsland. Dat alleen al was een belevenis geweest; om te zien hoe het oude geslacht zich door het landschap vertakte: Noorwegen in, naar Göteborg, de oceaan over naar Amerika. Vervolgens had ze geslenterd langs de oevers van het lange meer en serieus geprobeerd om zich open te stellen voor de geheimen van dat ongelooflijk mooie landschap.

Eenmaal weer thuis was ze bibliotheken en antiquariaten ingedoken. Ze had de volkskunde bestudeerd en gehuild om grootmoeder, die als een hoer was beschouwd toen ze nog maar een kind was. De runenmeester en zijn toverkol had ze gevonden in een oud krantenknipsel en ze had zich verbaasd over het feit dat het heidendom zo lang had overleefd in die afgelegen grensstreken. Ze had de economische geschiedenis van de provincie bekeken en geprobeerd te begrijpen wat de kerkboeken haar vertelden: dat de vier oudere broers en zusters van grootmoeder van honger waren omgekomen tijdens de rampjaren.

Ze liep tegen een stapel heemkundeboeken aan over de gemeenten rond het meer. Daarin schreven oude mensen over zondagen, feestdagen en werkdagen, die de jaargetijden volgden, niet de klok. Daarin las ze verhalen over gewone mensen, maar vaker nog over ongewone, van het type dat men zich nog lang daarna herinnerde in die streken. Er klonk een duidelijke berusting door in de herinneringen van de oude mensen aan die kwade tijd. En een grote weemoed over alles wat voor altijd voorbij was.

Zelf zat ze voor het grote raam van haar werkkamer van een hoogte van tien verdiepingen te kijken hoe de nieuwe wereld zich beneden haar uitstrekte. Het was herfst. Grijs licht over een kleurloze wereld. Hier en daar had men een paar dennen tussen de huizen laten staan. Ze zagen eruit als speelgoedbomen, slordig weggeworpen door kinderen die opeens genoeg hadden van het bouwspel. Haar uitzicht bracht ook lawaai met zich mee, want de snelweg streek vlak langs de flatgebouwen.

Hanna werd pas vlees en bloed voor haar toen Anna een kist op de zolder van haar ouderlijk huis had opengebroken. Daar lag grootmoeders nalatenschap in, in de vorm van papieren, boedelbeschrijvingen, kopieën van testamenten en geboorte- en rouwberichten. En er lagen hele bundels vergeelde brieven van familieleden uit Amerika, Noorwegen en Göteborg.

Meestal waren het naïeve brieven, geschreven in een fijn handschrift. Geen woord over onrecht, honger en schaamte. De brievenschrijvers bleven binnen de grenzen van de wereld waarin ze waren opgegroeid en die ze nooit hadden verlaten. Zelfs niet als ze al tientallen jaren in Minnesota woonden.

Een paar van de brieven had Anna eruit genomen en tussen de bladzijden van het aantekeningenschrift gelegd. Nu haalde ze er een te voorschijn. Ze las hem opnieuw en bedacht voor het eerst dat de brieven waarschijnlijk op hun manier wel waarheidsgetrouw waren. Ze weerspiegelden een wereld waarin verbittering en ondankbaarheid niet erkend werden. En dus niet bestonden.

Alleen de brieven van Astrid uit Halden en Oslo waren anders; geschreven in een groot en slordig handschrift, vol met invallen, gedachtes en roddel. Een goudmijn, een persoonlijk getuigschrift! Ze begreep wel dat Astrid geen betrouwbare getuige was. Meer een fantast. Maar de visie en de waarheid van een fantast waren precies wat Anna nodig had.

Had moeder Hanna's brieven doorgenomen toen ze alles erfde? Anna dacht van niet. Zij was net als ik; de familie gaf haar altijd een ongemakkelijk gevoel.

Dat oom Ragnar een andere vader had gehad, had Anna altijd geweten. De kerkboeken bevestigden dat in hun harde taal: 'Buiten het huwelijk' stond er, en 'Vader onbekend'. Hoe het was om een bastaard, een hoerenjong en trouwens ook om een alleenstaande moeder te zijn, had ze geleerd van de volkskunde.

Hanna was dertien jaar geweest toen ze haar kind baarde. Toen Anna dat had uitgerekend, had ze van medelijden en woede moeten huilen.

Je moet wel sterk geweest zijn. Zoals moeder al zei.

Anna had veel herinneringen aan oom Ragnar. Als ze aan hem terugdacht dan was het als aan een koning in een sprookje: knap en geweldig tot in zijn ouderdom, exotisch en gul. Ze wist nog hoe hij glimlachte; het begon met een blik in de donkere ogen, die trok naar beneden en verfrommelde het bruine gezicht op weg naar de mond onder de grote borstelige snor.

'Harten van steen doet hij nog smelten', zei moeder.

'Je bedoelt harten van vrouwen', zei vader.

Af en toe – altijd onverwacht – kwam Anna's fantastische oom aanzetten in zijn vrachtwagen die net zo overweldigend was als hijzelf. 'Nu moet je de koffiepot maar eens even op het vuur zetten, zusje!' Ze herinnerde zich zijn brede lach, die door het huis galmde en die tegelijk schrik aanjoeg en bekoorde. En ze wist nog dat hij echt rook als een man: naar zweet, tabak en bier.

En naar geld, naar warme zilveren munten. Vaak zat ze op zijn knie en op de een of andere manier wist hij altijd een kroon in haar hand of zak te smokkelen, als moeder niet keek. Vervolgens knipoogde hij met zijn linkeroog als teken dat ze samen een geheimpje hadden, hij en het kind.

Het was geweldig.

Hij kon ook met zijn oren kwispelen.

Wie de onbekende vader was kwam ze te weten door een brief uit Amerika: 'We hebben gehoord dat Rickard Joelsson van Lyckan per ongeluk is neergeschoten bij de jacht. Dus hij heeft zijn straf toch nog gekregen, die wildeman, die Hanna's leven geruïneerd heeft.'

Ze had een groot uitroepteken bij die naam gezet. De vader van Anna's kinderen heette ook Rickard. Hij was geen misdadiger zoals die jongen van Joelsson, maar hij had dezelfde ongelukkige neiging om het slachtoffer van zijn eigen innemendheid te worden.

Anna zuchtte.

Toen zocht ze de envelop op met de foto's die ze uit het album thuis had meegenomen. Hier was hij, Ragnar; hij leek op zijn vader Rickard, maar totaal niet op een van de anderen uit de familie. Misschien had die gemene Lovisa zich overgegeven aan een wilde liefde met een zigeunerjongen, misschien had geilheid in een verlaten huis in het bos haar pantser een paar nachten doorbroken.

Opeens frappeerde het haar dat er nog een gelijkenis was tussen haar eigen man en de verkrachter uit Dalsland. Allebei hadden ze gekrenkte moeders gehad, van het type dat hun kinderen dwingt hun eigen verbittering te delen. Met dochters lukte hen dat vaak; die identificeerden zich met de verontwaardiging van hun moeders en ze voerden die generaties lang verder. Maar de zonen? Nee, de sterksten weigerden dat. En werden mannen die voortdurend op de vlucht waren voor alles wat gevoelig en moeilijk was.

Signe uit Johanneberg was veel geraffineerder en sluwer dan Lovisa van Lyckan. Haar man had geen reden genoeg gezien om haar dood te slaan; hij koos ervoor om zelf jong te sterven. Maar Rickard Hård had het in het poppenhuis in Johanneberg misschien niet gemakkelijker gehad dan Rickard Joelsson op Lyckan.

De klok sloeg twaalf uur. Nu geven ze moeder eten.

Zelf vond ze nog wat ümer in de koelkast en verkruimelde daar een schijf knäckebröd boven. Terwijl ze aan het eten was bleven haar gedachten om Rickard draaien, alsof ze per ongeluk een oude wond, die toch al zo moeilijk genas, had opengekrabd.

Ze dacht aan de tijd voor de scheiding, aan de ergste jaren, toen ze moest huilen zodra ze alleen was. In het begin had ze de tranen die ze overdag vergoot niet serieus genomen, maar ze gezien als een teken van zelfmedelijden. Toen ze echter ook in haar slaap begon te huilen werd ze bang en ging ze naar een psychiater. Een man die in de mode was. Hij zei: 'U bent een van die moderne vrouwen die hun mannen castreren.'

Ze was opgestaan en weggegaan.

Dat was dom. Hij kreeg het laatste woord en daarom voelde zij zich gedwongen om jarenlang tegen hem te vechten.

Ze zette haar bordje in de afwasmachine en keerde resoluut terug naar haar aantekeningen over Hanna. Er waren veel verschillen tussen haar en haar grootmoeder, precies zoals ze al had verwacht. Hanna aanvaardde; Anna streed. Hanna was spontaan; Anna koos haar woorden met zorg. Hanna was geworteld in haar sombere en onrechtvaardige wereld. Anna voelde zich maar korte momenten thuis in deze wereld; bijvoorbeeld wanneer ze naar een boom kon knikken en zeggen: 'Ik ken je ergens van.'

Ze leken uiterlijk ook niet zo op elkaar als Anna had gedacht. Hanna was donkerder en zwaarder.

Weer bleef ze steken in de beschrijving van de verkrachting. Pas twaalf jaar, het was vreselijk. Hoe oud was ik toen ik getroffen werd door Donald, de Amerikaanse uitwisselingsstudent, die hierheen was gelokt door de reputatie die de Zweedse zonde had? Ik moet net negentien zijn geweest; het was het eerste jaar op de universiteit. En het was geen verkrachting, hoewel het dat natuurlijk wel was; wederzijdse verkrachting, als zoiets bestaat.

Ze had in geen jaren aan Donald gedacht. Toch hadden ze een langdurige verhouding gehad. Het kwam hard aan, want ze waren er bijzonder goed in geslaagd elkaars diepste gevoelens te kwetsen, hoewel ze elkaar niet begrepen of kenden. Het was een eigenaardige relatie; net een familieband.

En natuurlijk werd ik zwanger, grootmoeder. Net als jij. Ik onderging een abortus; dat was zo geregeld in universiteitskringen in die tijd. Ik had er ook geen bedenkingen bij. Mijn enige angst betrof moeder; dat ze het op de een of andere manier te weten zou komen. Maar ik zat in Lund en zij in Göteborg, dus godzijdank vermoedde ze niets.

Zelf dacht ik natuurlijk dat het liefde was die me in de armen van Donald dreef. Wij van mijn generatie waren bezeten van het verlangen naar de grote liefde.

Hanna, jij zou niets van dat soort liefde begrepen hebben. In jouw tijd was de liefde nog niet van de hogere standen doorgedrongen naar de boerenlagen van de bevolking.

Er was romantische invloed, er waren tragische liefdesgeschiedenissen die in de plattelandsstreken werden verteld. Maar die hadden met de kern en de omstandigheden van het leven niets te maken. Het waren net stuiverromannetjes. Als Hanna überhaupt al naar zulke versjes luisterde, had ze vast gevonden dat luitenant Sparre uit het Älvsborgsliedje een sukkel was en de koorddanseres een dwaas. De tekst zou haar hebben geschokt: 'Ik heb een kind voor u vermoord…'

Heremejee, wat een onzin! Waarom hebben ze die vent niet meteen onthoofd? zou ze gezegd hebben.

In de jaren twintig had de grote liefde ook bezit genomen van gewone mensen. Johanna was van mening dat het zoeken van jongeren in de eerste plaats betekende dat ze bezig waren met wat zij in volle ernst noemde 'de ware vinden'. Dat de ware in haar geval een kopie was van haar dode vader, die ze nooit echt had gekend, versterkte de mythe, maar maakte haar leven er niet gemakkelijker op.

Toch was Johanna niet romantisch en dus ook niet zo veeleisend als de volgende generatie vrouwen zou worden.

Voor Anna en haar leeftijdgenoten was de liefde een feit dat niet ter discussie stond. Wee de arme ziel, die er niet door werd getroffen. En daar kwam nog een eis bij: de perfecte seksualiteit. Levenslange verliefdheid en voortdurende orgasmes. Nu springen de dromen kapot als zeepbellen in de wind. Maar veranderingen hebben tijd nodig. Wanneer mensen er niet in slagen om de liefde en de overweldigende begeerte een heel leven lang te laten duren, denken ze dat dat aan hen ligt. Pas nu, nu bijna een op de twee huwelijken in een scheiding eindigt, begint men onwillig in te zien dat verliefdheid zelden uitgroeit tot liefde en dat zelfs de liefde een mens niet van eenzaamheid kan bevrijden. En dat seksueel genot geen levensvervulling is.

'Jezus, wat idioot', zei Anna. En na een poosje: 'Maar toch!'

Ze vloekte bijna toen ze in de gaten kreeg waar ze naartoe ging. Naar Fjärås Bräcka, de heuvel waar ze elke vrije dag heen waren gevlucht in die hete zomer aan het eind van de jaren vijftig. Ze hadden aan elkaar gesnuffeld, elkaar gebeten en gelikt en samen gelachen. Voor hen lag de zee met zijn lange, zoute duinen waar de meeuwen boven zweefden, achter hen het geheimzinnige merenlandschap waar het gezang van vogeltjes opklonk uit het grote bos dat steil naar beneden naar het diepe meer liep. Zoals hij had geroken, gesmaakt, gelachen... De vreugde, zijn vreugde in haar lichaam. En zijn overgave en haar dankbaarheid, zijn dankbaarheid.

Hij kwam van de zee, zei hij, en zij geloofde hem; ze zag voor zich hoe hij op een heldere ochtend uit de golven te voorschijn kwam met een krans van zeewier in zijn haar, de drietand losjes over zijn schouder. Zij kwam uit het bos, zei hij; ze was mooi gevormd door wind en regen, en licht als de nevel die van het meer opsteeg. Een elfje dat zich miljoenen jaren in het bos had verstopt, de taal van de elfen was vergeten en nu heel serieus probeerde die van de mensen te leren, zo zei hij. Het was zijn taak om haar substantie te geven, van haar een aardse vrouw te maken.

'En de mijne om de zeegod vast te houden, zodat hij niet door de volgende golf weer wordt meegezogen.'

Zij had gelachen, maar zijn ogen waren donker geworden. Hij

had ze dichtgeknepen en zijn handen gevouwen.

'Wat doe je?'

'Ik bid om kracht dat ik je geen pijn zal doen.'

Vreemd genoeg had ze niet gevraagd of hij gelovig was. Daar was het moment als het ware te groot voor geweest.

En ook had ze het benul niet gehad ongerust te worden.

Hanna's relatie tot de spiegel had diepe indruk gemaakt op Anna, die zelf altijd een gecompliceerde houding ten aanzien van haar uiterlijk had gehad. Nu zat ze erover na te denken wanneer dat begonnen was. En hoe. Door wiens blikken, wiens woorden was het dat ze dat levenslange gevoel had gekregen lelijk te zijn, onhandig, bijna mismaakt?

Johanna was mooi, maar ze had dezelfde handicap. Anna had gefilmd toen de kinderen nog klein waren en ze had veel stukken waar haar moeder probeerde uit beeld te komen of waar ze de handen voor het gezicht sloeg zodra de camera op haar werd gericht.

Tegen haar magere en onzekere tienerdochter had Johanna gezegd: 'Je bent zo knap, kindje. En verder maakt het toch niets uit hoe iemand eruitziet.'

Een gespleten instelling, dubbele boodschappen.

Toen Anna klein was werd er nog veel gesproken over op wie in de familie een kind leek. Over Anna was iedereen het eens: ze leek op haar grootmoeder van vaders kant. Het kind verafschuwde het oude mens; een rimpelig oud wijf met scherpe trekken en waterige lichtblauwe ogen. En met iets zwaarmoedigs en grotesks over zich.

Johanna was bang geweest voor haar schoonmoeder.

Iedereen zei dat grootmoeder een schoonheid was geweest. Dat kon Anna niet begrijpen, niet voordat de oude vrouw was overleden en er foto's uit haar jeugd te voorschijn werden gehaald. Toen zag ook Anna dat ze gelijk hadden gehad, dat ze mooi was geweest en dat er een gelijkenis met haarzelf bestond.

Maar het was te laat; het beeld dat ze van zichzelf had als een lelijk meisje, had zich al voor altijd vastgezet in haar bewustzijn.

Natuurlijk zou Rickard Hård met zijn stormachtige verliefdheid maken dat ze zichzelf, ja, in feite haast als een elfachtig wezen zou gaan zien. Dat deed hij al vanaf het eerste ogenblik, op wonderbaarlijke wijze, alsof hij haar met een toverstokje had aangeraakt. Hoewel het in zijn geval zo was dat hij een bewonderend gefluit had laten horen.

's Zomers kwam ze altijd uit Lund naar huis. In Lund werkte ze hard, maar ze had het er nooit echt naar de zin. In haar geboorteplaats kreeg ze een baantje op de correctie-afdeling van een van de kranten.

Als ze haar ogen dichtknijpt ziet ze de gezellige, haveloze ruimtes weer voor zich; ze hoort de printers knetteren en ruikt weer de geur van papier, stof, inkt en tabak. Al op de eerste dag staat hij in de deuropening van haar kamer. Hij is een van de jonge verslaggevers, de beste en de knapste. Als een straatjongen fluit hij even, maar dan vermant hij zich en zegt: 'Ben jij een vrouw of ben jij een droom?'

'Ik denk het laatste', zegt ze lachend.

Hoe zag hij eruit? Lang, hoekig, donker, een gevoelig, levendig gezicht met speelse grijze ogen. Anna zoekt de foto van oom Ragnar weer op. Misschien leken ze op elkaar. Wat betreft hun glimlach, hun type. Ze denkt aan Astrid, die Ragnar altijd een godenkind noemde. Misschien worden er nog wel goden op aarde geboren, vol van leven en warmte, lichtzinnig en charmant. Trouweloos en zinnelijk als Pan zelf.

Hoe dan ook, hij was op slag verliefd op haar, die jonge god op de vieze redactie. Natuurlijk voelde ze zich zo gevleid dat ze al gauw toegaf en ze was dankbaar voor alles wat ze in bed van de Amerikaan had geleerd. Alles ging heel snel, te snel. Opeens zat Rickard thuis in de keuken bij Johanna; zijn warmte, zijn lach en zijn gekke verhalen om zich heen strooiend.

Toen hij die eerste avond afscheid nam, had vader gezegd: 'Kijk, dat is nou nog eens een vent.' En moeder knikte stil boven haar afwasteiltje, keer op keer. Dus trok Anna de conclusie dat ze de ware had gevonden.

Johanna had haar mening nooit herzien. Anna had al na een maand haar twijfels: 'Moeder. Iedereen zegt dat hij een rokkenjager is.'

Het bleef lang stil aan de telefoon, voordat Johanna zei: 'Wat vervelend, Anna. Maar ik denk dat je er niet onderuit komt.'

Nu ze hier in haar werkkamer in Stockholm herinneringen zit op te halen en aantekeningen zit te maken, wordt ze woest. Je had tegen me moeten zeggen dat ik er vandoor moest gaan, zo snel mogelijk, weg bij die man. Dan moet ze lachen. En daarna wordt het helemaal leeg in haar hoofd – van verwondering! Want nu denkt ze wat Hanna zou hebben gedacht: het was het noodlot.

Ze denkt lang na over tante Lisa, de vrouw van Ragnar, die zich schikte en dankbaar was. Toch was zij een van de eerste zelfstandige vrouwen – eigenaresse van een winkel – die zelf in haar onderhoud kon voorzien.

Maar ze was zo moe, altijd zo moe.

De herinnering aan haar eigen grootmoeder van vaders kant voert haar naar Rickards grootmoeder, een onwaarschijnlijk oude vrouw, transparant en helder. Anna heeft haar maar een keer ontmoet. Dat was in een verzorgingshuis, waar ze haar dood afwachtte. Dat waren haar eigen woorden.

Ze zei tegen Anna: 'Ik hoop dat je zacht en buigzaam bent. Een harde vrouw kan die jongen in een monster veranderen.'

'Hoe komt dat?'

'Ik weet het niet. Misschien zit het in de familie. Ja, zijn moeder… Soms worden jongens zo hard als vuursteen om te overleven. En je weet dat vuursteen hard is, maar gemakkelijk breekt.'

Toen was ze weer in slaap gevallen, plotseling, zoals oude mensen dat kunnen. Veertien dagen later was ze dood.

Wat gek dat ik haar en wat ze zei vergeten was. Dat ik het zo snel vergat. Want hard ben ik uiteindelijk geworden.

'Jij bent van steen, dus jij zult je altijd redden', had hij een keer tijdens een ruzie gezegd. Ze was niet in staat geweest om hem een antwoord te geven. Toen nog niet. Ze had alleen maar geschreeuwd: 'Je bent een verrader.'

Het is nu vier uur. Nu leggen ze moeder op bed voor de nacht.

Grote God, moeder, wat bestaat er veel schuld.

Bijvoorbeeld wanneer er een oud laken opduikt met het fraai geborduurde monogram A.H. in krullende hoofdletters. Of die handdoeken die je gemaakt had. Je had een prachtige kwaliteit frotté gevonden, zei je. Dat was zo; ze zijn nog steeds goed en ik heb geen andere handdoeken die zo lekker afdrogen.

Je naaide mijn 'uitzet' en ik lachte om je; zulke dingen kocht je toch gewoon als je ze nodig had. Je zult je wel niet afgewezen en veracht hebben gevoeld, dat hoop ik tenminste niet. Waarschijnlijk had je gewoon een onbestemd gevoel van verdriet.

Jouw spiegel. Je kwam trots en blij met een spiegel aan, een spiegel voor mijn hal. Ik was van de 'nieuwe eenvoud'. Ik had wat je noemde een goede smaak toen, in het begin van de jaren zestig. God, ik hoop dat je niets van mijn teleurstelling gemerkt hebt toen we daar in de hal stonden met die spiegel in een vergulde lijst vol tierelantijnen. Nu hangt hij bij een van mijn kinderen, de generatie die van tierelantijnen houdt.

Ik moet vader zo bellen.

Hanna behield haar leven lang het geloof in wat ooit was vastgelegd en ze was zeer wantrouwig tegenover alles wat ongewoon, onbekend en nieuw was. Ze verachtte de zoekenden, die geheimzinnige omwegen namen in een wereld waarin alles zijn vaste maat had. Een ongewone gedachte, een nieuw idee of een onbegrijpelijk verlangen bedreigde de basis zelf.

Anna werd geïrriteerd door de eigenzinnige gedaante die uit alle aantekeningen naar voren kwam. Wat was ze armoedig, beperkt.

Maar toen bedacht Anna dat Hanna niet veel anders was dan anderen, ook vandaag de dag nog. Wanneer onze vaste patronen bedreigd worden door nieuwe feiten is het zelden het verstand dat overwint: 'Ik weet wat ik ervan vind, dus kom me niet aan met nieuwe standpunten die me in verwarring kunnen brengen.' Zo was ze zelf ook; de kennis die niet overeenkwam met haar eigen opvattingen liet ze automatisch afvallen. En met blinde, maar feilloze, zekerheid wist ze die informatie te vinden die haar in de kraam te pas kwam en die haar daden rechtvaardigde.

Net zoals Hanna had gedaan.

De waarheid was tegenwoordig alleen anders, zelfverzekerder, gestaafd door bewijzen en gesteund door de wetenschap.

Anna leefde bewust, zoals dat heette. Ze was zich bijvoorbeeld bewust van onrechtvaardigheid ten aanzien van vrouwen, waar zo veel van haar wetenschappelijk onderzoek over ging. Het leidde tot verbittering. Dat gevoel dat in zo veel gezichten van vrouwen te zien is en te horen in hun lach.

'Ik wil geloven in een rechtvaardige wereld', zei ze hardop tegen de foto van Hanna, die ingelijst op haar bureau stond. 'Dat heb ik nodig, begrijp je! In de wereld moet het goede beloond worden en het kwade gestraft, zodat alles een betekenis heeft.'

Goeie genade, wat dom!

Veel dommer dan jouw geloof in een onrechtvaardige god. En veel wreder ook. Het is immers dat geloof in rechtvaardigheid dat maakt dat we onze slachtoffers deel uit laten maken van de schuld. In een rechtvaardige wereld worden kleine meisjes niet verkracht.

Maar toch, grootmoeder, luister naar me! Het was de droom dat het goede mogelijk moest zijn, die de nieuwe samenleving heeft opgebouwd. En daar heb jij ook in gedeeld: door je pensioen, warm water, een badkamer.

En menselijke waardigheid?

Ik ben altijd verbaasd over het medelijden van vrouwen; wat heb je daar aan? Er is een veel mooier woord: empathie. Als je de psychologen moet geloven dan hangt het vermogen van een individu tot empathie af van de hoeveelheid liefde die het als kind heeft gehad, en van hoe het als kind is gewaardeerd en gerespecteerd. Maar van jongens werd vaak meer gehouden dan van meisjes en toch groeiden die jongens niet op tot volwassenen die voortdurend het lijden van anderen voelen. Toch?

Moeder voelde een oneindig medelijden met de zwakken, zieken en misdeelden. Dus bij haar klopte het wel, want Johanna had voor een kind dat rond de eeuwwisseling geboren was veel aandacht gekregen.

Opeens een nieuwe gedachte, nieuwe aantekeningen. Was het de liefde van haar vader waardoor Johanna besefte dat ze iets mocht eisen? Ze was haar hele leven politiek actief. Zij en de mensen van haar generatie bouwden de welvaartsstaat op in de overtuiging dat rechtvaardigheid mogelijk was. En ze voedden een generatie teleurgestelde mannen en vrouwen op, die slecht gewapend was tegen verdriet en pijn, en niet voorbereid op de dood.

Anna keek weer naar de foto van Hanna:

Jij jubelde toen Rickard Joelsson doodging. Ik heb gehuild toen ik echtscheiding van Rickard Hård aanvroeg. Jij stelde je open voor de vreugde en werd zwanger; ik had net een kind gekregen, toen ik te horen kreeg dat mijn man al een half jaar een verhouding had met een collega. Ik heb zeeën van tranen vergoten boven de wieg van de nieuwe baby. Mijn vrienden zeiden dat dat goed voor me was. Maar dat was het niet, voor mij niet en voor het kind ook niet.

Jij huilde nooit; niet voordat grootvader stierf.

Ze bladerde terug naar de beschrijving van Hanna en de hoerenknoop in haar hoofddoek. Anna was niet in staat geweest om veel te maken van die beschrijving. En ze wist ook waarom niet. Ze kon Hanna's schaamte op haar eigen huid voelen.

Oh ja, ze herinnerde zich nog elke seconde.

Het was op een feest in een villa op Lidingö, met mensen uit de krantenwereld. Klef. Zij was acht maanden zwanger en gehuld in een tent van zilverlamé. Bleek, stijf, misplaatst. Zodra iedereen van tafel opstond, was Rickard weg, verdwenen naar de slaapkamer op de bovenverdieping samen met zijn zigeunerachtige tafeldame. En hij bleef weg. De mensen probeerden niet naar Anna te kijken. Ze bestond niet, alleen de schaamte bestond. Ze wist niet meer hoe ze het huis uit was gekomen, alleen dat ze alsmaar voort had gelopen over gladde wegen, totdat er een taxi opdook die haar naar huis bracht.

De volgende dag wilde hij erover praten.

Zij luisterde niet.

Hij wilde er altijd over praten, over zijn 'slippertjes', zoals hij zei. Ze moest het begrijpen.

Maar zij luisterde nooit. Ze kon het niet begrijpen. Hij wilde vergeving, maar zij kon hem niet vergeven.

Pas jaren na de scheiding konden ze praten. Het was de verkeerde dag en een ongeschikt moment, want binnen een uur moest hij op reis, naar Rome, waar hij verslaggever was bij een milieuconferentie. Ze moesten het opnieuw proberen. Voor de kinderen, zei hij.

'Maar jij woont toch in hetzelfde gebouw als wij', zei ze. 'Onze kinderen hebben het beter dan de kinderen die opgroeien in huizen waar de ouders voortdurend ruzie maken.'

'Jij hebt altijd gelijk', zei hij. 'Dat is zo erg, daar haat ik je om. Jij bent zo verdomd nuchter. Maar ik kan niet zonder je. Moet ik op m'n knieën gaan liggen?'

Hij zag niet dat ze huilde.

'Wat jij nooit hebt gesnapt is dat mijn belachelijke toestanden met vrouwen alleen maar een poging waren om dichter bij jou te komen. Maar dat lukte ook al niet, want mijn ontrouw kon jou niks schelen.'

Die razende man, haar man, ging verder: 'Vrouwen zoals jij geven me altijd het gevoel dat ik doorzien word. Daarom word ik bang zodra ik binnen jouw krachtenveld kom. En dat komt niet door jouw intelligentie, nee, het gaat om iets veel ergers.'

Het soort vrouw dat haar man castreert.

Toen werd haar verlamming doorbroken: 'Maar waarom is het zo erg om doorzien te worden en zo belangrijk om de overhand te hebben?'

'Ik weet het niet.'

Op dat moment bedacht ze dat hij een slachtoffer van het mannenpatroon was, en hij niet zo dom was dat hij dat zelf niet begreep. Niet zoals haar vader.

'Anna. Het is afgelopen met alle dwaze toestanden. Ik beloof het.'

Ze riep toen: 'Je bent gek. Jouw ontrouw ontnam me het leven, alles wat ik was, mijn geloof in je, mijn onschuld. Ik ben doodgegaan, begrijp je wel? Wat er nog van me over is, is de heks. Degene waar jij zo bang voor bent.'

Ze zag dat hij het begreep, dat hij het eindelijk begreep. 'Oh god, oh grote god', zei hij.

En toen, bijna onhoorbaar: 'Waarom heb je dat nooit gezegd?'

Ze huilde, ze kon niet antwoorden. En opeens begon hij te razen: 'Jij hebt mij zelf gedwongen om je slecht te behandelen. En daardoor ging ik mezelf haten. Jij keek toe hoe ik mislukte in wat ik het allerliefste wilde en toen ben ik gaan denken dat het jou niets kon schelen.'

'Dat is niet waar', schreeuwde ze en nu kon het hem niet meer ontgaan dat ze huilde.

'Ja, huil maar! Dat heb je nog nooit eerder gedaan.'

Ze lachte zo snijdend dat ze er zelf van schrok.

'Lieverd', zei hij.

Maar ze bleef die vreselijke lach lachen. Ze kon niet meer stoppen. Toen ze eindelijk bedaarde zei hij: 'Ik denk dat ik niet heb willen zien dat het met jou niet goed ging. Ik denk dat ik gek was geworden als ik het had begrepen. Jij was altijd zo intelligent en lucide. Ik was trots op je. Misschien ben ik het wel geweest die je zo gemaakt heeft. En vervolgens werd ik woest dat je zo was. Zo verdomd sterk.'

'Dat was ik niet. Ik was bezig om gek te worden.'

Op straat claxonneerde de taxi. Hij moest weg.

Natuurlijk wist ze dat ze hem terug zou nemen. Haar eenzaamheid had dat besluit al genomen. En haar honger naar zijn lichaam in het hare?

Anna keek op de klok; al over vijven, ik moet vader bellen! Elke dag was het even moeilijk. Verwijten: 'Zo, dacht je er opeens aan dat je nog een oude vader hebt?'

'Gisteren heb ik ook gebeld. Hoe was het vandaag met moeder?'

'Ja, het ging wel. Ze heeft haar bord zelfs leeg gegeten. Ik gaf haar om de beurt een lepel gehakt en een lepel van het toetje. Je weet, ze is net een kind, ze wil eerst haar toetje.'

'Wat bent u toch flink, vader.'

'Wanneer kom je bij me langs?'

'Ik ben vorige week nog bij u geweest. Weet u dat niet meer?'

'Ik vergeet alles zo makkelijk.'

'Morgen bel ik u weer.'

Het was voorbij. En het was ongewoon gemakkelijk geweest, maar de hoorn van de telefoon was nat van het zweet. Waarom was het verdomme zo moeilijk, dat gesprek waar ze zich elke dag toe moest dwingen.

176

Ik wilde dat jullie dood waren, allebei.

Een paar dagen na de ruzie met Rickard vond ze in een boek een zin die diepe indruk op haar maakte: 'De liefde van een vrije man geeft nooit geborgenheid.'

Dat is waar, dacht ze.

Ze was er zo door gegrepen dat ze een ansichtkaart kocht, er de zin opschreef en hem naar het hotel in Rome stuurde.

En toen kwam zijn brief; ze moest zijn brief erbij pakken. Ze doorzocht haar laden op zoek naar de sleutel van haar geheime kistje. Ze opende het, vond de envelop met de stempel uit Rome en begon te lezen.

'Je hebt nooit naar me willen luisteren. Maar aan geschreven tekst heb je altijd moeilijk weerstand kunnen bieden, dus nu probeer ik het met een brief.

Wat ben je naïef. Een vrije man, dat is zeker iemand waar niemand macht over heeft. Die niet hoeft te worden gewroken. De vrouwen met wie ik iets heb gehad, waren net zoals ik: ze zochten wraak. Tenminste, daar ben ik vanuit gegaan. Van de eerste, Sonja, op dat feest op Lindingö, weet ik het zeker, want haar minnaar was ook bij het diner. Ik kende hem allang, die schijtlaars.

Er bestond geen twijfel over wie ik wilde vernederen en op wie ik wraak wilde nemen. Op jou. Wij, zij en ik, leden aan dezelfde catastrofale gekte; wij wilden laten zien wat liefde was – geen macht, maar wellust tussen een willekeurig wijfje en mannetje. Dat is pervers. Maar perversie maakt de lust er niet minder om, dat begrijp zelfs jij wel, denk ik. Wat je waarschijnlijk niet zult begrijpen is de opwinding, als twee mensen elkaar vinden in een slechte daad die bedoeld is om schade toe te brengen.

Zo was het met al mijn vrouwen. Hoewel ik met Lilian een fout heb gemaakt. Zij werd verliefd op me en ik werd woest op haar. Zoals ik er tegenaan keek hoorde dat niet bij onze afspraak.

Daarom duurde het ook zo lang om van haar af te komen. Jij was zwanger van Malin en goddelijker dan ooit; God, wat was ik toch walgelijk.

En daarmee zijn we dan aangeland bij de hoofdvraag: Waarom moest ik wraak nemen op jou? Jij bent eerlijk, loyaal, lieflijk – alles wat ik maar had kunnen dromen.

Voordat ik jou ontmoette wist ik niets van de liefde. Als ik dat toen had begrepen was ik op de vlucht geslagen. Eigenlijk wilde ik het helemaal niet, die verterende onderwerping die van een man een slaaf maakt. Het antwoord van deze 'vrije man' is dus dat je onbeperkte macht over me had. Als jij chagrijnig was aan het ontbijt, dan had ik een slechte dag. Was jij vrolijk, dan was ik in een roes over mijn overwinning. Werd je eens een keer boos en schold je op me, dan had ik dat verdiend. Nog steeds is het jouw macht over mij waar ik bang voor ben. Maar ik kan niet leven zonder jou. Ik ben grenzeloos in het nadeel: ik ben degene die heeft gehoereerd, gelogen en bedrogen. Toch durf ik te geloven dat het anders had kunnen gaan wanneer jij een keer had geprobeerd te luisteren. Jij bent een erg trotse vrouw. Zo ben je opgevoed, dus dat verwijt ik je niet. Het was beneden je waardigheid om het überhaupt te proberen, of niet?'

De brief was niet ondertekend en ze had zich afgevraagd waarom niet.

Ze moest glimlachen toen ze dacht aan wat ze in haar telegram naar Rome had geschreven: 'We zien elkaar met Pinksteren op Fjärås Bräcka.'

En ze dacht weer wat ze ook had gedacht toen ze de brief kreeg; dat Rickard geweldig veel aandacht vroeg. Om zijn heerschappij over het leven te behouden moest hij kunnen kiezen en afwijzen, nemen en wegwerpen. Dat was zijn zwakheid, zijn fundamentele gebrek.

En dat was, precies zoals hij schreef, onverenigbaar met liefde, met de afhankelijkheid die een levenslange verbondenheid inhield.

Anna denkt aan de tienerjaren van Maria, aan haar opstandigheid. In het bijzonder aan een ruzie over Sandra, een schoolvriendin, waar Rickard mee had geflirt. Maria bloosde van schaamte, en wreed zei ze tegen haar vader: 'Jij bent een kwast, een verdomde geile bok, die denkt dat hij onweerstaanbaar is. Bij ons op school zitten ook kerels zoals jij, maar meiden die wat waard zijn lachen om ze. Ik begrijp niet hoe mamma het met je uithoudt.'

Maria was niet getrouwd. Malin ook niet. Ze leefden zoals mannen door de eeuwen heen hadden gedaan; ze werden af en toe verliefd en hadden soms korte relaties. Maar allebei hadden ze een kind, vrije kinderen, die het spel in de duivelse driehoek van vader, moeder, kind niet hoefden te spelen.

Anna had al vanaf het begin vermoed dat Rickard weinig zelfvertrouwen had. Vanwege een tirannieke moeder? Een zwakke vader? Maar toen, toen ze nog jong was, had ze dat niet willen inzien. Steeds begrip hebben voor een ander hield een groot gevaar in voor jezelf; dat had ze wel geleerd van haar moeders leven. Johanna was zo iemand die altijd alles begreep en daardoor veel moest verdragen.

Plotseling herinnert Anna zich ook een andere ruzie, veel later. De herinnering is messcherp; ze ziet de avondzon door de ramen op Minkgatan naar binnen vallen, de stofdeeltjes die in de zonnestralen wervelen. Rickard had de gewoonte aangenomen haar 'mamma' te noemen, ook nu ze alleen waren. Zij schreeuwde: 'Ik ben jouw moeder niet. Nooit geweest en ik zal het ook nooit worden!'

Ze zag dat het vreemd hard bij hem aankwam en dat hij verstijfde. Hij zei: 'Natuurlijk niet. Het is maar bij wijze van spreken, een stomme gewoonte.'

Op dat moment zag Anna in dat het geen manier van spreken was en ook geen gewoonte. Maar ze kreeg het niet over de lippen.

'Sorry dat ik zo reageerde', zei ze en toen was het ogenblik weer voorbij.

Maar Anna had het gezicht van haar schoonmoeder gezien, mooi en egocentrisch, en kon zich voorstellen hoe vaak en sterk het jongetje tevergeefs naar haar had verlangd. En ze had gedacht: 'Daarom is hij zo kwaad op me. Hij wreekt zich op haar.'

Nu was ze aantekeningen aan het maken. Ze had het idee dat ze nieuwe inzichten kreeg, maar twijfelde en zette een vraagteken in de kantlijn. Ze dacht na en schreef: Rickard houdt altijd veel rekening met zijn moeder en verdedigt haar tegen elke kritiek. Maar over zijn overleden vader praat hij met verachting: 'Dat was een onnozele hals.'

Ze hoorde de sleutel in het slot.

'Ik heb een schol te pakken gekregen', riep hij. 'Een verse.'

'Heerlijk. Ik kom eraan.'

'Ik schenk alvast even iets te drinken in.'

Ze hieven de glazen en hij zei een beetje formeel, zoals hij wel vaker deed: 'Het is fijn dat we bestaan.' Toen nam hij het dikke grijze aantekeningenschrift, het boek over Hanna, en begon te bladeren. Ze zei: 'Lees maar, dan ga ik aardappels schillen.'

Toen hij de keuken binnenkwam zei hij: 'Dat wordt een boek, Anna. Het is verdomd sterk.'

Dat maakte haar blij en ze zei: 'Vind je niet dat het een beetje te nostalgisch wordt?'

'Nee. En er is trouwens niets mis met nostalgie.'

Hij had haar altijd geholpen met haar werk. Vanaf het begin. Hij was het die op het idee kwam dat ze van haar proefschrift een versie voor het grote publiek moest maken.

'Het verdient een beter lot dan dat het op een faculteit stof ligt te verzamelen.'

En zij wilde veel mensen bereiken.

'Denk je dat ik het kan?'

'Het lukt ons wel', zei hij. En zo gaf hij haar een journalistenopleiding en leerde haar hoe ze ingewikkelde dingen op een eenvoudige manier moest weergeven, leerde ze generaliseren en voorbeelden gebruiken. Ze was in verwachting en ze schreef overdag thuis. En 's avonds las en corrigeerde hij wat zij geschreven had.

Ze hadden het leuk samen. Waren pas getrouwd en woonden in hun eerste tweekamerflat in een van Stockholms nieuwe voorsteden.

In het begin was hij streng: 'Dit is toch verdomme geen Zweeds. Luister zelf maar.'

Zij luisterde en begreep wat hij bedoelde. Maar al gauw bloeide er een heel eigen stijl op, de hare. Het was een wonder, bijna net zo fantastisch als het kind dat binnenin haar groeide.

'Ik heb mijn meerdere gevonden', zei hij.

Het boek verscheen een paar maanden voordat hun dochter werd geboren. Allebei waren ze verbaasd over het opzien dat het boek baarde.

Succes. Geluk. Tot aan die avond in die villa op Lindingö.

Nu was hij bezig de vis schoon te maken en te bakken. Zij bleef aan de keukentafel zitten met haar drankje. Ze zag de soepele handen mes en spatel hanteren, nauwkeurig en elegant.

Ik ken niemand die zo zinnelijk is als hij.

'Hallo, waar zit je aan te denken?'

Ze bloosde, daarna zei ze het, en ze hoorde hoe hij zijn donkere lachje lachte. Die lach die uit zijn buik kwam en altijd een begin was.

'Ik heb honger', zei ze. 'We moeten eerst eten.'

'Maar ik doe niks.'

'Je moest eens durven.'

Hij wilde een huis.

'Op de grond wonen, Anna. Voordat het te laat is.'

De eerste keer dat hij dat zei, had ze gedacht dat het al te laat was.

'Wie plant er nog appelbomen als hij al vijftig is?'

'Ik', zei hij rustig.

Daarna was de gedachte gaan groeien. Opeens durfde ze toe te geven aan het gevoel hoe zat ze de flats was, de anonimiteit en de snelweg, die door al haar dagen en nachten denderde. Om maar te zwijgen over de arme dennenbomen.

Een tuin!

'Thuis was er altijd ruzie over de tuin', had ze gezegd. 'Moeder moest alles alleen doen terwijl vader aan het zeilen was.'

Rickard was boos geworden: 'We kunnen verdomme ons hele leven niet laten bepalen door hoe je het ouders het hadden.'

'Je hebt gelijk.'

Ze wist wat hij bedoelde met 'ons hele leven'. Hij was haar

gebondenheid aan haar moeder beu, en woest over haar verhouding met haar vader. In principe gaf ze hem gelijk, ook al waren zijn motieven onduidelijk.

Hij had die dag twee huizen bekeken. Het ene was te groot en te duur. Het andere bestond eigenlijk uit twee kleinere huizen in een groot stuk natuur. Een mooie ligging, had hij gezegd. Solide bouw. Eén huis waar ze hun werk in konden doen, zij nu en hij zodra hij met pensioen was. En één huis om in te wonen.

'Er is ook een oud pachtershuisje bij, maar dat is vervallen.'

'Er zit vast een addertje onder het gras. Is het te duur?'

'Nee. Maar het is ver van de stad, bijna veertig kilometer.'

'Daar heb ik niets op tegen. Liever het echte platteland dan weer een buitenwijk.'

'Je bent niet bang dat je daar ziek van eenzaamheid zult worden?'

Opeens voelde ze haar oude ongerustheid opkomen.

'Hoe kom jij in en uit de stad?'

'Er gaat een trein', zei hij. 'Jij zult zo'n Amerikaanse echtgenote moeten worden, die haar man naar het station brengt. En hem 's avonds weer ophaalt.'

Voordat ze in slaap viel lag ze lang na te denken over de twee huisjes. In gedachten zag ze er appelbomen en rozen bij. Morgen zou hij met de verkoper gaan praten en een afspraak maken om er te gaan kijken.

Aanstaande zaterdag, dacht ze. Ze had al een besluit genomen.

Toen ze de volgende ochtend weer met haar aantekeningenschriften aan de slag ging, had ze het gevoel dat het serieuzer was, moeilijker. Dat kwam door Rickards woorden: 'Het wordt een boek.'

Wat zit een mens toch gek in elkaar, dacht ze. Want dat wist ik de hele tijd al. Maar zolang ik net deed of het een uitstapje was, een reis in mijn eigen verleden, had ik het gevoel dat het gemakkelijker was. Een beetje psychologie, een beetje sociologie, iets meer zelfkennis.

Zo had het ook gewerkt. Ze was op deze reis rustiger geworden; ze had ontdekkingen gedaan en nieuwe inzichten verworven. En ze was opgehouden om vertwijfeld naar herinneringen uit haar jeugd te zoeken die 'echt' waren, zoals ze zelf altijd zei. Ze had altijd al begrepen dat er alleen maar scherven zijn; dat 'mijn herinneringen' altijd uit fragmenten bestaan, die door de hersens tot een bepaald patroon worden samengevoegd en aangepast aan een beeld dat al vroeg is ontstaan en dat geen verband hoeft te hebben met iets dat ook werkelijk is gebeurd. Er is veel dat een klein kind niet goed begrijpt en opslaat als beelden, die op hun beurt meer beelden die erop lijken aantrekken, bevestigen en versterken.

Toen bedacht ze dat datgene dat niet was gebeurd meer de waarheid kon zijn dan wat wel was gebeurd. Dat dat meer zeggingskracht had.

Zij liet haar scherven nu liggen, om zich heen gestrooid, verspreid. En ze ontdekte dat ze alleen zo kennis over het verleden kon opdoen. Natuurlijk alleen maar voor korte ogenblikken, momenten.

Het moeilijkste vermeed ze. Dat wat pijn deed. En als ze het serieus meende kon dat natuurlijk niet. Dan moest ze dieper graven. Bij Hanna bijvoorbeeld. Niet alleen maar over grootmoeders verdriet heen glijden toen August in een zwarte nacht recht door de brugleuning heen de zee in reed ergens in Bohuslän.

Anna was een tiener toen dat gebeurde, en ze kon de vertwijfeling van de oude vrouw niet begrijpen. August was immers een volwassen vent, die zelf over zijn leven besliste. En hij was gescheiden en had geen kinderen.

Ze vroeg er Johanna naar die haar afstandelijk aankeek: 'Maar hij was haar kind, Anna.'

Ik moet uitzoeken waarom ze zo veel verdriet had. En zo verouderde in een paar weken tijd.

August was altijd al zwak geweest, zeiden ze. Hij had alle ziektes gehad. Jarenlang had Hanna 's nachts in huis rondgelopen met het zieke jongetje in haar armen.

Zei moeder.

'Hij was haar kind, Anna.'

Peter, dacht ze. Peter.

Net als haar grootmoeder en haar moeder had ook Anna zware bevallingen gehad. Ook een erfenis? Genetisch? Psychisch? Peter werd na de scheiding en de hereniging geboren, zes jaar na Malin. Hij kwam twee maanden te vroeg, in een stuitligging en hij was een mager klein vogeltje. Al de eerste keer toen hij bij Anna aan de borst werd gelegd, wist ze dat er iets niet goed met hem was, iets noodlottigs. Hij had geen levenskracht.

De artsen lachten om haar angst; de jongen was gezond. Ze moest dankbaar zijn dat hij niet in de couveuse hoefde te liggen.

Rickard zat ergens in een land in het oosten waar het crisis was. Hij zou op tijd weer thuis geweest zijn voor de bevalling. Als ze de negen maanden had vol gemaakt...

Johanna kwam. Ze zat aan haar bed op de kraamafdeling en keek net zo bezorgd als Anna.

'Je helpt me het meeste als je de andere kinderen meeneemt naar Göteborg. Dan kan ik alle tijd aan de jongen besteden als ik thuiskom.'

Johanna had haar twijfels, maar nadat ze met de dokter had gesproken was ze gerustgesteld. Ze spraken af dat ze niets tegen Rickard zouden zeggen om hem niet ongerust te maken.

Johanna vertrok met de meisjes, maar belde twee keer per dag op: 'Is er geen vriendin in de buurt, Anna? Waar is Kristina?'

'Op Åland. Iedereen is met vakantie.'

184

Het was een hete zomer; Anna was alleen thuis met het jongetje en liep in de verduisterde flat heen en weer. Van het licht begon het kind te kermen. Hij kon niet huilen en nog geen minuut uit haar armen zijn zonder te kermen.

Oh, dat klagelijke geluid, deemoedig, hopeloos.

Een week, twee weken, vier, zes. Na veertig dagen, ze had ze precies bijgehouden, stierf hij op een woensdagmiddag. Ze keek op de klok. Drie uur. Een kitscherig zinnetje uit de wereld van de rouwadvertenties werd waarheid: ''t Engeltje dat lachend is gekomen, is ons nu al weer ontnomen.'

Maar Peter had haar nooit zijn glimlach geschonken.

Anna legde het kind niet weg toen ze de gordijnen opentrok. Het licht trof haar als een bliksemflits. Verwonderd zag ze dat de wereld niet veranderd was; het was een af en aan lopen van mensen, kinderen zaten te schommelen en maakten ruzie in de zandbak. De telefoon ging, maar ze nam niet op. Ze zou nooit meer opnemen, dacht ze.

Daarna sliep ze in met het dode kind in haar armen en volgde ze het de kou en de dood in. Tien uur later werd ze wakker gemaakt door Rickard. Hij was telefonisch door Johanna gewaarschuwd en via Berlijn naar huis gevlogen.

Hij zorgde voor alle praktische zaken; de dokter, de begrafenisondernemer, de telefoontjes naar ouders en vrienden. Ook voor haar zorgde hij; hij baadde haar in warm water, dwong haar te drinken, verschoonde het bed en wikkelde haar in warme dekens.

Ze hoorde hem 's nachts huilen.

Zelf zou ze wekenlang niet huilen. De weken van de onwerkelijkheid, zo zou ze ze later noemen. Vol van vreemde belevenissen.

Zoals die keer dat Rickard naar de krant moest. 'Twee uurtjes maar, Anna. Beloof je me dat je in bed blijft liggen?'

Ze beloofde het.

Toen hij terugkwam was ze weg. Hij rende door de wijk op zoek naar haar en was juist van plan het op te geven en de politie te bellen, toen ze de straat in kwam lopen. Recht op hem af, glimlachend.

'Wat een geluk dat ik je heb gevonden. Je moet me helpen.'

'Waar heb je gezeten?'

'Op het consultatiebureau, Rickard. Daar ga je met baby's naar toe.'

'Welk consultatiebureau?'

'Net als altijd, in dat noodgebouw achter het plein.'

'Maar Anna, dat is jaren geleden al afgebroken.'

'Wat gek', zei ze. 'Dus daarom kan ik het niet meer vinden. Ik heb Peter daar achtergelaten, snap je. Bij de zuster.'

Toen ze zijn blik zag, begreep ze hem verkeerd.

'Niet boos op me worden, Rickard. Er overkomt hem daar niets, ik bedoel, ze zijn ervoor opgeleid en zo…'

'Kom, we gaan', zei hij, terwijl hij haar bij de arm nam. Hij voerde haar over het plein met de fontein en het idiote beeldhouw-werk, de hoek om naar het terrein waar het consultatiebureau was geweest en waar nu een parkeerplaats lag.

'Maar ik begrijp het niet. Ik ben hier net nog geweest. En waar is Peter?'

'Hij is dood. Dat weet je best.'

Hun blikken kruisten elkaar; hij keek niet weg. Ten slotte knikte ze: 'Ik weet 't.'

Die avond was haar hoofd helder, maar ze was wel bang.

'Ik ben daar geweest, ik weet het zeker. Ik zie het zo duidelijk voor me; die lichtblauw geverfde deur, zuster Solveig, die moe was maar net zo geduldig als anders. Ik ben daar geweest, Rickard. En toch kan ik er niet geweest zijn.'

'Zuster Solveig is al gestorven toen Maria nog klein was. Aan kanker, weet je nog wel? We zijn nog op haar begrafenis geweest.'

'Dood. Net als Peter dus?'

'Ja.'

Ze sloot lange tijd haar ogen. Haar gelaatsuitdrukking vervlakte, alsof ze het begrepen had. Toen ze weer sprak klonk ze redelijk.

'Rickard. Ik beloof je dat ik niet gek zal worden.'

'Je hebt me de stuipen op het lijf gejaagd', zei hij.

Toen zag ze pas hoe moe en bleek hij was, en ze begreep dat ze zich moest vermannen. Ze had nog meer onwerkelijke belevenis-sen, maar ze betrok hem daar nooit in.

Degene die haar hielp de muur te doorbreken was haar schoon-moeder, die, toen ze op bezoek kwam, tegen haar zei: 'Je moet niet zo veel verdriet hebben. Het was eigenlijk toch nog niet meer dan een foetus.'

'Het was mijn kind', zei Anna.

Toen kon ze eindelijk huilen. Ze huilde twee etmalen lang bijna onafgebroken.

Vervolgens ging ze het huis schoonmaken. Haar slaaptabletten gooide ze weg. Daarna reed ze met Rickard naar de westkust, naar moeder en de andere kinderen.

Toen Rickard thuiskwam had ze de herinneringen aan Peter in- gevoerd in de computer. Hij keek haar ongerust aan: 'Maar Anna, wat zie je er bleek uit.'

'Lees jij maar, dan ga ik koken.'

's Middags had ze al een stuk gezouten runderborststuk gekocht. Ze schilde koolraap, aardappels en worteltjes en sneed alles in kleine stukken om het te koken en er daarna puree van te maken.

Hij hield van stamppot-koolraap.

Toen hij de keuken binnenkwam stonden zijn ogen donker en zag hij er bleek uit. Tijdens het eten hadden ze niet de kracht om te praten, maar daarna, in de woonkamer, zei hij: 'Ik denk nog vaak aan Peter. Het leek net alsof hij een opdracht had. Want daarna is het immers geworden… ja, zoals het wezen moest. Tussen ons, bedoel ik.'

Ze was niet in staat om antwoord te geven.

Zou moeder ooit aan grootmoeder hebben verteld dat ik gescheiden was?

Anna schreef die vraag op, dacht erover na.

Vervolgens schreef ze: Ik denk van niet. Ze wilde haar vast niet ongerust maken. Hanna was ook erg op Rickard gesteld. Ze zei dat hij haar aan Ragnar deed denken.

Dat lag dichter bij de waarheid dan Anna toen had begrepen.

Na een poosje vond ze nog een verklaring: Moeder had over de scheiding gezwegen omdat ze er nooit echt in had geloofd. Dat zei ze soms ook tegen haar, in de jaren dat Anna alleen was: 'Ik geloof nooit dat jullie echt van elkaar af komen.'

Anna had het besluit genomen toen ze met Malin thuiskwam van de kraamafdeling. Rickard had maandenlang met een ander geleefd, de geur van die vrouw zat in zijn kleren, in hun huiskamer, in hun bed.

Toen ze zei dat ze wilde scheiden was hij vertwijfeld. Hij wilde haar niet geloven.

'Anna, het stelde niets voor… En ik kwam maar niet van haar af.'

'Ik heb je niet om uitleg gevraagd.'

'Maar luister dan toch!'

'Nee Rickard, ik wil het niet horen. Nu gebeurt er wat ik zeg. Je krijgt het hele voorjaar de tijd om andere woonruimte te vinden. Daarna gaan we samen met Maria praten.'

'Je hebt alles al uitgedacht.'

'Ik heb met een advocaat gepraat.'

'Maria zal het vreselijk vinden.'

'Ik weet het.'

Maria was de spil in de loop van de gebeurtenissen, die nu zichzelf in beweging zetten en niet meer terug te draaien waren. Al de angst en al het schuldgevoel werden op haar toegespitst. Zij vulde Anna's dagen met pijn. En haar nachten met nachtmerries. Ze dook op in duizend gedaantes: het verlaten kind, het doodgestoken kind, een kind dat was verdwaald in het bos op zoek naar haar vader.

Maria was dol op Rickard.

Rickard was een goede vader: hij was gezellig, had leuke invallen en was net zo nieuwsgierig als het meisje zelf. Het kind kon op hem vertrouwen.

En Maria was een gevoelig kind. Overlopend van genegenheid voor alles en iedereen, snel van begrip en leergierig. Net zoals jij, zei Rickard altijd. Maar dat was niet waar. Maria was een blonde uitgave van Johanna.

Met Malin was het anders. Die was tot nu toe nog helemaal Anna's baby.

Dat waar ze het meest bang voor was, zei hij niet. Dat hij de juridische strijd over de voogdij zou aangaan. Hij zei: 'Mag ik Maria een hond geven?'

Het was een vrijdagavond en hij verdween. Pas op zondag kwam hij terug, met een flinke kater, spottend en bijna gek van vertwijfeling. Anna ging met de kinderen naar Kristina, die een verdieping lager woonde: 'Wil jij alsjeblieft voor ze zorgen?'

Toen ze terugkwam stond hij onder de douche en ze zei zo kalm als ze kon tegen hem: 'We moeten als volwassen mensen met elkaar praten.'

'Waarover dan?'

'Over hoe we dit moeten regelen, zodat de kinderen en jij er de minste schade van ondervinden. En ik ook.'

'Jij bent toch van steen dus met jou zal het wel goed gaan. Ikzelf ben van plan me kapot te zuipen.'

'Rickard!'

Maar hij ging naar bed.

De volgende morgen was hij weer aanspreekbaar en rustiger. Hij bracht zoals altijd Maria naar het kinderdagverblijf. Daarna ging hij weer naar huis en belde zijn werk op met de mededeling dat hij ziek was.

Zij gaf Malin de borst, terwijl ze ondertussen een uiteenzetting gaf. Hij zou de kinderen elke veertien dagen een weekend hebben en in de zomer een maand.

'Geweldig.'

Zij had alimentatie voor de kinderen nodig, duizend kronen per maand.

'Om de eindjes aan elkaar te knopen', zei ze. Ze had al besloten dat ze naar een kleiner appartement zou verhuizen en dat ze een docentschap zou nemen op het Sociologisch Instituut. Verder had ze behoorlijk wat freelance-opdrachten.

'Maar die baan wilde je toch helemaal niet hebben. En hoe moet het dan met je boek?'

'Ja, dat is niet anders', zei ze.

Hij huilde en had moeite om uit zijn woorden te komen toen hij smeekte: 'Is er niets, helemaal niets dat ik nog kan doen om je van gedachten te laten veranderen?'

'Nee.'

Meer kon ze niet uitbrengen.

Daarna ging het niet zoals Anna gepland had. Rickard kreeg een baan als correspondent in Hong Kong.

'Ik moet heel het Verre Oosten coveren', zei hij.

De hel dus, dacht Anna, maar ze feliciteerde hem.

Samen spraken ze met Maria. Hij zei dat hij op reis moest. Anna zei dat ze het samen moeilijk hadden, pappa en zij. Ze moesten... een tijdje uit elkaar.

Maria zei dat het goed was.

'Dan hou je misschien ook op met zo erg te huilen, mamma.'

Tegen Rickard zei ze dat ze geen hond wilde.

Anna en Maria brachten hem samen naar het vliegveld. Het vijfjarige kind gaf hem een handje en zei: 'Tot ziens, pappa.'

Dat was alles.

Hij zag er zwaarmoedig en oud uit toen hij naar de uitgang liep, en Anna liep bijna over van medelijden. En van twijfel.

Die eerste maanden alleen... god, wat miste ze hem! In haar halfslaap tastte ze naar hem in bed; ze sloeg haar armen om zijn kussen, maar huilen kon ze niet. Droog, uitgedroogd, zocht ze hem op elke straathoek, ieder plein en in alle winkels.

Nu begonnen ook haar woestijndromen. Nacht na nacht trok Anna door een eindeloze woestijn, terwijl ze zijn rug zag verdwijnen tussen de zandduinen. Het was zwaar lopen; haar voeten zonken weg in het zand, ze was doodmoe en verging van de dorst. Ze zocht naar water, kon het niet vinden, probeerde uit te rusten, maar dan zag ze zijn rug weer en moest ze weer verder.

Ze haalde slaaptabletten bij Kristina en had toen eindelijk een paar nachten rust.

De laatste woestijndroom was de ergste. De man die voor haar liep over de gloeiende grond draaide zich om, maar nu was het niet Rickard, maar de arts die tegen haar had gezegd: 'U castreert uw man.'

Ze kreeg een tweekamerflat precies boven het kinderdagverblijf. Er dook een man op en hij hielp haar met de verhuizing. Het was een oude vriend; hij was praktisch ingesteld en handig. Uit dankbaarheid?, eenzaamheid?, geilheid? ging ze met hem naar bed, maar ze vond het vrijen net als de trektochten door de woestijn: steriel en zinloos. Ze werd wakker met zand in haar mond en ze fluisterde tegen hem dat hij weg moest gaan, dat Maria hem hier niet mocht vinden. Hij deed wat ze zei en ze begreep dat het voor hem ook een teleurstelling was geweest.

Ze vertelde het aan Kristina. Ze zei: 'Ik ben een vrouw voor één man.'

'Dat klinkt mooi', zei haar vriendin. 'Jammer dat Rickard een man is voor veel vrouwen.'

Ze waren het erover eens dat hij het goed had in het Oosten. Hij kon lekker zijn gang gaan met geisha's, diplomatenvrouwen en geraffineerde vrouwelijke verslaggevers, zoals je ze wel op de televisie zag.

Maar als Anna alleen was, dan wist ze dat het niet waar was; dan wist ze dat Rickard eenzaam en vertwijfeld was. Voor het eerst vroeg ze zich af of het zo zou kunnen zijn, of het misschien echt zo was dat het doel van zijn jacht op vrouwen was om haar te bereiken.

Maar ze zei tegen zichzelf dat dat belachelijk was. En nog weer later dacht ze dat het nog veel erger was als het wel zo zou zijn.

Ze was zo diep verzonken in het aantekeningenschrift dat ze opschrok toen de telefoon ging. Het was Maria.

'Oh, lieverd', zei Anna.

'Sliep je, mam?'

'Nee, nee, ik zat hier alleen maar aantekeningen te maken en herinneringen op te halen.'

'Ik weet niet of dat wel zo goed voor je is, al die herinneringen', zei Maria bezorgd. Ze was in Oslo geweest voor een conferentie, dat was ook zo, nu herinnerde Anna het zich weer.

'Ik ben via Göteborg gegaan om opa op te zoeken.'

'Wat lief van je!'

Toen zei Maria dat het onverdraaglijk was, zowel thuis bij de oude man als in het verpleeghuis. Ondraaglijk, en er was niets aan te doen.

'Ik heb veel aan jou gedacht. Het moet toch vreselijk voor je zijn om dat elke maand alleen te moeten doen. De volgende keer ga ik mee.'

'Maar Maria, wat leuk. Dan gaan we met de auto en nemen we een hotelletje onderweg. Hebben we eindelijk een keer tijd om bij te praten.'

Anna's blijdschap was zo groot dat ze die niet wist te beteugelen. Pas toen ze de sluier over Maria's stem hoorde, begreep ze dat ze weer had gedaan wat ze het meest verafschuwde: de ander met schuldgevoel overladen.

Een half uur later belde Malin. Ze zei dat ze met Maria gesproken had en dat ze hadden afgesproken om om de beurt met haar mee te gaan naar Göteborg. Zo vaak ze konden.

'Ik geloof dat jullie gek zijn geworden', zei Anna.

Malin leek niet op haar zuster. En trouwens ook niet op haar moeder. Ze was zakelijker, opener, minder gevoelig, rechtlijniger. Noch Rickard noch Anna begrepen echt hoe het kon dat ze een dochter hadden die theoretische fysica studeerde.

'Ik was zo blij dat ik Maria met een slecht geweten heb opgezadeld.'

'Mij ook', zei Malin vrolijk. 'Maar luister mam, je weet dat alleen ondieren geen schuldgevoelens krijgen.'

'Het zout des levens', zei Anna. Dat was een van haar oude bijnamen voor haar bijzondere jongste dochter.

Johanna was er niet bij in Anna's eerste half jaar alleen. Niet toen ze verhuisde en niet toen ze dingen voor de kinderen moest regelen. In die tijd lag Hanna thuis bij moeder te sterven. Moeder had veel hulp nodig gehad. Ik had maar één keer tijd om naar haar toe te gaan.

Zoals Malin al zei: je kunt niet leven zonder je schuldig te voelen.

De hele dag had ze aantekeningen zitten maken in het derde boek, het rode, met ANNA in hoofdletters op de kaft. Nu bladerde ze terug naar het voorblad en daarop schreef ze: 'Over schuld en dankbaarheid, en over het hebben van dochters.'

Daarna zette ze een vraagteken voor deze uitspraak.

Die vrijdagochtend was Rickard zwaarmoedig.

'Heb je slecht geslapen?'

'Ja.'

Toen hij in de hal stond om naar de krant te gaan zei hij: 'Je hebt mijn brief uit Rome geciteerd.'

'Maar het zijn allemaal alleen nog maar aantekeningen, Rickard. We moeten er nog over praten... als duidelijk is of het echt een boek gaat worden.'

'Daar gaat het niet om. Wat me opviel was dat je nooit een antwoord op mijn vraag hebt gegeven.'

'En hoe was die vraag', zei ze, hoewel ze het wel wist.

'Waarom je nooit naar mij hebt geluisterd. Het zelfs nooit hebt geprobeerd.'

'Oh ja, dat was ook zo', zei ze.

Terwijl ze bezig was om de kopjes en bordjes in de afwasmachine te zetten en de ontbijtspullen op te ruimen, klonken haar eigen woorden nog na in haar oren: 'Oh ja, dat was ook zo.'

Toen ging ze weer aan het werk en ze schreef: Ik wil het met een sprookje proberen. Waarom een sprookje? Ik weet het niet. Misschien omdat het waar is wat sommigen beweren, dat een sprookje meer kan zeggen dan verslagen uit de zogenaamde realiteit.

Maar het is waarschijnlijk vooral omdat je een sprookje niet hoeft te begrijpen.

Er was eens een klein meisje dat opgroeide in een kasteel. Het kasteel had drie kamers die vol zaten met geheimen: kasten met fantastische dingen erin, boeken met plaatjes, foto's van vreemde mensen die dood waren, ook al keken ze haar met een ernstige blik aan. Rond het kasteel lag een grote tuin. Daar groeiden rozen en aardbeien. In een van de hoeken van de tuin lag de rots, hoog, halverwege de wolken. Op een dag klom ze bovenop de rots en zag ze in de verte de zee de hemel ontmoeten. Vanaf die dag was de rots van haar en ze klom naar de top om haar eigen wereld te scheppen tussen de stenen en de klippen.

De rots praatte met de zee, dat had ze de eerste dag al gehoord. Na een tijdje begreep ze dat de rots ook met haar praatte, en met de seringen die aan de voet van de rots in bloei stonden en met het rozenkransje, de huislook en de prunus, die tussen de rotsspleten groeiden.

Het was altijd zomer en mooi weer, en zij was een gelukkig, klein meisje. Haar moeder was gek op haar. En haar vader was trots op haar, omdat ze zo slim en ijverig was. Bovendien vertelde haar moeder haar bijna elke dag dat ze dat was: Een gelukkig meisje. Dat ze het zo goed had.

En als je het goed hebt mag je niet verdrietig zijn. Dat werd een grote zorg voor het meisje. Want af en toe was ze onbegrijpelijk verdrietig. En soms was ze vreselijk bang.

Waar ze bang voor was? Niet dat haar moeder dood zou gaan, ja, dat was ze natuurlijk ook wel. Maar waarvoor nog meer?

Ze zou het nooit weten.

Op een keer, toen ze dacht dat ze zou sterven van de angst die haar hart zo deed bonken dat het pijn deed in haar borst, vond ze een onzichtbare trap die recht de rots in liep. Daar was een grot, precies groot genoeg voor haar. Ze kon er gaan zitten en ze voelde hoe al het boze verdween.

Ze voelde zich uitverkoren.

Hoe lang speelde ze dat spel? Was het tijdens één zomer of waren het er meer? In elk geval duurde het jaren voordat het gelukkige meisje begreep dat het een gevaarlijk spel was, dat haar ongevoelig en onzichtbaar maakte. Toen ze dat eindelijk begreep was ze al volwassen en woonde ze niet meer thuis.

Ze had de rots namelijk meegenomen. Hij was er altijd en zodra ze verdrietig werd of bang, kon ze er naar binnen vluchten. Nu wilde ze dat niet meer; nu was ze bang voor de grot die zulke dikke wanden had. Maar de rots had bezit van haar genomen.

En toen de prins kwam en de liefde, die haar kwetsbaarder maakte dan ooit, kon ze de geheime kamer in de rots goed gebruiken.

De prins vond dat ze vaak koud en onbenaderbaar was. En dat was waar. Het is steenkoud daar binnen in die rots. Wie er in zit raakt zelf versteend. Ze kan niet vechten voor haar recht, niet branden van jaloezie, niet schreeuwen, luisteren, vragen, aanklagen.

Dus zonder het te willen bleef het meisje vluchten naar haar grot en hem pijn doen. Maar elke keer dat ze naar buiten kwam en zag wat ze had aangericht, werd ze geplaagd door schuldgevoel.

En toen trouwden ze en leefden… nog lang en gelukkig.

Toen Anna klaar was met het sprookje in haar aantekeningen-schrift draafde ze als een opgesloten paard heen en weer en schopte ze tegen de tafels en de stoelen.

Vervolgens schonk ze een groot glas whisky in om het in één teug leeg te drinken. De kamer draaide om haar heen. Maar ze ging door; eigenwijs en gek, zoals iemand doet, die iets belangrijks dat hij heeft verloren bijna weer heeft teruggevonden. Ze pakte haar pen en sloeg een nieuwe bladzijde op.

Daar vond ze het: Toen Peter stierf.

Toen ze sliep met het dode kind in haar armen.

En ze in de uiterste onwerkelijkheid terechtkwam, die keer dat ze haar zoon op het consultatiebureau kwijtraakte.

Wie vlucht loopt het risico waanzinnig te worden.

Ze vulde haar glas voor de tweede keer en nam het mee de slaapkamer in. Ze werd niet wakker toen de telefoon ging, zelfs niet toen Rickard thuiskwam.

Hij maakte haar wakker en zei: 'Maar Anna, je bent dronken!'

'Ja. Ga maar lezen.'

Toen ze daarna voor de tweede keer wakker werd, zat hij op de rand van het bed met melk en broodjes.

'Ik had het wel vermoed', zei hij.

Hij was even stil voordat hij verderging: 'Ik geloof niet dat jij het risico loopt gek te worden. En je hoeft je tegenover mij ook niet schuldig te voelen. Met de tijd leer je immers dat mensen hun eigenaardigheden hebben. Nee, het gevaar zit 'm erin dat mensen die een grot hebben om in te vluchten, nooit leren om te vechten.

'En dat moet wel?'

'Ja.'

Zaterdag. Een uitstapje.

Anna werd vroeg wakker en maakte een lunchpakket klaar. Door het raam zag ze hoe de grauwheid over de stad moest wijken voor de zon.

Natuurlijk werd het mooi weer.

Toen Rickard de keuken binnenkwam, slaperig, ongeschoren en gehuld in zijn oude badjas, vroeg hij: 'En hoe voelt het lijf?'

'Alsof er priklimonade door mijn aderen vloeit. Het bubbelt.'

'Wat een gekke kater.'

'Domoor. Ik ben vrolijk; opgeruimder dan ik in lange tijd ben geweest.'

'Een catharsis?'

'Precies.'

Vanuit de keuken hoorde ze hoe hij de meisjes opbelde om ze uit te nodigen voor een uitstapje op zondag. Een uitstapje met een verrassing, zei hij. Hij is zo zeker van zijn zaak, dacht ze. Zo zeker dat ze tijd zullen hebben. En zin. En dat de koop door zal gaan.

Toen ze Roslagsvägen opdraaiden en het verkeer minder druk werd, zei hij: 'Er schoot me vannacht opeens iets te binnen. Jij hebt altijd in die verdomde flats willen wonen omdat je bang bent voor tuinen.'

'Goeie genade!'

Hij heeft gelijk, dacht ze. Voorsteden van beton hebben geen geheimen. Er is geen plaats voor mystiek in het neonlicht, er zijn geen symbolen, er is geen relatie tot bomen en bloemen. Of rotsen.

'Goeie genade', zei ze weer.

'Hoe bedoel je?'

'Het is zo droevig, Rickard. Dat we al die jaren zo... triest hebben gewoond. En het niet naar de zin hebben gehad.'

Ze bleven lang zwijgen, totdat hij midden in een inhaalmanoeuvre zei: 'Er zijn veel rotsachtige heuvels op dat stuk grond straks.'

'Heerlijk!'

Een man van middelbare leeftijd wachtte hen op bij de afslag. Terwijl ze voorthobbelden over de smalle grindweg, dacht Anna dat het toch pittiger zou worden dan ze had gedacht, zo 's winters, voordat de sneeuwschuivers langs waren geweest. En in het voorjaar, als het begon te dooien. Maar het huis was omringd door groen bos. Een echt ouderwets gemengd bos, met espen, berken en esdoorns tussen de dennen.

Twee lage huizen lagen langs de grond gevlijd. Vakantiehuizen uit de jaren zestig. Ze waren met elkaar verbonden door middel van een veranda-achtige glazen gang. Tussen de espen door was het water te zien. Niet de zee, maar een groot en rustig binnenmeer.

'Lieve hemel', zei Anna. Toen de man haar verwonderd aankeek zei ze: 'Ik bedoel alleen maar dat ik niet begrijp waarom iemand zo'n plek verkoopt.'

'Mijn vrouw is afgelopen zomer overleden.'

Er viel niets te zeggen.

De beide mannen begonnen met de put. Anna hoorde woorden als hydrofoorinstallatie en dat het in de winter lastig kon worden, maar daarna ging ze zelf het terrein over. Zoals Rickard al had gezegd waren er hier veel rotsen, en rotsplateaus, met eikvaren tussen de spleten. En veel rozen, precies zoals ze zich had voorgesteld. Beneden bij het meer lag het oude pachtershuisje, uitgewoond, verwaarloosd en fantastisch.

Er was een tuin bij geweest die in de luwte lag. Twee oude appelbomen stonden er nog, zwaar van rode appels. Anna ging met de rug tegen een van de ruwe stammen staan en zei hallo. Er was geen twijfel over mogelijk; ze kenden elkaar al duizend jaar.

Het weekeinde erna gingen Anna en Maria naar Göteborg. Maria bemoeide zich vooral met de oude man in het huis aan zee. Ze praatte wat met hem, maakte er schoon en kookte. Anna bezocht haar moeder in het verpleeghuis.

Ze praatte over Hanna.

'Ik ben nu lang met uw moeder samen. Ik geloof dat ik haar bijna begin te begrijpen.'

'Het is moeilijker om een beeld van u en uw leven te krijgen. Dat komt omdat u zo dichtbij bent dat ik geen zicht op u krijg. Het is vast waar dat we degenen van wie we het meeste houden het minst begrijpen.'

'Ik heb wel begrepen dat u een raadselachtig iemand was. Daarom had ik bedacht dat u uw eigen woord maar moest doen, moeder. U bent immers een goede verteller.'

In de auto op weg naar huis vertelde ze Maria over Hanna en Dalsland.

'Jouw overgrootmoeder.'

Op haar eerste werkdag daarna ging ze van boekenkast naar boekenkast. Ze las titels, sloeg hier en daar een boek open en vond woorden die ooit veel voor haar hadden betekend.

Zocht ze naar voorbeelden?

Nee, haar gedachten waren heel nuchter. Ze dacht eraan hoe alles ingepakt moest worden en waar het een plek moest krijgen in de twee huisjes aan het meer. Rickard had tegen haar gezegd wat Ragnar ooit tegen Hanna zei: 'Er zit veel oude rotzooi bij die je weg kunt doen.'

En net als Hanna dacht ze: Wat kan er in hemelsnaam voor rotzooi zitten tussen alles dat ik in de loop der jaren verzameld heb?

Bij de kast met poëzie bleef ze steken; ze ging zitten met de dichters Ekelöf, Stagnelius, Martinson, Boye. Toen pas drong het tot haar door dat ze op zoek was naar een geluid, het geluid van haar moeder. Ze dacht: Ieder mens heeft een eigen geluid, uniek, alleen van hem. Natuurlijk kan ze die nu niet vinden, niet op deze manier. En ze weet dat het vermetel is om te denken dat ze dat geluid kan laten klinken zoals het ooit geklonken heeft.

Maar als ze geduld heeft, als ze wacht, dan kan ze misschien de juiste toon vinden.

Johanna

Geboren 1902, gestorven 1987

Mijn leven bestaat uit twee helften. De eerste helft duurde acht kinderjaren, die daarom net zo lang zijn als de resterende zeventig. Wanneer ik op de tweede helft terugkijk zie ik vier gebeurtenissen die mij veranderd hebben.

De eerste gebeurtenis was dat een onzichtbare hand mij tegenhield bij het openen van een deur. Dat was een wonder dat mij mijn samenhang teruggaf.

De volgende gebeurtenis van belang vond plaats toen ik werk kreeg dat ik leuk vond, in mijn eigen onderhoud kon voorzien en lid werd van de sociaal-democratische partij.

Dan was er de liefde en het huwelijk.

De vierde gebeurtenis was de geboorte van mijn dochter, die ik vernoemde naar de oude vroedvrouw aan het Noorse water. En dat zij kinderen kreeg en ik kleinkinderen.

Wat er zich tussen deze gebeurtenissen afspeelde was een gewoon vrouwenleven: je veel zorgen maken, hard werken, grote blijdschap, veel overwinningen, nog meer nederlagen. En dan natuurlijk het verdriet dat daar overal onder zat.

Aan verdriet heb ik veel gedacht. Inzicht komt immers uit verdriet voort. Evenals bezorgdheid en het verlangen om te veranderen. We zouden vast niet menselijk zijn als er in de grond van ons wezen geen verdriet zou bestaan.

Ik moet nog iets zeggen voordat ik aan mijn verhaal begin. Ik heb altijd de waarheid nagestreefd in het kinderlijke geloof dat die bestond en ondeelbaar was. Toen de waarheid in honderden verschillende waarheden uiteenviel werd het voor mij steeds moeilijker om te denken.

Ik heb geen woorden genoeg voor de eerste acht jaar in Dalsland. Misschien heb ik ze verbruikt toen Anna klein was, heb ik ze bij haar versleten. Ik heb het gedaan omdat het leuk was. Maar ook omdat ik wilde dat ze thuis zou raken in de wereld die ontstaat tussen een kind, verhalen en de natuur. Nu ben ik er niet zeker van of dat zin heeft gehad. Anna is geen gelukkig mens geworden.

In de loop der jaren heb ik zelf ook de band verloren. Toen Anna mij een keer meenam terug naar Dalsland werd dat heel duidelijk. Ik herkende alles: de waterval en de meren, de bomen en de paden. Maar ze waren mij vergeten. Dat was bitter en ik heb veel gehuild.

Je moet niet terugkeren naar heilige plaatsen.

Het stadskind Johanna werd geboren in een winkel in garen en band op de hoek van Haga Nygata en Sprängkullsgatan. Het rook er lekker naar nieuwe stoffen en het leek wel een poppenhuis, zo krap was het er. Er waren honderden laatjes vol geheimen. Band, elastiek, kant – allerlei moois dat voor mij op de gepoetste donkerbruine toonbank werd uitgestald. Het meest hield ik van de doosjes met klosjes zijdegaren.

'Je vingers moeten schoon zijn', zei Lisa en ik schuurde mijn handen zo lang dat ze schilferig werden.

Ik begon altijd met het violette laatje en volgde het fonkelende spel van bleek rozeblauw via lichtpaars tot het donkere diepblauw met een zweempje rood.

'Koningsblauw?'

'Ik geloof dat je gelijk hebt', zei Lisa glimlachend.

Lisa lachte niet vaak en van verbazing of woede schreeuwen deed ze nooit. Ze praatte zacht en was gelijkmatig van aard en dat maakte dat ik me veilig voelde. De eerste dagen paste ik op de winkel, terwijl zij in het kamertje erachter bezig was om op de naaimachine een katoenen jurk voor mij te maken in grijs-witte ruitjes.

'We zullen voorzichtig zijn met kleur. In verband met je moeder', zei ze.

Maar ze maakte manchetten, een kraag en een zak van lichtgroene katoen met roze rozen erop.

Toen ze me de nieuwe jurk aantrok begon ik een leven als iemand anders, ver weg van vader en de waterval. Dat was niet gemakkelijk en vaak heb ik gedacht dat, als Lisa er niet was geweest, ik me zou hebben verdronken in het Rosenlundkanaal.

Om te beginnen had je dat verschrikkelijke met woorden, de oude woorden, die me al uit de mond rolden voordat ik me had kunnen bedenken. Vroeger thuis had ik op school immers goed mijn best gedaan en ik had mooie, nieuwe kleren aan toen ik voor het eerst naar de nieuwe school in de stad ging. Natuurlijk was ik bang, maar toch... ik dacht dat ik net zo was als de anderen. En misschien was het ook wel goed gegaan als het niet aan die woorden had gelegen. God, wat hebben ze me uitgelachen.

Ik moest een stukje uit een boek voorlezen, maar het einde heb ik nooit gehaald vanwege dat nare gelach. En de juffrouw zei: 'Heeft Johanna er nooit aan gedacht dat je praat zoals je schrijft? De woorden die je spreekt moeten dezelfde zijn als in het boek. Ga maar naar huis om ze uit je hoofd te leren.'

Ze bedoelde het niet slecht, maar ze had geen idee hoe het voor mij was om thuis te komen, waar de bedden nog niet opgemaakt waren, waar stapels vieze kleren lagen en waar een berg aangekoekte afwas stond. En dan die smerige schoenen van de jongens, die ik moest poetsen. Ik had maar een half uur voordat moeder thuiskwam van de bakkerij en als ze uitgeput was, was ze altijd boos. 'Je bent een luie sloerie. Verwend door je vader toen je klein was', schreeuwde ze. Een keer sloeg ze me zo hard in mijn gezicht dat ik de volgende dag niet naar school kon.

Na die dag ging ik er vandoor naar Lisa zodra moeder thuiskwam. Ik zag wel dat ze verdrietig was, maar ze zei niets. Dat durfde ze vast niet; ik zou het eens aan Ragnar kunnen vertellen.

In de kamer achter Lisa's winkeltje was ik hardop aan het lezen, dag in, dag uit. Al gauw ontdekte ik dat het niet helemaal waar was, wat de juffrouw had gezegd; er waren woorden die je anders moest uitspreken dan ze geschreven werden, ook in die tijd al. Maar met de hulp van Lisa leerde ik fatsoenlijk praten.

Algemeen beschaafd Zweeds dacht ik dat het was. Op een politieke bijeenkomst, jaren later, zei een vrouw tegen mij: 'Dat Göteborgs klinkt wel gezellig, maar misschien zou je het een beetje moeten bijschaven.'

Mijn hemel, wat was ik verbaasd!

Op school werd ik langzamerhand een goede leerling, ook al kreeg ik er nooit een vriendinnetje en bleven de klasgenoten mij uitlachen. Thuis werd het steeds erger. Mijn broers hielden op met werken en zaten de hele dag thuis te drinken. Ik bleef maar een beetje in de keuken, maar ik hoorde ze praten over vrouwen, hoeren, neuken, lullen en kutten. Ik luisterde naar ze terwijl ik aan het afwassen was en ik haatte ze.

Op dat moment nam ik mijn eerste besluit: ik zou nooit trouwen en op geen enkele manier met een kerel omgaan.

Toen het zover kwam dat Ragnar moest ingrijpen en hij zowel de jongens als het meubilair in elkaar sloeg, stond ik in een hoekje blij te zijn. Moeder schreeuwde van schrik en, god, wat gunde ik het haar. Ik mocht daarna bij Ragnar en Lisa gaan wonen en er kwam een grote rust over mij. Na schooltijd ging ik nog naar huis om de ergste rommel op te ruimen, maar ik zorgde er wel voor dat ik weer weg was voordat moeder thuiskwam.

Tegen die tijd verachtte ik haar. Ze gedraagt zich als een zigeunerwijf, zei ik tegen Lisa. Ze wees me terecht, maar leerde me een woord dat ik nooit zou vergeten: 'Een beetje... primitief is ze wel', zei ze.

Primitief. Als de inboorlingen, dacht ik, want ik had op school geleerd over de wilden in Afrika, toen Stanley Livingstone ontmoette.

Na het gesprek met Lisa nam ik mijn tweede besluit: ik zou een geciviliseerd en ontwikkeld mens worden.

In Lisa's appartement, dat recht tegenover dat van ons aan de andere kant van de binnenplaats lag, waren veel boeken. Minstens tien, misschien wel vijftien en ik las ze allemaal. Ze gingen over de liefde en dat vond ik vreemd. Toen ik dat tegen Lisa zei was ze verbaasd en ze dacht lang na voordat ze zei: 'Maar die vrouwen zijn zoals ze zijn, Johanna. Ikzelf bijvoorbeeld ben hopeloos verliefd op Ragnar. Dat vreet me voortdurend op, maar ik kom er niet vanaf.'

Ik zal wel gek hebben gekeken; ik weet nog dat ik op een stoel in de winkel ben gaan zitten en mijn mond opendeed, maar geen woord over mijn lippen kreeg. Ik wilde tegen haar zeggen dat

Ragnar aardig was, een ongewoon goede man, en ik wilde haar troosten.

Troosten?

'Dus daarom zie je er zo verdrietig uit', zei ik ten slotte, en ik was daar zelf verbaasd over want ik had hier nog nooit eerder aan gedacht, aan wat nu zo duidelijk leek. Dat Lisa verdrietig was.

Ik weet niet meer welk antwoord ze gaf. Het duurde nog jaren voordat ik het verband begreep tussen de praatjes dat Ragnar een rokkenjager was en de opschepperij van mijn broers over lullen in kutten bij de hoeren op Järntorget.

Lisa leerde me drie heel belangrijke dingen: anderen te begrijpen, geduldig te verdragen en in een winkel staan.

Anna zegt dat ik die eerste les te goed geleerd heb, begrijpen en medelijden hebben.

Mijn moeder begreep nooit iets; zij veroordeelde en verwierp en op die manier hoefde ze zich veel minder zorgen te maken.

Toen Lisa begon te praten over mijn zuipende broers, over hoe bang ze waren in de grote stad en hoe het gevoel een vreemdeling te zijn hen uitholde, was er iets in haar woorden dat ik herkende, als een melodie die ik ooit had gekend. Het zou nog lang duren voordat ik begreep dat mijn vader mij die geleerd had, maar dat was zo lang geleden dat ik de woorden niet meer wist. Ik herkende alleen nog het gevoel, dat altijd sterker is dan dat wat uitgesproken wordt.

Ik ben het trouwens met Anna eens dat degene die veel begrijpt te veel moet verdragen. In wezen is dat waar. Waarin we van elkaar verschillen is de levenshouding zelf. Ik denk dat het leven pijn moet doen. Anna vindt dat het er is om van te genieten. Dat maakt haar verbitterd en gretig. Ik vind het moeilijk om hieraan te denken, want ik weet immers wie haar geleerd heeft om veel en alleen het beste te verwachten.

Lisa was een begrijpend mens, die veel meer had moeten verdragen dan redelijk is. Haar vader was een alcoholist die zijn vrouw en kinderen vaak mishandelde. Twee broers stierven, een ging er naar Amerika en Lisa, pas twaalf jaar oud, vluchtte naar Göteborg.

Over hoe ze in haar onderhoud voorzag wilde ze liever niet praten, maar wat ik begreep uit het weinige dat ze erover vertelde, was dat ze had gebedeld en onder poorten had geslapen. Totdat ze werk kreeg in de spinnerijfabriek waar ze haar longen verpestte met het stof. Het was vreselijk om haar gedurende het lange, vochtige najaar dat Göteborg had, te horen hoesten. Ragnar kon er niet tegen; wanneer het hoesten begon ging hij als een opgejaagde de deur uit en de stad in. Ik begreep wel wat hem plaagde, maar Lisa deed het verdriet.

Toen haar moeder op het platteland stierf pleegde haar vader zelfmoord. Lisa was de enige erfgenaam van de boerderij, want andere erfgenamen vielen niet te achterhalen. Ze bleek gevoel voor zakendoen te hebben. Ze verkocht de beesten op de veiling, de akkers aan de buurman, het bos aan een bosbouwbedrijf en het huis aan een groothandelaar die een zomerhuis aan de kust van Halland zocht.

Vervolgens gebruikte ze het geld om het winkeltje in garen en band te kopen, dat op de grens lag van de arbeiderswijk Haga en Vasastad, waar de gegoede burgerij woonde. Ze was vast een vrij en zelfstandig mens geweest tot de dag waarop ze Ragnar ontmoette en hopeloos verliefd op hem werd.

Was ze voor die tijd gelukkig? Ik weet het niet.

Maar ze leek wel gelukkig toen ze ging trouwen en een eerzame echtgenote werd. Dat Ragnar met haar naar de dominee ging was de verdienste van Hanna Broman, zei ze. En daar zou ze haar haar hele leven dankbaar voor blijven. Ik weet nog dat ik er lang over heb gepiekerd wat moeder tegen Ragnar gezegd zou kunnen hebben. Ik had nog nooit meegemaakt dat hij iets dat zij zei serieus nam. Hij lachte om haar.

Ik lachte niet om mijn moeder. Ik haatte haar, schold haar uit en schaamde me voor haar.

Midden in de oorlog, toen er nauwelijks eten te krijgen was, kreeg ik borsten en werd ik ongesteld. Moeder zei dat de ellende nu begon; nu kon de schaamte mij ieder moment treffen. Ik weet het nog goed, want ze werd lijkbleek en zag er doodsbenauwd uit toen ze me leerde hoe ik het verband moest vastmaken.

'Je moet me beloven om voorzichtig te zijn', zei ze. 'Pas goed op jezelf.'

Ik probeerde te vragen waar ik bang voor moest zijn, maar zij snoof, bloosde en zweeg.

Zoals zo vaak wanneer ik het moeilijk had, ging ik naar Lisa. Maar deze keer hielp ze me niet. Ze kreeg ook een vreemde blik in haar ogen. Ze begon te hakkelen en zei dat ze met Ragnar moest praten. Dus ik begreep dat het vreselijke niet alleen dat akelige bloed was dat uit me liep, maar iets veel ergers.

De dag daarna zei Ragnar kortaf en gegeneerd dat ik uit moest kijken met mannen. Dat was alles wat ik te horen kreeg. De rest puzzelde ik zelf bij elkaar. Ik dacht aan de afschuwelijke woorden die ik van mijn broers gehoord had, over lullen en kutten. En er was ook een herinnering uit mijn kinderjaren die hielp. Ik herinnerde me hoe we door het bos waren getrokken met een van moeders koeien die naar de stier moest op de boerderij van de oude grootvader Eriksson. Erik en ik gingen samen en toen we er eindelijk waren kregen we koekjes en limonade van een tante.

Toen zag ik hoe de stier de koe besteeg. Ik had zo'n medelijden met haar.

Ja, ik begreep wel hoe het ging.

Lisa kreeg haar eerste kind in de zomer en ik moest toen echt leren om op een winkel te passen. Het ging me goed af; ik rekende, mat en knipte, en praatte met de klanten. Lisa vond dat ik bijzonder ijverig was voor mijn leeftijd. Rond de middag kwam ze met de baby en bracht ze eten voor mij mee. Ze telde de kassa en wist niet hoe ze het had van blijdschap.

'Mijn hemel! Als ik toch eens geld genoeg had om je in dienst te kunnen nemen.'

De deftige dames uit Vasastan zeiden dat ik een goede smaak had. Dat was gelogen. Stiekem lachte ik om ze omdat ze niet begrepen dat ik het altijd met ze eens was wanneer ze zeiden waar die gele bandjes het beste bij pasten en dat blauw mevrouw Holm zo goed stond.

Ik leerde veel, meer over mensen dan over stoffen en band. Maar vooral leerde ik de kunst om in een winkel te staan.

Moeder was blij met het geld dat ik verdiende. Maar ze vond het niet prettig dat ik daar alleen in de winkel was.

'Zodra je van school komt moet je ergens meid worden', zei ze. 'Dan weet ik tenminste waar je bent. We zullen wel een goede familie vinden.'

'Nooit van mijn leven!'

Ik schreeuwde. Het hele laatste schooljaar bleef ik 'nee' schreeuwen, maar het hielp niet. Moeder was zo vasthoudend als een luis.

Lisa probeerde tevergeefs om haar om te praten. Ook Ragnar kon haar niet aan het wankelen brengen. Zelfs Erik probeerde het: 'U bent dom, moeder. Het meisje is veel te goed bij om meid te worden.'

'Ze is niet slimmer dan een ander.'

Ik kwam terecht bij een deftige familie op Viktoriagatan. Vooral meneer was deftig; hij was dokter en schreef in tijdschriften. Nu achteraf weet ik dat ik daar sociaal-democraat ben geworden. Zij waren zo veel voornamer dan ik. Zo zonder meer. Vanzelfsprekend. Ze zagen mij niet, ik bestond niet. Ze lieten winden waar ik bij was, praatten over mij heen, stonken naar pruimtabak, hadden vieze vlekken in hun lakens en vreemde rubberen zakjes in bed.

Eerst vond ik dat ze geen schaamte kenden. Maar later, toen ik zag hoe ze zich gedroegen als er mensen op bezoek kwamen, begreep ik het. Ik was niemand. Ik was net een hond.

Ze beulden me ook af als een beest, van zes uur 's ochtends, wanneer die kinderen van hen wakker werden, tot laat in de avond, wanneer ik aan tafel moest bedienen. Mijn schamele loontje stuurden ze naar moeder. Om de veertien dagen had ik een vrije middag. Dan ging ik naar Lisa, niet naar huis. Ik ben er twee jaar geweest en nooit kan een mens eenzamer zijn geweest.

Toen kwam de nacht dat de dokter in de eetzaal aan een artikel zat te schrijven terwijl hij cognac dronk. Opeens hoorde ik hem door de keuken stommelen op weg naar het hok dat de meidenkamer genoemd werd. Hij morrelde aan de deur en ik kon nog net op tijd uit bed komen. Toen hij zich op mij wierp schopte ik hem in zijn kruis. Hij gilde. De deftige mevrouw kwam eraan rennen. In de tijd dat zij stond te schreeuwen en te schelden pakte ik mijn jas en denderde de trap af. Bij Ragnar en Lisa bonkte ik op de deur totdat ze me erin lieten en ik geloof dat ik Ragnar nooit zo kwaad heb gezien als toen hij naar Viktoriagatan vloog. Midden in de nacht.

Wat hij tegen de deftige familie heeft gezegd, of hij dreigde met slaag of met de politie, ben ik nooit aan de weet gekomen. Maar hij moet ze wel bang hebben gemaakt, want toen hij thuiskwam had hij wel vijftig kronen voor mij bij zich.

'Dat geld moet je voor moeder verbergen', zei hij.

Ik weet ook niet wat hij de volgende ochtend tegen moeder zei. Maar ze werd ziek, ze lag drie dagen in bed en had hoge koorts. Toen ze opstond om naar de bakkerij te gaan, waar je niet langer dan drie dagen ziek mocht zijn, probeerde ze iets tegen mij te zeggen. Maar ze kreeg de woorden niet over de lippen en mij kon het niet schelen. Ik wist dat ik haar had overwonnen.

'Je bent zo mager als een lat', zei ze toen ze 's middags thuis-kwam.

'U denkt toch niet dat ik daar wat te eten kreeg', zei ik. 'Alleen de restjes die overbleven wanneer de dames en heren klaar waren met eten. En er bleef niet zo vaak wat over.'

'Bij deftige mensen hebben ze vast ook gebrek aan eten', zei ze.

Ze had een broodje voor me klaargemaakt. Ik gooide het haar recht in het gezicht en verdween naar Lisa. Daar at ik weer bij, daar hadden ze genoeg voedsel ondanks de oorlog. In het gebouw waar wij woonden werd gefluisterd dat Ragnar op de zwarte markt handelde, maar ik wist niet wat dat was en het kon me trouwens ook niet schelen. Ik at als een gek en wanneer ik niet at stuurde Lisa mij uit wandelen met haar kinderen.

Het waren lieve kinderen, rustig en aanhankelijk. Samen ont-dekten we het bos rond het paleis. Dat bos leek op hoe het vroeger thuis bij de waterval was geweest, maar dan natuurlijk mooier; met aangelegde, zachtgolvende gazons en vreemde bomen die ik niet kende. En dan al die bloemen!

Als ik 's avonds alleen op de bank lag in de keuken van Lisa, piekerde ik over wat er was gebeurd, die nacht dat de dokter dronken was. In het begin dacht ik er vooral aan dat ik niet bang was geworden; ik genoot echt van de gedachte dat ik een moedig mens was. Pas naderhand begreep ik dat ik het benul niet had gehad om bang te worden.

Toen begon ik na te denken over het gat dat ik had, dat gat, waar elke maand bloed uit kwam.

Ik begon het te onderzoeken. Er was niets vreemd aan, het was net een mond die openging wanneer je er een vinger in stopte. Wat wel vreemd was, was dat ik er zo blij van werd, zo opgewonden. Als ik eenmaal begonnen was had ik moeite om te stoppen; ik herhaalde het iedere avond voor ik in slaap viel.

Een half jaar hielp ik Lisa met de kinderen en de winkel. Daarna kreeg ik werk bij Nisse Nilsson, die een delicatessenwinkeltje had in Basar Alliance, de markthal. Hij was een vriend van Ragnar; ze deden samen zaken en in de herfst gingen ze altijd samen op jacht. Het was een vriendelijke, zonnige man, vooral 's middags wanneer de brandewijnfles half leeg was.

'Dan heb ik iemand nodig die ik kan vertrouwen', zei hij.

Maar hij dronk nooit meer dan hij aankon. Een fles ging twee dagen mee.

Het was nu 1918 en het aantal mensen dat in de rij stond voor brood op Södra Allégatan werd kleiner. De honger verloor langzaam haar greep op de stad. Maar daarna begonnen de mensen dood te gaan aan de Spaanse ziekte, terwijl dat toch maar een gewone griep was. Dus eigenlijk stierven ze van ondervoeding, de kinderen in het appartement onder ons, de vrouw die boven Lisa woonde en vele anderen. Ik was voortdurend bang en hield Lisa's kinderen goed in de gaten en ook moeder, die met de dag vermoeider werd.

Maar mijn onrust verdween toen ik iedere ochtend om acht uur naar mijn nieuwe werk ging. Ik stak Södra Allégatan over en liep door Allén, langs het Rosenlundkanaal en over de Basarbrug naar de binnenstad tussen de grachten, waar Kungstorget en de grote hallen lagen. Voor het eerst zag ik dat de stad mooi was, met die glinsterende waterwegen en de hoge bomen die zich over kaden bogen. Ik voelde dat ik hier thuishoorde. Ik was een van de velen die in de maat naar hun dagelijks werk liepen.

Langzamerhand kwam de lente met zon en warmte en we dachten dat er einde zou komen aan de Spaanse griep. Maar de zomer gaf aan de ziekte een nieuwe impuls en er stierven steeds meer mensen in die ellendige, kleine souterrains in Haga.

In de grote markthal riepen we elkaar goedemorgen toe, terwijl we de luiken opensloegen en al het lekkers van die dag uitstalden op de toonbanken. Greta, die in de kaaswinkel stond, was bijna altijd het eerst klaar en riep dan dat ze koffie ging zetten.

We dronken onze koffie staande en we aten er ronde witte broodjes met kaas bij. We konden meestal nog net de laatste teug koffie naar binnen slaan, voordat de poorten opengingen en de mensen binnenkwamen. Ze wilden vers brood bij het ontbijt, vers gekarnde boter en soms een paar koeken. De eerste uren had ik niet zo veel te doen. Pas na de middag begonnen de inwoners van Göteborg aan delicatessen te denken. En 's middags stonden ze bij mij in de rij.

Ik leerde veel: gerookte zalm in flinterdunne plakjes snijden, onderscheid maken tussen de verschillende soorten ingemaakte haring, paling schoonmaken, lekkere sausjes maken, voelen wanneer de krabben dik genoeg zijn, garnalen koken, zeekreeft in leven houden en duizend andere nuttige dingen. Zoals wegen en rekenen. En door oefening overwon ik mijn verlegenheid en leerde ik praten. Je bek open durven doen, zoals Nisse Nilsson zei.

'Dat is het allerbelangrijkste, Johanna. Vergeet dat niet.'

's Ochtends vroeg was Nisse in de haven en de rokerijen. 's Middags, ja, dan deed hij wat hij deed. Ten slotte deed ik bijna alles: de kassa en de afrekening, de inkooplijsten en de bankzaken.

'God, wat een wicht', zei Nisse toen Ragnar een keer langskwam.

Ik groeide.

Maar het mooiste van alles was dat ik vrienden kreeg. Zelfs een paar die vrienden voor het leven werden: Greta uit de kaaswinkel, Aina van de vleeswaren en Lotta uit het koffiehuis.

En natuurlijk Stig, de zoon van de vleeshandelaar. Men zei dat hij verliefd op me was. Maar ik deed net of mijn neus bloedde en zo konden we vrienden blijven.

Hier in de hal kwam ik er ook achter dat ik knap was. De schoonheid van de markthal, zei Nisse, die altijd overdreef. Maar overal waar ik door de gangen rende floten de jongens me na, dus waarschijnlijk was er wel iets van waar. Het werd een steeds terugkerend grapje, want ze zongen me ook na: 'Johanna, kun je fluiten?' Van een twaalfjarige buurjongen leerde ik op mijn vingers fluiten, een geluid waarvan de katten de bomen in vluchtten.

Vanaf dat moment floot ik iedere keer als ik in de hal dat onnozele deuntje hoorde op mijn vingers. Het werd gewaardeerd, maar Nisse vond het niet goed.

'Hou daar mee op', zei hij. 'Je mooie mondje wordt er lelijk van.'

Op een dag helemaal in het begin kreeg ik de dokter van Viktoriagatan in de gaten. Hij was met vaste tred op weg naar mijn toonbank. Ik kreeg een droge mond en voelde hoe mijn hart bonkte, maar de gedachte aan Nisse, die in het hokje achter de winkel zat, kalmeerde me.

Het was trouwens niet nodig om opgewonden te raken, want de dokter herkende me niet. Hij wilde twee zeekreeften, twintig dunne plakjes zalm, een kilo garnalen en een halve kilo bokking.

Ik maakte de boodschappen klaar en hij betaalde. Het eind-bedrag was precies twee keer zo groot als het loon dat hij mij per maand betaald had.

Hij probeerde nog af te dingen.

'Het spijt me, maar we hebben vaste prijzen.'

Nisse, die het gesprek had gehoord, kwam naar buiten om me te prijzen. Zo moest je het doen, vriendelijk maar beslist. Toen zei hij: 'Kind, wat zie je er bleek uit. Ga maar even een kopje koffie drinken.'

Dus zat ik daar in het café en probeerde het ongelooflijke te bevatten: hij had me niet herkend, die schurk.

Ik zei al eerder dat het mijn betrekking als dienstmeid was die van mij een sociaal-democraat heeft gemaakt. Maar ik doe me vaak beter voor dan ik ben; bij het gezin aan Viktoriagatan heb ik geleerd om de bourgeoisie te haten.

Het gebeurde op een stormachtige dag in april 1920. Vlak voor de middagdrukte.

Ik stond alleen in de winkel. De toonbank was plakkerig omdat ik aal had schoongemaakt voor een klant die vertelde dat er buiten een orkaan woedde en dat de grachten overstroomden. Toen hij weg was en ik de toonbank wilde schoonmaken, ontdekte ik dat ik geen water had.

In de winkeltjes hadden we geen stromend water, maar in het midden van de hal, onder de grote glazen koepel, bevond zich een ronde binnenplaats met een put en een pomp. Ik vroeg aan Greta van de kaas of ze even op mijn winkeltje wilde letten en rende met de emmer weg.

'Als je maar opschiet', zei ze.

Dus ik vloog. Maar precies op het moment dat ik de zware deur naar de glazen binnenhof wilde openen, liet ik mijn emmer vallen die rinkelend op de stenen vloer terecht kwam. Geërgerd probeerde ik me te bukken om de emmer op te pakken. Dat lukte niet.

Toen hief ik mijn rechterhand op om de deur te openen. Dat lukte ook niet en het drong tot me door dat ik versteend was. Even dacht ik aan kinderverlamming. Maar ik werd niet bang; het was zo rustig om me heen. En binnenin me. Zo'n vredig gevoel, dat ik niet in staat was te denken of angst te voelen. Het werd ook wonderlijk licht. Op de een of andere manier was het... plechtig.

Een paar lange minuten verstreken en maar heel even dacht ik eraan dat ik haast had.

Toen kwam de klap van de glazen koepel, die door de storm werd losgerukt en met een donderend geweld dat de doden had kunnen wekken naar beneden viel. De deur vloog open, sloeg tegen mijn hoofd en wierp mij recht over het pad tegen de muur aan. Het regende glassplinters en ik voelde iets in mijn arm steken. Ik hield mijn beide handen voor de ogen en mijn gezicht raakte niet verwond. Overal vandaan kwamen mensen aanrennen; ik hoorde ze roepen: 'Godzijdank, hier is Johanna. Ze is net op tijd naar buiten gekomen... maar ze bloedt. Haal de politie! Een ziekenwagen!'

In ziekenhuis Sahlgren haalde een aardige dokter de splinter uit mijn arm en hechtte de wond.

'U hebt een beschermengel gehad', zei hij.

Daarna kwamen er politie-agenten en de commandant van de brandweer: Nee, de juffrouw had niets ongewoons gezien of gehoord.

'Ik had zo'n haast', zei ik.

Ze geloofden me.

Er werd veel gepraat over het ongeluk, want de klap was in de hele stad te horen geweest. Er werd over in de krant geschreven en over mij stond er: 'Het meisje met de beschermengel.' In de hal plaagden ze me ermee: 'Hoe gaat het vandaag met de engelen?'

Op een dag werd het me te veel en ik barstte in tranen uit. Stig troostte me en droogde mijn tranen af, en daarna werd er niet meer over beschermengelen gesproken.

Maar moeder las over mij in de krant en zei iets wonderlijks: 'Ik hoop dat je begrijpt dat het waar is.'

Ik gaf geen antwoord, maar voor het eerst in vele jaren keken we elkaar met een blik van verstandhouding aan. Ze lachte een beetje voordat ze vroeg: 'Was het je vader, Johanna?'

'Ik weet het niet, moeder.'

Dat was zo; ik wist het niet. Vandaag de dag weet ik het nog niet. Ik wilde ook geen verklaring. Toen niet en later ook niet.

Het enige dat ik wist, was dat er een wonder was gebeurd en dat ik me daarna mijn vader herinnerde en de bossen, de waterval die bruiste, het duikertje dat riep in de schemering, de sprookjes die vader vertelde, de liedjes die we samen zongen. Dat had ik me daarvoor niet durven herinneren. Nu stroomden de beelden naar mij toe, eerst 's nachts in mijn dromen en daarna op heldere dag. Het was alsof ik een schot in een dam had opengezet.

Ik droomde dat we vlogen, vader en ik, dat we zweefden op de thermiek bij de Wolvenrots. Toen we de top van de klip naderden was het nacht, en we gingen zitten om uit te rusten. Hij wees naar de sterren en zei dat het verre, vreemde werelden waren. Toen ik vroeg wie daar woonden vertelde hij dat het leeg en verlaten was in het huis van de sterren.

We vlogen ook over de meren, over het lange meer en het Noorse water en over alle duizenden bosmeertjes.

Deze vliegdromen vervulden mij met een onbeschrijfelijke vreugde, een gevoel van overwinning. Van macht, ja, zelfs van macht.

Overdag was het anders. Dan werd ik aan vroeger herinnerd. Alles, alles kon me eraan herinneren. Er zong een vogel toen ik door Allén op weg naar huis was. Ik bleef staan om te luisteren en wist: dat is een vink. Ik groette Ernst, de bakker uit de markthal, en rook opeens de geur van meel uit een ton en ik zag de meeldeeltjes dansen in de zonnestralen thuis in de molen. Op een zondag liepen Greta en ik naar Delsjön. We installeerden ons op een landtong waar het grote bos zich in het diepe binnenmeer spiegelde. Aan de oever stonden berken en wilgen met hun kelken en hangende takken. Toen kon ik de esdoorns thuis voor me zien; ik zag hoe ze hun lichtgroene kanten bloemen in de Noorse meren lieten vallen.

'Vind jij ook niet dat het hier naar honing ruikt?'

Nee, Greta rook het niet.

Bijna net zo vreemd was het met moeder. Ik dacht immers dat ik van haar bevrijd was. Maar nu kwam ze terug met alle macht die een moeder heeft. Zij is immers ondanks alles de enige die er altijd is.

Ik voerde lange gesprekken met haar. Stilzwijgende gesprekken, maar voor mij waren ze echt.

Op 1 mei zaten we 's avonds aan tafel. Ik had meegelopen in de optocht, had de strijdliederen gehoord en het geklapper van de rode vlaggen in de wind.

Ik zei: 'Wat kunt u er fout aan vinden dat arme mensen hun recht opeisen?'

En ze antwoordde: 'Het gaat verkeerd als de mensen niet langer ootmoedig zijn. Wie zal er doen wat er gedaan moet worden, als de armen het niet doen? Je denkt toch zeker niet dat de rijken en machtigen ooit hun eigen vuil gaan opruimen?'

'Moeder, u moet begrijpen dat er een nieuwe tijd aanbreekt.'

'Dat heb ik begrepen. De mensen haten elkaar.'

'Daar zit iets in, moeder. De haat wordt eindelijk rijp en zal binnenkort vruchten afwerpen.'

'En hoe zullen die vruchten smaken?'

'Ik denk dat ze net zo wrang zullen zijn als de pruimen van de sleedoorn, moeder, waarvan u altijd zegt dat ze zo gezond zijn.'

'Je kunt niet leven van sleepruimen.'

'Nee, maar wel van fatsoenlijke lonen en vaste banen. Het is iets nieuws, moeder, iets waaraan u nooit eerder hebt gedacht.'

'En wat zou dat dan wel moeten zijn?'

'Gerechtigheid, moeder.'

'Er bestaat geen gerechtigheid in deze wereld. God beschikt, zoals hij altijd heeft gedaan.'

'Maar stelt u zich voor dat Hij niet bestaat, die kwade God waar u in gelooft. Stelt u zich voor dat wijzelf beschikken.'

'Je weet echt niet waar je het over hebt, kind. Sommigen worden blind, ziek en lam. Onschuldige kinderen gaan dood. Voor velen is het leven al kapot, voordat ze hebben leren denken.'

'Er zouden er meer blijven leven en gezond zijn als de mensen beter eten en betere huizen kregen.'

'Precies. Maar er komen altijd nieuwe bazen.'

'Nee. We krijgen een wereld waarin iedereen zijn eigen baas is. Dat heb ik de spreker op Järntorget net horen vertellen.'

Ze schudde haar hoofd: 'Maar Larsson op de derde verdieping dan', zei ze. 'Hij met zijn werkplaats heeft immers geld en hij hoeft zich voor niemand te buigen. Maar zijn kinderen slaat hij halfdood en hij zuipt als een zwijn. De mensen worden niet beter als ze het beter krijgen. Denk maar aan dat rijke gezin waar jij gediend hebt. Die waren niet beter dan de ergste boeren in mijn kindertijd.'

Nadien heb ik lang over het gesprek nagedacht. Moeders pech was niet dat ze dom was. Moeders pech was dat ze geen woorden had.

En toen werd Ragnar veertig. Dat zou een feest worden met een groot buffet onder de hoge bomen op de binnenplaats. Het weer was mooi. Lisa had brood gebakken en moeder koekjes. Nisse Nilsson had een doos ingepakt met haring, zalm en pasteitjes en allerlei andere lekkernijen.

'Mijn verjaardagscadeau voor je broer', zei hij. 'Maar zeg tegen hem dat hij zelf voor bier en brandewijn moet zorgen.'

Er zouden veel mensen komen; Ragnar had overal in de stad vrienden.

Toen de tafel gedekt was waren wij vrouwen trots. Het zag er mooi uit, met bloemen en berkentakken en brede, groene linten. Het viel eigenlijk helemaal niet op dat de witte kleden lakens waren en dat het porselein van verschillende soorten was, bij elkaar geleend bij de buren.

Toen moeder en ik naar boven renden om onze zondagse kleren aan te trekken, hoorden we dat de accordeonisten waren gekomen en begonnen te oefenen. Een oude wals: 'Een jongen treedt binnen, grijpt zijn kans, en hij vraagt zijn liefje om een dans.'

Moeder haalde haar neus op. Ze haalde haar oude wollen jurk te voorschijn, die zwart was en tot op de enkels hing.

'U kunt toch voor deze ene keer wel eens een modernere jurk aantrekken. Misschien die groene...?'

Maar ik wist al dat ze niet te vermurwen zou zijn. Ze wilde er eerbaar uitzien. Oud en waardig.

Het was een geslaagd feest. De mensen zongen en aten en naarmate het brandewijnpeil in de flessen daalde werden ze steeds luidruchtiger. Moeder keek een beetje angstig, maar kalmeerde toen Lisa fluisterde dat Ragnar nuchter was en er voor zou zorgen dat er geen vechtpartijen zouden voorkomen of andere onaangename dingen. Moeder ging vroeg weg. Tegen mij zei ze zachtjes dat ze moe was en het in de rug had. Ik ging met haar mee naar boven, hielp haar op bed en legde een deken over haar heen.

Dat irriteerde haar. Ze was nooit in staat om hulp of vriendelijkheid aan te nemen.

'Nu gaan ze dansen op de binnenplaats. Hup, naar beneden jij. Ga plezier maken.'

Ik danste wat met Nisse Nilsson, maar ik had geen plezier. Ik moest de hele tijd aan moeder denken en ik was boos en verdrietig tegelijkertijd. Waarom kon ze niet vrolijk zijn zoals andere mensen, zoals de andere vrouwen die hier in de avondzon zaten te roddelen en te lachen? Velen van hen waren een stuk ouder dan zij. Zij was pas drieënvijftig.

Zij was drieënvijftig!

Iets heel verschrikkelijks wilde naar buiten, begon door te dringen in mijn hoofd.

Nee.

Jawel. Zij was drieënvijftig en haar zoon werd veertig.

Op dertienjarige leeftijd had ze een kind gebaard.

Ik rekende negen maanden terug, kwam uit bij oktober.

Toen was ze twaalf.

Een kind!

Dat kon toch helemaal niet. Hij was misschien een pleegkind.

Nee, ze lijken op elkaar!

Ik had altijd geweten dat Ragnar een andere vader had dan ik en de andere broers. Wie? Er werd wel gezegd dat moeder, toen ze jong was, verliefd was geweest op een neef, maar dat kon toch ook niet. Een twaalfjarige wordt niet zo verliefd dat ze met een man naar bed gaat. Iemand had gezegd dat ze helemaal kapot van verdriet was geweest toen de neef bij een jacht per ongeluk was doodgeschoten. Wie? Dat zou ik Lisa moeten vragen. Maar wat wist zij?

Ik ging ook vroeg weg. Tegen Lisa zei ik dat ik voor moeder moest zorgen.

'Is ze ziek?'

'Ik weet het niet; ik ben er niet gerust op.'

Ik rende de trappen op en wist dat ik het zou moeten durven vragen.

'Moeder, slaapt u al?'

'Nee, ik lig alleen wat te rusten.'

'Ik heb net uitgerekend dat u twaalf jaar was toen u zwanger werd en dertien toen u baarde.'

Ze ging rechtop zitten en ondanks de schemering kon ik zien dat ze vuurrood werd. Ten slotte zei ze: 'Jij bent altijd zo bijdehand. Het is gek dat je dat nog niet eerder uitgerekend hebt.'

'Ja, dat is gek. Maar iemand had gezegd dat u verliefd was op Ragnars vader en dat u zo verdrietig was toen hij stierf. Dus ik wilde er eigenlijk niet over denken of ernaar vragen.'

Ze begon te lachen, een vreselijke lach. Alsof ze haar verstand was kwijtgeraakt. Toen ze zag dat ik bang werd sloeg ze haar hand voor haar mond. Het werd stil.

Vervolgens zei ze: 'Ragnars vader was een verkrachter en een wildeman. Het was de mooiste dag van mijn leven toen ze hem neerschoten. Ik was altijd bang voor hem. Hoewel dat niet meer nodig was, want toen was ik getrouwd met Broman en die had de kerkpapieren van de jongen.'

'Hoe lang bent u alleen geweest met Ragnar, voordat u vader ontmoette?'

'Vier jaar lang was ik een hoer en werd ik uitgescholden.'

Ik durfde haar niet aan te kijken toen we ons uitkleedden en het bed opmaakten. Maar ik kroop bij haar op de bedbank in de keuken en huilde mezelf in slaap, terwijl de accordeons beneden op de binnenplaats gierden en de mensen ronddansten tussen de bomen en de grote tafel, de plees en de schuurtjes.

Wat heb ik gedanst die zomer dat de stad driehonderd jaar werd en zichzelf het pretpark Liseberg cadeau gaf! Tegenwoordig vinden de mensen dat het maar een gewone kermis is met draaimolens en een achtbaan. Ook al zullen de meesten moeten toegeven dat het mooi is.

Wij, die er bij waren toen het aangelegd werd, vonden het net een sprookje dat werkelijkheid werd. Er stonden huizen zo mooi als tempels in het park met zijn spiegelende vijver en waterlelievijver, met zijn beekjes die zingend de helling afvloeiden, zijn spelende orkesten, theaters, balletten tussen de zuilengalerijen en de duizenden, nee honderdduizenden bloemen.

In een paar weken tijd danste ik drie paar schoenen kapot. En de charleston uit de jaren twintig herinner ik me als het leukste van mijn leven.

Maar het was niet alleen Liseberg.

We kregen ook een achturige werkdag. Dat was belangrijk voor moeder, want met haar rug ging het toen iets beter. En we kregen vakantie. Aina, Greta en ik namen de trein naar Karlstad. Daarvandaan wandelden we noordwaarts door het Frykendal naar Sunne en Mårbacka. De reis alleen al was een avontuur; niet in de laatste plaats voor de mensen in de dorpen langs het meer. Drie jonge vrouwen in lange broeken(!), die alleen rondtrokken, ja, dat was bijzonder in die tijd.

Ik besef nu dat ik iets belangrijks vergeet: Selma Lagerlöf. Aina had over haar in de krant gelezen en haar boek *De ring van Löwensköld* geleend in de bibliotheek. We lazen het boek alledrie; we versleten het zoals we onze schoenen versleten hadden tijdens de jubileumzomer. Goeie genade, wat een indruk maakte zij!

Misschien nog wel het meest op mij, die zich erin herkende. Want hier vond je ook die betovering uit de kinderjaren. Ik las en ik las, en de wereld kreeg opnieuw diepgang. Hier was iemand aan het vertellen die wist dat niets was wat het leek te zijn, dat alles een verborgen lading had. Elke week legde ik van mijn loon geld opzij om haar boeken op afbetaling te kopen bij Gumperts. In mooie leren banden. God, wat was ik trots toen ik ze in mijn boekenkastje verzamelde.

Van Mårbacka herinner ik me niet veel en ik denk dat dat komt omdat ik teleurgesteld was. Misschien had ik me voorgesteld dat het landhuis zou stralen, dat er een glans over het park zou liggen en dat je een glimp van Gösta Berling en Charlotte Löwensköld, Nils van Skrålycka en het meiske uit Stormyrtorpet onder de bomen zou opvangen.

Van Selma Lagerlöf leerde ik dat de liefde een geweldige kracht was, onweerstaanbaar, pijnlijker en heerlijker dan ik mij ooit had kunnen voorstellen. Nu achteraf vraag ik me weleens af wat juffrouw Lagerlöf deed met ons, jong en hunkerend als we waren. En geboren onder omstandigheden waarbij nauwelijks plaats was voor zulke grootse gevoelens. In elk geval begonnen we te dromen over de prins, Aina, Greta en ik.

Nu wil ik niet alle schuld op boeken schuiven. Toen we, de een na de ander, ons vizier begonnen te richten op 'de ware Jacob' en het huwelijk ons doel werd, waren er meer beweegredenen. Hoewel we zelf de samenhang nooit zo hebben gezien.

Aan het eind van de jaren twintig begon Göteborg namelijk vaart te verminderen. De mensen hadden minder geld, in de markthal gingen twee winkeltjes failliet en op straat zag je mannen werkloos rondhangen.

De grote depressie was begonnen. Maar toen, in het begin, kenden we dat woord en zijn betekenis nog niet.

In de kranten werd geschreven dat de vrouwen het werk van de mannen afpakten. Men eiste nieuwe wetten die het een getrouwde vrouw zouden verbieden een beroep uit te oefenen. In iedere winkel van de stad werden winkelmeisjes ontslagen en gingen de eigenaren zelf achter de toonbank staan. Ik had het altijd als een vanzelfsprekendheid gezien dat ik zelf in mijn onderhoud kon voorzien en ik werd steeds banger.

Het is bijna onmogelijk om aan jonge vrouwen van vandaag uit te leggen hoe het verlangen naar liefde vervlochten raakte met angst en tot een wanhopige jacht leidde. Voor ons was het een zaak van leven en dood. We waren terug bij het punt waar moeder zich ooit had bevonden, met dit verschil dat het boerenmeisje de steun van haar familie had bij het zoeken naar een man die haar kon onderhouden.

Als er iemand gevoelig was voor de grote liefde dan was ik het dus wel toen ik Arne ontmoette. Hij was voorman bij een van de grote scheepswerven en daar zou de crisis toch zeker niet toeslaan? Maar ik schaamde me voor die gedachte en toen moeder later zei dat hij 'een geschikte vent is, die altijd een gezin kan onderhouden', werd ik boos: 'Ik zou ook met hem trouwen als hij putjesschepper was.'

Ik heb al eerder gezegd dat ik de ongelukkige gewoonte heb mij mooier voor te doen dan ik ben. Om de dingen mooier voor te stellen. De simpele waarheid was eigenlijk dat ik mij gedwongen voelde om verliefd te worden nu Nisse Nilsson nauwelijks genoeg zalm verkocht om mijn loon te kunnen betalen en Greta, die eigenaar van het kaaswinkeltje was, failliet ging en een aanstelling als dienstmeid moest aanvaarden.

Maar ik was ook verliefd. De eerste keer dat ik Arne Karlberg zag gebeurde er iets in mijn lichaam. Ik kreeg zweterige handen, hartkloppingen en een kriebelend gevoel in mijn onderlichaam. Voor het eerst begreep ik dat er een honger bestond in dat gat dat ik had, en een heet verlangen in mijn bloed.

Het gebeurde op een bijeenkomst van de sociaal-democratische vereniging. De ene na de andere man stond op en zei wat ze altijd zeiden over onrecht, en dat we ondanks de slechte tijden aan onze eisen moesten vasthouden. Tegen het eind kwam er een boom van een kerel naar voren, die zei dat vrouwen niet alleen het werk van mannen afpakten. Ze droegen er ook toe bij dat de lonen laag bleven wanneer ze hetzelfde werk deden als mannen, maar niet het benul hadden daar ook hetzelfde loon voor te eisen.

Ik werd zo boos dat ik vergat om verlegen te zijn. Ik nam het woord en vroeg hoe men dan dacht dat alle echtgenotes van drinkende mannen, ongehuwde vrouwen, alle weduwes en andere alleenstaande moeders aan een dak boven hun hoofd moesten komen en aan eten voor zichzelf en hun kinderen.

De menigte mompelde wat.

Maar toen beklom hij het spreekgestoelte, Arne, en hij zei dat hij het eens was met de vorige spreker. En dat de vakbonden zich met al hun kracht moesten inzetten om de vrouwen achter zich te krijgen en ervoor te zorgen dat zij dezelfde arbeidsvoorwaarden kregen.

Gelijk loon voor gelijk werk, zei hij en het was voor het eerst dat ik die woorden hoorde.

Nu werd er gefloten in de menigte.

Maar ik keek naar hem en in mijn lichaam gebeurde alles wat ik eerder beschreef. Hij was zo knap. Hij was lang en blond, had een gevoelig en tegelijkertijd daadkrachtig gezicht, blauwe ogen en een strijdlustige kin.

Eindelijk!

Na de vergadering kwam hij naar me toe om te vragen of hij mij een kopje koffie mocht aanbieden. Er was een café aan Södra Allégatan waar we naartoe gingen, maar toen we er waren ontdekten we dat we geen zin in koffie hadden. Dus liepen we verder door Allén en langs de grachten. We hebben de halve nacht gelopen, we kwamen zelfs tot aan de kades en Västra, Norra en Östra Hamngatan. Uiteindelijk zijn we gaan zitten op de sokkel van het beeld van de heldenkoning op het Gustav Adolf-plein en Arne zei dat die koning een rover en een pechvogel was, die het wel kon gebruiken om een eerlijk gesprek tussen moderne mensen te horen.

Ik lachte. Ik heb toen lang naar hem zitten kijken en ik herinnerde me hoe vader over Karel xii had gezegd dat het een gezegende kogel was die een eind aan het leven van die held maakte.

De nacht werd killer; wij kregen het koud en hij bracht mij naar huis. Bij de poort zei hij dat hij nog nooit iets mooiers had gezien dan het meiske dat op de vergadering opstond en zo boos was geweest dat de vonken eraf sloegen.

Hij had een zeilboot die hij zelf gebouwd had. Op vrijdag, vlak voor sluitingstijd, dook hij op in de markthal om te vragen of ik 's zaterdags mee wilde gaan zeilen. We zouden in noordelijke richting langs de scherenkust kunnen varen naar Marstrand om de vesting te bekijken.

Daarna zei hij een beetje aftastend: 'Zo'n tochtje kost wel wat tijd. Dus je moet er op rekenen dat je op de boot moet overnachten.'

Ik knikte, ik begreep het, ik was bereid.

Hij had ook wat voorschriften: warme kleren. En luchtige. Voor eieren, brood, boter en worst zou hij zorgen. Als ik nog iets anders wilde, dan zou ik dat misschien zelf kunnen regelen.

Die zaterdagmiddag zocht ik lekkere restantjes uit de winkel bij elkaar. Ik had wel gezien hoe hij bij de toonbank met hongerige ogen had staan kijken naar al het heerlijks dat wij verkochten.

Wat ik tegen moeder heb gezegd? Dat weet ik niet meer.

Wat ik me het beste kan herinneren van dat weekeinde is niet Arne of de liefde in de nauwe kooi op de boot. Nee, dat is de zee. En de boot.

Het was gek. Ik woonde nu al jaren in Göteborg; ik wist dat de stad naar de zee en naar zout rook wanneer de wind uit het westen kwam. Maar ik had de zee nooit gezien. Op alle uitstapjes was ik naar de bossen en de hoge rotsen landinwaarts gegaan, niet naar de kust. Natuurlijk had ik rondgeslenterd in de haven net als iedereen, naar de vreemde schepen gekeken en de geur geroken van kruiden, hennep en fruit. En net als andere inwoners van Göteborg had ik op de kade gestaan om te zien hoe de Kungsholm zachtjes binnengleed en aanlegde.

Maar het Amerika-schip met zijn overhellende schoorstenen, zo fantastisch en mooi, maakte geen deel uit van mijn wereld. Dat was voor de rijken.

Nu zat ik in een boot die met volle zeilen vooruit danste over de oneindigheid. Een blauwe uitgestrektheid tot aan het einde van de wereld, het geluid van de wind, opspattende golven, glinstering – zo schitterend dat het pijn deed aan je ogen.

'Je mag mijn pet wel gebruiken', zei Arne.

Maar ik wilde geen pet die schaduw gaf; ik wilde mijn ogen wijdopen houden om alles op te nemen, de zee en de lucht.

'Je moet een overhemd over je schouders hangen, zodat je niet verbrandt', zei hij.

Maar ik wilde ook geen overhemd. Ik wilde al dit geweldigs met mijn hele lichaam ondergaan. Arne hield echter aan wat het overhemd betrof dus ik moest gehoorzamen. En daar was ik dankbaar voor toen ik later op de avond voelde hoe de huid van mijn gezicht en mijn hals pijn deed.

'Aan bakboord zie je de vuurtoren van Böttö', zei Arne. 'En daarginds ver weg ligt Vinga. Als we daar zijn gaan we overstag en laveren we in noordelijke richting door de vaargeul tussen Invinga en Vinga. De boot zal dan overhellen, maar dat geeft niets.'

Ik knikte. Toen hij overstag ging en de boot op zijn zijkant lag, gilde ik; niet van schrik maar meer vanwege het duizelingwekkende gevoel.

'Vind je het leuk?'

Leuk was niet het juiste woord en ik lachte als een onnozel kind.

'Het is geweldig', riep ik.

We zeilden stevig aan de wind langs de buitenkant van de scherenkust naar het noorden. De zeilen zongen, de zee bruiste en het zoute water sloeg over ons heen.

'Als je bang bent kan ik wel reven.'

Ik wist niet wat dat betekende, maar ik lachte weer en riep dat ik niet bang was.

'Ik ga nu in de richting van Stora Pölsan. Onder Klåverön krijgen we luwte', schreeuwde hij. 'Daar is een goede haven die Utkäften heet.'

Het klonk allemaal alsof hij gedichten voordroeg, vond ik. De wind nam toe en Arne schreeuwde weer: 'We zullen de fok moeten strijken.'

Ik tekende een groot vraagteken in de lucht. Hij bulderde van het lachen en zei: 'Jij moet even sturen, terwijl ik naar voren ga.'

Ik nam het roer, hij wees de koers aan: 'Recht op dat bosje daar af, zie je wel.' Al na een paar minuten had ik geleerd om een rechte koers aan te houden.

Toen de fok gestreken was richtte de boot zich op en we verminderden vaart. Even later gleden we in de luwte achter het eilandje en werd het stil als in het hemelrijk.

'Nu moet jij weer sturen als ik het grootzeil naar beneden haal.'

Het grootzeil fladderde en klapte, voordat het op het dek kwam. Toen werd het stil, heel stil. Nu was alleen het rustige gekabbel van de boot die door het water gleed nog te horen. Er schreeuwde een meeuw en daarna werd de stilte nog intenser. Daarna een geweldige plons toen Arne het anker in zee wierp, voordat hij naar voren rende en met een touw aan land sprong.

'Hier liggen we goed', zei hij toen hij terugkwam. 'Maar waarom huil je?'

'Het is zo geweldig.'

We stonden een tijdje aan dek te vrijen.

'God,' zei hij, 'jij bent het meisje waarop ik mijn hele leven gewacht heb.'

Toen liet hij me de boot zien. Er leidde een trap naar het roef en de traptreden waren meteen de handvatten van grote, ruime laden. Daarin bevond zich een hele keukenuitrusting: glaswerk, aardewerk, bestek, pannen – alles. Het eten had hij onder de vloer van het roef gestouwd, in de kolsem, had hij gezegd. Hij wees mij het petroleumstel en liet zien hoe ik het uit de tocht moest houden.

Ik maakte het eten klaar, terwijl hij de zeilen in orde bracht. Het rook heerlijk, naar zout, zeewier, gebakken eieren en worst. We aten alsof we uitgehongerd waren.

'De zee trekt', zei hij.

'Wat bedoel je daarmee?'

'Dat je honger krijgt van de zee.'

Ik herinner me het eiland, bloemen die ik nog nooit eerder had gezien, hoe warm de rotsen waren om op te lopen en dan de meeuwen die naar ons toe doken en schreeuwden alsof ze gek waren geworden.

'Er zitten eieren in de nesten', zei Arne. 'We moeten maar niet storen.'

Dat zei vader ook wanneer we in het voorjaar te dicht bij de Wolvenrots kwamen.

Dus keerden we terug naar de boot en gingen verder met elkaar te kussen. Nu voelde ik hoe de lucht tussen ons vibreerde alsof ze elektrisch was geworden en hoe het bloed door mijn aderen stroomde.

Daarna deed het zeer weet ik nog, en toen was het voorbij. Het was op de een of andere manier een teleurstelling. Niet overweldigend.

Moeder en ik woonden nu alleen in het appartement en konden het er mooi en opgeruimd houden. Van de bloemist in de markthal had ik een paar overgebleven geraniums gekregen en moeder verzorgde die, zodat het er voor onze ramen gewoon schitterend uitzag. En we veroorloofden het ons om zomaar door de week mooi geborduurde kleden op de tafel in de woonkamer te hebben.

Moeder was beter gehumeurd en dat had niet alleen te maken met het feit dat we nu vertrouwelijk met elkaar waren geworden en het goed met elkaar konden vinden. Nee, het kwam waarschijnlijk vooral doordat het er voor mijn broers nu beter uitzag. Alledrie hadden ze werk en waren fatsoenlijk getrouwd.

Moeder was best vaak spraakzaam. Regelmatig kwam het voor dat we 's avonds over het verleden zaten te praten. Samen herinneringen zaten op te halen. Zelf had ik vooral herinneringen aan het bos en de meren, de slechtvalken bij de Wolvenrots en de vogelenzang in de avondschemering. Moeder herinnerde zich de mensen: de vrouw van de smid, met het boze oog, de smid zelf, die vader tot de brandewijn verleidde. En Anna, de vroedvrouw.

'Jij moet je haar ook nog kunnen herinneren. Ze woonde bij ons toen jij klein was', zei ze, en toen herinnerde ik me haar inderdaad, die opgeruimde vrouw die mij alles over koken en bakken, kruiden en medicijnen had geleerd.

'Ze was een flinke vrouw', zei moeder. 'En vriendelijk.'

Ze was een engel, dacht ik. Hoe had ik haar kunnen vergeten?

'Dat zij zo flink was, daar heb jij je leven aan te danken', zei moeder, die me toen vertelde over de verschrikkelijke bevalling, 'met het kind dat er niet uit wilde, de wereld in. Ze beet zich vast totdat Anna gedwongen was mij open te knippen'.

Ik schrok me dood. Durfde niet te denken aan de zaterdag in Arnes boot.

Het meest praatten we over vader en zijn verhalen.

'Herinnert u zich het verhaal nog over de Dood die in zijn grot een kaars had voor ieder mens?'

'Ja. Dat ging over Johannes.'

Toen vertelde ze me over de genezer, over de dood van haar moeder en Johannes' voorspelling over vader.

'Dat klopte tot op het jaar precies.'

Ze praatte ook over Ingegerd, de zuster van haar moeder, die nooit getrouwd was en een vrij en zelfstandig mens was geweest, hoewel ze een vrouw was. Midden in het verhaal stokte ze en daarna zei ze iets vreemds: 'Zij had een eigen leven. Daarom kon ze ook altijd echt en fatsoenlijk zijn.'

Ik bleef lang zwijgen. Daarna vertelde ik haar over Arne.

Zoals altijd wanneer ze geschokt was, bloosde ze: 'Kan hij jou en de kinderen onderhouden?'

'Ja.'

Ze dacht lang na voordat ze zei: 'Hou je van hem?'

'Ik geloof het wel.'

'In het begin is dat ook niet zo belangrijk. Als het een goede man is raak je met de jaren aan hem gehecht.'

Dat stond wel zo ver van Selma Lagerlöf af als maar mogelijk was. Maar ik lachte niet; ik hoopte dat ze gelijk had.

Toen kwam de zaterdag waarop Arne ons zou bezoeken. Tegen die tijd had ik hem verteld over Dalsland en vader, over mijn broers die het zo moeilijk hadden gehad in de grote stad en over Ragnar, die als een vader voor ons was, 'hij is geweldig en een beetje gek, maar nu heeft hij drie auto's en zoals altijd gaat het heel goed met hem'.

Toen ik het over Ragnar had keek Arne verbeten, maar toen ik over moeder zei dat ze lief was, maar net als een kind alles zei wat ze op haar hart had, fleurde hij op: 'Ik hou van zulke mensen', zei hij. 'Die liegen niet.'

'Goeie genade', zei ik. Want dat was immers waar; daar had ik nog nooit aan gedacht. En hoewel we op straat liepen bleef ik staan en omhelsde ik hem. De mensen lachten en Arne geneerde zich.

Thuis zag het er mooi uit met de duurste koffiekopjes op het mooiste kleed en zeven verschillende soorten koekjes bij de koffie. Moeder droeg haar zwarte wollen jurk, de gittenketting, een kraag met ruches en een stralend witte schort.

'Wij hebben net zo'n woning, maar dan overdwars, als u begrijpt wat ik bedoel', zei Arne.

Toen kreeg hij de sofa uit Värmland in het oog: 'Wat een prachtig meubel! Wat mooi gemaakt.'

Hij streek over de voegen en de hoeken en zei dat zulk timmermanswerk niet meer gemaakt werd en zulk fraai intarsia ook niet.

Moeder en ik wisten geen van beiden wat intarsia was. Ik was verbaasd en moeder kreeg bijna een beroerte van blijdschap.

'Arne moet weten dat iedereen, maar dan ook iedereen mij altijd belachelijk heeft gemaakt om die sofa.'

Alles liep gesmeerd die middag. Arne vertelde over zijn werk bij Götaverken; dat hij verantwoordelijk was voor de timmermanswerkplaats waar de inrichting voor de grote schepen werd gemaakt.

Inrichting, dat was ook een nieuw woord voor moeder en mij.

'Bedoel je de meubels?'

'Ja, maar het zijn geen gewone meubels. Het meeste is ingebouwd. Zoals in mijn bootje. Maar dan mooier, van mahonie en walnoot en zo.

'Wat geweldig', zei moeder.

Tegen de middag kwam Ragnar even langs. De beide mannen namen elkaar op alsof ze elkaars sterkte wilden inschatten voordat ze zouden beginnen te vechten. Maar ze schudden elkaar als fatsoenlijke mensen de hand en opeens begon Ragnar te lachen. Ik heb het zeker nog niet eerder gezegd, maar dat gaat op een manier die voor iedereen onweerstaanbaar is. Het porselein en de kamer beginnen ervan te schudden; het gaat recht naar je hart en dwingt eenieder die het hoort om mee te lachen. Arne keek eerst verbaasd, maar toen begon hij te lachen en lachten ze allebei zo hard dat de blaadjes ervan uit de geraniums vielen.

'Niet dat ik snap wat er zo leuk is,' zei moeder, 'maar ik ga nieuwe koffie zetten.'

Toen zei Arne iets verbazingwekkends.

'Ik denk dat alleen een man er het leuke van inziet.'

Ik zag een glimp van waardering in de ogen van Ragnar en toen golfden er alweer nieuwe lachsalvo's door het appartement. De twee mannen begonnen over auto's te praten. Ragnar was breedvoerig aan het vertellen, maar het was duidelijk dat ook Arne wat van motoren afwist. Na een poosje begonnen ze over boten te praten, maar Ragnar gaf het op: 'Daar weet ik niets van. Ik ben een landrot.'

'Maar ga eens een keer mee.'

Dus spraken we af dat we de volgende dag uit zeilen zouden gaan als de wind en het weer goed waren. Maar moeder wilde niet: 'Ik ben zo vreselijk bang voor water.'

De volgende ochtend werd ik ongesteld, dus ik ging ook niet mee. Toen de mannen tegen de avond thuiskwamen zag ik wel dat ze het leuk hadden gehad. Daar was ik blij om, bijna net zo blij als om mijn gezegende bloeding.

Die avond werden er twee belangrijke dingen gezegd. In de eerste plaats zei Ragnar tegen mij dat ik 'altijd een flink wicht was geweest, dus dat het geen wonder was dat ik een geschikte kerel had gevonden'.

Arne straalde van trots toen Ragnar afscheid nam.

Maar toen hoorde moeder dat Arne nog thuis woonde hoewel hij de oudste was. Ze zei: 'Dus jij bent zo'n jong dat bang is om het nest uit te vliegen.'

Eerst werd hij rood en toen wit. Ik wist toen nog niet dat hij van kleur verschoot als hij kwaad werd. Hier kon hij uit beleefdheid natuurlijk niet schreeuwen of met de vuist op tafel slaan. Dus zweeg hij.

Jaren later vertelde hij mij dat de woorden van moeder op die avond hem een besluit hadden doen nemen. Want dat nam hij uiteindelijk. Maar pas toen ik in verwachting raakte. Toen had ik zijn moeder ontmoet en begon ik dingen te begrijpen.

Ze zat midden op de bank in de kamer in het gouvernementshuis in de wijk Majorna. Alleen. Ze was een kleine vrouw die veel ruimte nodig had.

Mooi was ze ook. Ze leek op de Chinese ivoren beeldjes die in de dure winkels op Avenyn werden verkocht. Rechte rug, lange hals, fijne gelaatstrekken, blauwe ogen. Net als haar zoon. Maar killer dan hij, veel killer. Ik maakte een revérence voor haar en strekte mijn hand uit. Ze nam hem niet aan.

Ik had spijt van mijn revérence.

Er was nog een vrouw aanwezig. Ze was jonger en gewoner.

'Dat is Lotte, de vrouw van mijn broer', zei Arne.

'Gustav komt zo', zei ze. 'Hij moest nog even een boodschap doen.'

Ik mocht haar meteen en ze schudde mijn hand lang en vriendelijk. Alsof ze me wilde bemoedigen.

Het duurde even voordat ik zijn vader in de gaten kreeg, een grote man die helemaal geen plaats innam. Hij zat in een hoek achter de deur naar de keuken de krant te lezen. Hij had iets schuws over zich en hij keek me niet aan toen we elkaar begroetten. Maar hij gaf me wel een hand. Ik begreep meteen dat hij bang was.

'Dus dit is Johanna, die met mijn zoon wil trouwen. Ze is zeker in verwachting', zei de ijskoningin.

'Nee, voor zover ik weet niet', zei ik. 'En overigens is hij het vooral die wil trouwen.'

Het ivoren gezicht werd eerst rood en toen wit van woede. Net zoals dat van haar zoon.

'Mamma.' Arnes stem klonk smekend.

Ze bood me niets aan, nog niet eens een kopje koffie. Iedereen was stil; het was spookachtig. Ik keek eens rond. Het appartement was ouder en sjofeler dan dat van ons. Donkerbruin behang, de muren vol foto's en glimmende bidprentjes. Toen we over de drempel stapten had ik meteen al gevonden dat het hier naar vuil rook, dat hier van die mensen woonden die in de gootsteen plasten. Arnes broer kwam binnenstormen en omhelsde mij stevig: 'Mijn hemel, wat heb jij een mooi meiske te pakken gekregen', zei hij tegen zijn broer. En tegen mij zei hij: 'Laat je maar niet bang maken door moeder, hoor. Ze is niet zo machtig als ze eruitziet.'

De ivoren dame greep naar haar hart en Lotte zei dat we dan nu maar gingen. Gustav en Arne zouden immers het nieuwe zeil proberen.

We renden alle vier de trap af. Niemand nam afscheid, behalve ik, die de oude man een hand gaf.

We gingen niet naar de boot, we gingen naar de woning van Gustav en Lotte. Ze hadden een mooi tweekamerappartement aan Allmännavägen en daar stond de koffietafel al klaar. Er was zelfs een taart om mij te verwelkomen.

'Je bent toch niet bang geworden, kleine meid?' zei Gustav.

'Een beetje wel, geloof ik. Maar ik was vooral verbaasd.'

'Dus Arne heeft niets gezegd?' Lotte vroeg dat en er klonk een kilte door in haar stem.

'Maar wat had ik dan verdomme moeten zeggen? Je kunt gewoon niet beschrijven hoe moeder is.'

'Oh, jawel', zei Lotte en haar stem was nu ijskoud. 'Ze is egoïstisch en lijdt aan grootheidswaanzin.'

Nu zag ik voor de tweede keer hoe Arne eerst wit en toen rood werd. Toen sloeg hij met de vuist op tafel, terwijl hij schreeuwde: 'Ze heeft maar één fout en dat is dat ze te veel van haar kinderen houdt.'

'En nu kalmeer je', schreeuwde Lotte. 'In ons huis heb je je fatsoenlijk te gedragen.'

Gustav probeerde tussen beiden te komen.

'Zo eenvoudig is het niet, Lotte. Ze was een lieve moeder, totdat ze het aan haar hart kreeg.'

'En het kwam handig uit dat ze dat nou net kreeg toen haar zoons aan trouwen gingen denken.'

'We gaan weg, Johanna', zei Arne woedend.

'Ik niet', zei ik. 'Ik wil niet degene zijn die onenigheid tussen jullie veroorzaakt. En je moet toegeven dat ze zich slecht gedroeg tegenover mij; ze gaf me geen hand en ze bood me niet eens een kopje koffie aan. Zo ben ik nog nooit eerder behandeld.'

Pas nu voelde ik hoe verdrietig ik was. Ik probeerde de brok in mijn keel weg te slikken, maar de tranen kwamen toch.

Gustav en Lotte troostten me en Arne keek vertwijfeld.

'Kunnen jullie niet proberen het mij uit te leggen zonder dat jullie ruzie beginnen te maken?'

Dat konden ze niet, dus werd het helemaal stil. Ik zei: 'Ik had zo'n medelijden met jullie vader. Wat zal hij zich geschaamd hebben. Waarom zei hij niets?'

'Hij heeft zich al jaren geleden afgewend om te praten', zei Gustav. 'Het is vreselijk.'

'Maar hij zou toch op z'n strepen kunnen staan?' schreeuwde Arne. 'Waarom is hij in godsnaam zo laf dat hij alleen maar weg-kruipt en zwijgt?'

'Hij is bang voor haar', zei Lotte. 'Net als jij. En Gustav.'

'Ik ben verdomme niet bang voor haar.'

'Laat dat dan zien. Ga niet weer naar huis voordat ze haar verontschuldigingen heeft aangeboden. En trouw met Johanna.'

'Ik weet niet meer of ik dat nog wil', zei ik, terwijl ik opstond, voor de koffie bedankte en wegging. In de deuropening hoorde hoe ik Lotte tegen Arne schreeuwde dat hij zijn leven door zijn moeder kapot liet maken. Hij rende me achterna de trap af, maar ik draaide me om en zei dat ik alleen wilde zijn, dat ik moest nadenken.

Maar dat lukte niet goed; de gedachten tolden door mijn hoofd en raakten in elkaar verstrikt.

Als ik nu bekijk wat ik heb geschreven over die eerste vreemde ontmoeting met Arnes moeder, vraag ik me af of ik geen onwaar-heden vertel. Ik weet natuurlijk niet meer wat er letterlijk gezegd werd. Mijn geheugen wikt en weegt en misschien lieg ik wel zonder dat ik het wil. Maar ik zou mijn schoonmoeder verafschuwen zolang ze leefde. En door de jaren heen ging ik de kanten van Arne die me aan haar deden denken haten: zijn verlangen om altijd het middelpunt te zijn, de manier waarop hij altijd probeerde zijn zin door te drijven, zijn woede en zijn eeuwige lichtgeraaktheid.

Toen ik thuis bij moeder kwam zei ik dat ik nog nooit zo'n moeilijk mens als mijn toekomstige schoonmoeder had ontmoet. Huilend vertelde ik mijn verhaal en moeder zei: 'Is ze ook godsdienstig?'

'Ik geloof het wel, want er hingen kruisen en bidprentjes aan de muur.'

'Dat zijn de ergsten', zei moeder. 'Dat zijn degenen die kwaad doen in naam van het goede.'

Toen ik 's maandagsavonds klaar was in de hal wachtte Arne mij op.

'Ik ben het huis uitgegaan', zei hij.

'Maar waar woon je nu dan?'

'Op de boot. Zolang het zomer is kan dat wel.'

'Wat heb je tegen haar gezegd?'

'Niets. Ik heb thuis alleen maar mijn spullen gehaald. Ze moet nu maar ontdooien.'

Natuurlijk was ik blij. Maar toch?

'Ik heb meer tijd nodig om na te denken', zei ik, terwijl ik bij hem vandaan liep.

Maar tijd was er niet en ik had geen keus. Want drie weken later was duidelijk dat ik in verwachting was. We wisselden ringen, we verzekerden elkaar dat we bij elkaar hoorden en ik overtuigde mezelf ervan dat hij aardig en betrouwbaar was.

Moeder zei: 'Je hoeft niet te trouwen. We redden ons wel met het kind, jij en ik.'

Dat was geweldig.

Maar toen moest ik haar vertellen hoe slecht het ervoor stond met het winkeltje van Nisse Nilsson; dat we nauwelijks voor meer geld verkochten dan we inkochten.

Die avond kon ik moeilijk in slaap komen. Ik lag maar te woelen, terwijl ik probeerde mijn beelden van Arne met elkaar te laten overeenstemmen. De jongen die op de bijeenkomst zo dapper naar voren was getreden en bespot werd omdat hij rechtvaardigheid voor vrouwen wilde. De zeiler die gewaagde dingen deed op zee. Een heldere politieke blik, intelligent en bekwaam. Voorman! En tegelijkertijd een slappeling die voor zijn moeder wegkroop.

Ik zal niet ontkennen dat ik ook aan Stig dacht, de zoon van de vleeshandelaar, die verliefd op mij was en die de winkel zou overnemen. Met hem zou ik mijn werk houden, mijn vrienden, mijn hele zelfvertrouwen. Hij was een vriendelijk mens. Zorgzaam. En zijn beide ouders mochten mij graag.

Maar hij liet geen vonk in mijn lichaam overslaan.

We zouden in het huwelijk worden verbonden in Kopenhagen, waar we zelf heen zouden zeilen. Maar eerst zouden we een ondertrouwfeest hebben bij moeder thuis. Ze sprak haar spaargeld aan en naaide een uitzet voor me alsof ik een freule was: lakens en slopen, handgeweven handdoeken, het mooiste kant voor gordijnen en twee damasten tafelkleden.

Er was gebrek aan woonruimte, maar we vertrouwden op Ragnar. Hij, met al zijn contacten in de bouw, zou wel iets regelen.

Maar toen brak die verschrikkelijke maandag aan. Ik was in de derde maand, maar toen ik 's ochtends naar mijn werk ging had ik vreemde menstruatiepijnen. Bij Nisse Nilsson stortte ik in en begon vreselijk te bloeden. Aina bracht mij met een taxi naar een privé-kraamkliniek waar ik verdoofd werd. Toen ik wakker werd was het schrijnend leeg in mijn lichaam.

's Middags kwam moeder. Ze was bleek en had het over het noodlot. Ragnar en Lisa stuurden bloemen. Ik was misselijk, sluimerde wat en verlangde naar huis; een wonderlijk verlangen naar een onbekende plaats waar ik me kon wortelen.

Ze maakten me wakker met sterke koffie en brood. Ik kwam weer bij mijn positieven. Er zaten nog een paar gedachten in mijn hoofd en ik had genoeg tijd om ze uit te broeden.

Als Arne kwam zou ik hem vertellen dat hij weer bij zijn moeder moest gaan wonen. Ik zou hem rustig, niet boos of vals, uitleggen dat dat voor ons allebei het beste was. Hij zou zijn gemoedsrust hervinden en niet langer heen en weer geslingerd worden tussen zijn moeder en mij. Ik zou vrij zijn en dat zou goed voor me zijn, want ik was nu eenmaal een heel zelfstandig mens.

Maar toen hij kwam nam hij mijn beide handen in de zijne. Er stonden tranen in zijn ogen en hij zei met overslaande stem: 'Meiske, mijn lieve meiske.'

Dat was alles en het was genoeg; ik wist opeens dat hij een mens was om op te vertrouwen. En ik heb me niet vergist. Want met hem was het zo dat als het moeilijk werd, wanneer er gevaar dreigde of ziekte en er nare dingen op de loer lagen, dat hij dan groeide; hij was sterk en betrouwbaar, net als vader vroeger.

'Het was een jongetje', zei Arne en toen zag ik dat hij ook huilde.

Voordat ze hem de ziekenzaal afstuurden probeerde hij te zeggen dat het een ongeluk was geweest en dat we snel een nieuw kind zouden krijgen. Dat gaf me hoop en bij het inslapen 's avonds drukte ik mijn handen tegen de pijnlijke lege ruimte onder mijn navel, terwijl ik fluisterde: 'Kom terug.'

Nadien heb ik vaak gedacht dat het dit moment in die voorname kliniek is geweest, dat mijn lot heeft bezegeld. Want de vraag wie hij was kwam in de loop der jaren vaak terug. Pas naderhand leerde ik de vraag te stellen wie ik zelf was. En nog weer later: Wat was hij voor mij en ik voor hem? Wat hadden we meer gemeenschappelijk dan ons verlangen? Want hij was immers net als ik: ver van huis.

Pas nu ik oud ben begrijp ik dat verlangen geen slechte basis is voor verbondenheid. Die verbondenheid kan zowel geborgener als groter zijn dan de werkelijkheid van de grote liefde waar ik als jong meisje zo sterk naar verlangde. Ik geloof nu niet meer dat die werkelijkheid bestaat en ik denk dat we in onze jacht ernaar alles doden.

Op een zonnige zomerzondag direct na de hoogmis hield moeder het ondertrouwfeest. Arnes moeder zat alleen, midden op de sofa uit Värmland, die nu eindelijk tot zijn recht kwam. Ze pasten bij elkaar, de ivoren dame en het ongemakkelijke maar elegante meubel. Ze zei niet veel, maar ze nam alles scherp op. Een ondertrouwcadeau had ze niet bij zich en ik geloof niet dat ze het zelf pijnlijk vond dat ze al moeders mooie linnengoed lang en kritisch bekeek. Lisa, die schat, hield zich met Arnes vader bezig; ze praatten over de landbouw en zijn ogen leefden op en zijn stem werd levendig.

Hier kon hij verdorie praten.

Daarna kwamen Gustav en Lotte met een koffieservies. Zowel moeder als mij viel het op dat Lotte haar schoonmoeder niet eens groette. Als laatste dook Ragnar op. Daarmee kwam er een eind aan het probleem om het gesprek op gang te houden. Hij had een witte schuimende wijn bij zich, die hij met een knal openmaakte, waarna hij een toost op ons uitbracht.

'Jij hebt meer geluk gehad dan je verdient', zei hij tegen Arne. 'Want Johanna is niet alleen het mooiste meisje van de stad, ze heeft ook het grootste verstand en de beste inborst.'

Arne keek trots, zijn moeder greep naar haar hart en Ragnar, die dat zag, barstte in een van zijn beroemde lachsalvo's uit. Toen het gelach zich door het gezelschap verspreidde werd de oude vrouw onzeker. Haar ogen vlogen heen en weer en de hand waarmee ze haar glas vasthield trilde. Even had ik medelijden met haar.

Ragnar, die nu ook een taxibedrijf had, bracht het oude paar naar huis, terwijl ik moeder met de afwas hielp. Arne hing wat om ons heen alsof hij iets wilde zeggen en ten slotte bracht hij uit: 'Ze is een beetje apart, mijn moeder.'

Nu was Hanna Broman er de persoon niet naar om iemand ooit naar de mond te praten, dus ze zei: 'Dat is wel het minste wat je kunt zeggen. Het is zonde voor je vader.'

Toen kwam Ragnar weer terug. Hij wilde met ons praten over een idee dat hij had. Vlak bij zee werd er gebouwd; nieuwe kleine huizen voor de vrije verkoop, rondom een oud vissersplaatsje op maar vijf kilometer van de stad. Een van de mensen die een huis lieten bouwen was werkloos geworden en failliet gegaan en een houtloods waar Ragnar voor reed had het huis overgenomen. Het dak zat erop; eigenlijk ontbraken alleen het timmerwerk binnen en het schilderwerk er nog aan. De houtloods wilde het huis verkopen, snel en goedkoop.

Terwijl Ragnar praatte kreeg Arne een kleur en zijn ogen straalden.

'Hoeveel moet het kosten?'

'Rond de twaalfduizend, maar we kunnen afdingen.'

'Ik heb maar de helft.'

De geestdrift in zijn blauwe ogen verdween, maar Ragnar ging verder.

'Dat is prima, de rest kun je bij de bank lenen. Dat kan best; je hebt een baan en ik stel me borg voor je.'

'Maar ik heb moeder beloofd om nooit geld te lenen.'

'Wel godverdomme.' Ragnar schreeuwde bijna. Arne, die snapte dat hij zich belachelijk had gemaakt, zei: 'Wanneer kunnen we het huis bekijken?'

'Nu. Ik heb een auto hier voor de deur staan. Maar misschien moet je het eerst aan Johanna vragen.'

'Kijken kunnen we altijd', zei ik, maar toen we de trappen af renden voelde ik mij duizelig van verwachting en ik kneep in Arnes hand.

We troffen klei en bagger aan, hoge rotsen en lage granietplateaus, melde en kweekgras, en een half afgebouwd huis. Het was laag en langgerekt, had drie kamers en een keuken en ruimte voor een kinderkamer op de bovenverdieping. Vanaf het eerste ogenblik hielden we van het huis en ik moest denken aan mijn vreemde dromen over thuiskomen en me vestigen.

'Het is veel werk', zei Ragnar.

'Wie is er bang voor werken?' zei Arne.

'Ik wil een tuin', zei ik.

'De wind staat hier pal op, dus dat zal niet gemakkelijk zijn', zei Arne. 'Ik zal een muur voor je moeten bouwen, zodat er luwte komt.'

We namen een ladder en klommen naar de bovenverdieping. Het was waar wat Arne dacht: we keken over de haven, waar de vissersboten van de zondagsrust genoten, zo uit op zee.

Nadat we het huis hadden bekeken zaten we de hele avond bij moeder in de keuken rente en aflossingen te berekenen. Het zou krap worden, maar het kon.

Van zeilen naar Kopenhagen kwam niets; het werd een eenvoudige huwelijksvoltrekking bij de dominee in Haga en daarna gingen we heel hard aan het werk; ik met het stuk grond en Arne met het huis. Nu kwam ik erachter dat Arne veel vrienden had en een verbazingwekkend talent om te organiseren, leiding te geven en besluiten te nemen. Hij betaalde met brandewijn bij al het lekkere eten dat ik kookte. Op zondagavonden werd het gezellig en werd er niet meer zo veel gedaan. Zelf dronk Arne bijna nooit.

Op de heuvels rondom ons werkten andere jonge mensen aan huizen die half af waren. Ik kreeg er meteen kennissen: pasgetrouwde vrouwen met dezelfde verwachtingen als ik.

In oktober trokken we erin. Het was nog niet geverfd en we hadden bijna geen meubels. Maar we hadden het leuk. En een fornuis en twee kachels, dus we hoefden geen kou te lijden.

De moeilijke tijden hielden aan; het ging steeds slechter. Bij de fabriek voor kogellagers, waar bijna vijfduizend mensen hadden gewerkt, waren er nu nog maar driehonderd over. De anderen leden honger en kou. In een lege werkplaats voor kogellagers in Hisingen werden auto's gebouwd, Volvo genaamd, en er waren mensen die dachten dat dat iets zou worden.

Zelfs de scheepswerven werden bedreigd, zei Arne. Maar tot nu toe konden ze zich nog redden met reparatiewerkzaamheden.

Midden in dit alles was ik gelukkig. Ik legde een tuin aan en ik schep niet op als ik zeg dat die fantastisch werd. Niemand heeft zulke fraaie appels als ik en nergens, zelfs niet bij de Tuinvereniging, vind je zulke mooie rozen.

Mijn tuin heeft hoge rotsen in de rug, loopt af naar het zuidwesten en heeft een muur naar zee. En het bijzondere hier aan de westkust is dat als je een stuk grond op een zonnige plek hebt dat is afgeschermd tegen de wind van zee, dat je dan een tuin van haast zuidelijke allure krijgt. De druiven slaan aan, je kunt perziken tegen een spalier op leiden. Om nog maar te zwijgen over de rozen.

Ik heb nooit aan Arne verteld dat het slecht ging met de delicatessenzaak van Nisse Nilsson. Dat hoefde ook niet, want Arne ging er vanuit dat ik thuis zou blijven en dat hij ons gezin zou onderhouden.

Dat vond ik ook heel natuurlijk, dat najaar dat ik zo veel te doen had. Al het naaiwerk voor het nieuwe huis, om maar eens wat te noemen. Van Lisa kreeg ik een oude naaimachine. Die liep moeilijk en bleef steeds hangen en ik vloekte en schold op het bakbeest. Toen Arne thuiskwam moest hij lachen. Hij haalde de machine helemaal uit elkaar, verving hier iets en smeerde daar wat. Ik stond er vol bewondering bij. Toen hij haar weer in elkaar had gezet, was ze braaf en door de jaren heen heb ik er kilometers mee gedraaid!

Ons eerste meubel was een grote tweedehands schaafbank. Voor de kelder! Toen Ragnar ermee aan kwam rijden werd ik boos; een schaafbank kopen terwijl we nog niet eens een tafel hadden om van te eten. Maar ik zei niets en al gauw snapte ik het. Want Arne verdween elke avond naar de kelder en kwam al na korte tijd met een gestage stroom van tafels en stoelen, kasten en planken de keldertrap weer op.

Het waren mooie meubels, van eikenhout en mahonie, en teak voor de keukenbanken.

'Waar koop je dat mooie hout?'

Hij begon te blozen en zei nijdig dat ik niet zo veel moest vragen. Zoals gewoonlijk begreep ik niet waarom hij boos werd.

Dat eerste najaar was ik de meeste tijd kwijt aan het bedienen van de schilder, Andersson. Hij was een van Arnes ontelbare vrienden en ik had strikte gedragsregels meegekregen: één pilsje per twee uur, niet meer, want dan kwamen de banen behang scheef op de muren. Warm eten en een borrel voordat hij 's avonds naar huis ging. Niet meer, want dan kwam hij niet terug.

Op die manier hield ik Andersson aan het werk en werd het in huis steeds lichter naarmate het buiten donkerder werd. In de slaapkamer namen we zachtgroene strepen en in de salon, waar de nieuwe meubels van donkerrood mahonie stonden te blinken, zachtroze rozen op een witte ondergrond. De keuken hebben we zelf geverfd, want op een zaterdag was Andersson verdwenen met een krat bier waarvan ik dacht dat ik het goed verborgen had in de voorraadkelder.

Ik maakte mezelf verwijten, maar Arne moest lachen om de hele boel.

Het werd Kerstmis en we nodigden de familie uit voor het kerstdiner. Moeder lag dwars; ze had moeite met de nieuwe familieleden. Maar ik ging naar Ragnar en zei dat als ze niet kwamen, ik ze wat zou doen. Dus kwam iedereen: moeder, Lisa, Ragnar en de kinderen. En twee van mijn broers met hun vrouwen. Gustav en Lotte hadden we ook uitgenodigd, maar die bedankten.

De ijskoningin was stil; er kwam geen onvertogen woord over haar lippen.

'Zie je wel', fluisterde Arne tegen mij. 'Ze ontdooit.'

Ik zag het niet. Maar voordat we aan tafel gingen gebeurde er iets belangrijks. Het was een winter zonder sneeuw, acht graden warm en er waaide een warme wind van zee. Mijn schoonvader en ik liepen over het erf en ik vertelde hem over de tuin waarvan ik droomde.

De oude man veranderde totaal; zijn stem werd levendiger, zijn tred werd soepel en hij zei dat hij mij zou helpen. Het kon hier een paradijs worden, zei hij. Als we hier een muur op het westen kunnen zetten... dan doen de zon en de warme golfstroom de rest. Een aardappelveldje, zei hij, koolraap, aardbeien.

'Rozen', zei ik.

Als hij lachte leek hij op Arne.

'Vertrouw mij maar.'

Toen de gasten weg waren, ik had afgewassen en Arne het overgebleven eten naar de kelder had gebracht, vertelde ik hem over mijn gesprek met de oude man. Arne glimlachte breed, maar zijn gezicht betrok al gauw: 'Dat zal niet gaan. Van moeder mag hij toch niet.'

'Zullen we er een weddenschap om houden?' zei ik. 'Hij komt, wat zij ook zegt.'

'Jij bent een bijzonder mens', zei Arne en ik bloosde. Van blijdschap, maar ook omdat ik lang niet zo zeker van mijn zaak was als ik deed voorkomen. Die avond zaten we lang aan de keukentafel te tekenen; we maakten schets na schets hoe we onze tuin wilden hebben. Ik had het over rozen en viooltjes, Arne over aardappelen en groente.

'We moeten elke kroon opzij leggen.'

'Ik weet het, maar ik wil rozen langs de muur en een groot perk voor het huis. En floxen, leeuwenbekken, malva's...'

Op een ochtend ergens in januari zei ik tegen Arne: 'Vanavond gaan we eens even bij je ouders langs. We nemen de tekeningen van de tuin mee, zodat we met je vader kunnen overleggen.'

Hij werd tegelijkertijd bang en blij, dat zag ik wel, maar ik deed net of mijn neus bloedde. Tegen die tijd had ik wel begrepen dat hij steeds een slecht geweten had over het feit dat hij zijn moeder verwaarloosde. Toen we de deur van het oude gebouw aan de Karl Johansgata binnenkwamen was zijn moeder blij verrast; ze had een paar seconden nodig om haar gelaatstrekken weer te laten verstrakken.

'Maar kom binnen. Ik zal koffie zetten.'

We gingen aan de keukentafel zitten en ik haalde mijn schoonvader uit zijn hoek: 'Komt u erbij zitten, dan kunnen we het er eens over hebben.'

En ik slaagde in mijn opzet; er kwam weer leven in de oude man, hij had bedenkingen, hij had erover nagedacht. Bergdennen hier bij het einde van de muur, zei hij. Want het waait immers niet alleen uit het westen, het kan ook vanuit het zuiden stormen. En de muur moet in een hoek lopen, zei hij, want Johanna wil rozen en dan heb je een afscheiding recht op het zuiden nodig.

Degene die nog het meest verwonderd was, was niet de ijskoningin, maar Arne.

En hij was blij, zo blij. Toen zette ik de volgende stap: 'Ik zal met mijn broer proberen te regelen dat u met de auto van en naar ons toe kan.'

'Ik neem de bus', zei de oude man.

'Als je te moe wordt, dan kun je bij ons blijven slapen', zei Arne.

Mijn schoonmoeder zweeg.

Het was leuk om dat voorjaar samen met mijn schoonvader de tuin aan te leggen. We leenden een paard en een eg bij een boerderij en de oude man egde alsof hij nooit iets anders had gedaan. We ploegden het land om en pootten aardappels, we maakten groentebedden en ik zaaide groente, we legden perken aan en ik zaaide bloemen, we groeven diepe gaten en plantten appelbomen en aalbessenstruiken. Op een keer, toen we aan het pauzeren waren met koffie en brood, zei mijn schoonvader: 'Er vloeit bij mij nog boerenbloed door de aderen.'

Ik voelde dat dat bij mij ook zo was.

Mijn schoonvader zei nooit veel, maar hij leerde me heel wat. Het onderscheid tussen verse en gecomposteerde mest, die je tussen je vingers moet verpulveren om te voelen of er zand of turfmolm doorheen moet. Dat die schattige driekleurige viooltjes aangeven of er sprake is van een tekort aan kalk. En dat ik goed moest oppassen met klei, waar de humus in de bloemperken hard van werd.

Dat was kennis uit ervaring en die kon met weinig woorden worden overgebracht.

Maar hij had ook goede ideeën.

'Rozen zijn zeker mooi in de zomer', zei hij. 'Maar ik zou ook een forsythia tegen de muur zetten hier bij het raam. Met hyacinten en krokussen eronder.'

Ik knikte, ik zag het voor me. Dus legden we een voorjaarshoekje aan tussen de muur en het keukenraam. Het werd prachtig. En wat was ik er blij mee wanneer maart zijn staart roerde, het ijs op de ruiten stond en er buiten zo'n schrale wind waaide dat je je neus nauwelijks buiten de deur durfde te steken. Dan zat ik met mijn kopje koffie bij het raam te kijken naar de gouden wolken van deze voorjaarsstruik.

Mijn schoonvader probeerde me ook geduld bij te brengen.

'Kweken is wachten', zei hij. 'Aan het weer kun je niets veranderen.'

Dat is waar, maar ik leerde het nooit om geduldig te zijn. Ik was razend wanneer het in mei op de tulpen sneeuwde en wanneer die achterbakse maand februari de knoppen in de struiken en bomen tot ontwikkeling bracht. Om ze daarna met nachtvorst weer kapot te maken.

En ik vervloekte de pioenrozen die voor het derde jaar weigerden om te gaan bloeien, hoewel ik ze mest en nieuwe humus gaf. Het vierde jaar keek ik niet meer naar ze om; niet eerder dan op de dag waarop ik ze met een spade uit wilde graven om ze op de composthoop te gooien.

Toen zaten ze vol grote dikke knoppen. En sindsdien hebben ze meer dan twintig jaar elk voorjaar gebloeid.

Nu was het niet zo dat alleen mijn schoonvader en ik hard werkten in de tuin. In de weekeinden metselde Arnes broer steen voor steen de muur. Gustav was metselaar en zo vrolijk als een leeuwerik als hij daar met zijn vader stond te overleggen over de vorstvrije diepte, de hoogte en breedte, en of hij er een aflopend dakje met pannen op zou leggen. Dat moest hij maar doen, zei de oude man en het klonk alsof hij een order gaf.

De muur kreeg geen scherpe hoek, maar liep in een boog naar het zuidwesten om daar aan te sluiten op een rots, die een zachte bocht naar het noorden maakte. Mijn tuin werd op die manier net een ronde schaal met het huis in het midden.

Op een dag, toen we hard aan het werk waren, dook Ragnar op. Op de laadbak van zijn auto had hij rozen, klimrozen, stokrozen en ouderwetse struikrozen. Ik sprong van blijdschap om hem heen als een kind.

'Maar waar heb je dat allemaal gekocht? En wat kost het?'

'Dat gaat jou niets aan, zusje', zei hij, en hij keek net zo als Arne had gedaan toen ik hem vroeg wat hij had betaald voor dat dure hout voor de meubels.

Ik merk dat ik goed moet oppassen dat de goede herinneringen uit het verleden niet de enige waarheid worden. Die fout is zo gemaakt. Dat gezegende vermogen om je te blijven herinneren wat gemakkelijk en te vergeten wat moeilijk is geweest zal wel een gave zijn die we hebben meegekregen om te kunnen verdragen. Maar als je op zo'n onvaste basis bouwt als Arne doet, wanneer hij het heeft over zijn lieve moeder en zijn fijne jeugd, raken veel dingen verwrongen.

Misschien ben ik onrechtvaardig. Want wat kun je weten, wat weet je nu eigenlijk, van wat leugen is en wat waarheid. Over hoe het werkelijk is geweest en hoe een kind dat heeft beleefd? Tegenwoordig twijfel ik steeds.

In ons geval blijf ik erbij dat de eerste jaren daar aan zee goede jaren zijn geweest. Ik nam de dagen zoals ze kwamen en mijn man zoals hij was. Ik geloof niet dat de verliefdheid van jonge vrouwen zo blind is als ze zichzelf proberen wijs te maken.

De eerste keer dat ik meemaakte dat Arne een woede-uitbarsting kreeg, werd ik bijna net zo boos als hij en ik wees naar de deur en zei: 'Ga weg!' Hij had twee borden kapot geslagen en er dreven soep, etensresten en scherven aardewerk over de hele keukenvloer.

Ik ruimde niets op, maar liep rechtstreeks naar de slaapkamer om een koffer te pakken. Daarna ging ik er in de hal bovenop zitten wachten. Toen hij terugkwam was hij vertwijfeld en had hij spijt: 'Johanna, vergeef me.'

Toen werd ik bang; ik stond er voor het eerst bij stil dat er iets krankzinnigs school in deze stemmingswisselingen, iets zieks. Want ik zag immers dat hij net zo van zijn vertwijfeling als van zijn razernij genoot.

'Ik was van plan om naar moeder toe te gaan', zei ik. 'Als het nog een keer gebeurt dan doe ik dat.'

Vervolgens klom ik op de rotsen; ik bleef lang op een rotsplateau zitten, huilde wat en zag de zon in zee zakken. Toen ik thuiskwam was de keuken opgeruimd en daarna was hij een week lang onnatuurlijk lief.

De volgende keer dat het gebeurde, sloeg hij me. Het was in een zomer. Ik rende weg, nam de bus naar de stad, naar moeder toe. Ze zei niet veel toen ze me verzorgde en in bed hielp. Maar ze nam het niet zo hoog op; ze was van mening dat het iets was waar een vrouw zich maar in moest schikken.

'Bedoelt u dat vader u ook sloeg?'

'Jazeker deed hij dat; verschillende keren.'

Ik werd verdrietig. Ik wist dat ze niet loog en toch had ik het gevoel dat ze vader zwart maakte.

Later begreep ik dat ze met Ragnar had gepraat, want toen Arne vol berouw en zelfmedelijden opdook in Haga, zei hij dat mijn broer had gedreigd hem aan te geven bij de politie voor mishandeling.

'Prima', zei ik. 'Als hij naar de politie gaat, is het voor mij gemakkelijker om een scheiding aan te vragen.'

Twee weken lang zocht ik werk in de markthal. Ik kreeg hier een paar uur en daar een paar uur. Aan een vaste aanstelling viel niet te denken; de ene winkel na de andere had moeten sluiten. Ik kwam Greta tegen, die voor dameskapster had geleerd en een kleine salon in Vasastan had geopend, waar de mensen nog geld hadden om zich te laten watergolven. Ik kon bij haar beginnen, het vak leren en na verloop van tijd genoeg loon verdienen om me te kunnen redden. Maar ik kwam maar aan het wassen van een paar dameshoofden toe, voordat ik ontdekte dat ik weer zwanger was. Moeder zei dat het ging zoals ze al wel gedacht had; het was het noodlot.

Toen ik terugkeerde naar het huis aan zee was de tuin overwoekerd door onkruid en de aalbessenstruiken braken bijna af onder het gewicht van overrijpe bessen. Toch was ik blij met het weerzien; ik durfde wel toe te geven dat ik de hele tijd hier naar had verlangd... naar de appelbomen, de bloemen en het uitzicht op zee.

Arne huilde als een kind toen hij mij bij thuiskomst aantrof. Ik zei hem de waarheid; dat ik thuis was gekomen, omdat we een kind zouden krijgen. Hij werd blij en zijn blijdschap was echt. Maar zijn bezweringen dat hij nooit meer aan zijn verschrikkelijke humeur zou toegeven, geloofde ik niet.

Onze verhouding werd warmer, ook al was ik steeds op mijn qui-vive. Echt rustig was ik pas als Ragnar bij ons langskwam, en dat gebeurde vaak. Als Arne dan thuis was vroeg Ragnar met luide stem: 'En hoe gaat het met je, zusje?'

Dat was kwetsend en in het begin was ik bang dat Arne razend zou worden en zijn woede de vrije loop over mij zou geven. Maar hij werd niet boos en naderhand begreep ik dat hij het heerlijk vond om op zijn plaats te worden gezet.

Ik zou mijn man nooit begrijpen.

In september kreeg ik weer een miskraam. Ik ben niet in staat daar over te vertellen.

Wat ik me wel wil herinneren zijn de tuin en de lange zeiltochten met zijn tweeën. Dat was geweldig; in de boot was Arne volwassen, nooit onberekenbaar. We zeilden naar Kopenhagen en genoten ervan om in de steegjes en parken te lopen en alle bijzondere dingen te bekijken.

De zomer daarna gleden we soepel het Oslofjord in om mijn familie te bezoeken.

Heel mijn jeugd had ik fantasieën gehad over mijn tante, de mooie Astrid. Ik had vage herinneringen aan iets vlinderachtigs, spannends en fantastisch. En ik had brieven. Hanna en Astrid waren elkaar altijd blijven schrijven. Astrids brieven waren lang, vol grapjes en ongewone gedachten. Omdat moeder slecht spelde, moest ik altijd de antwoorden schrijven. Astrid vroeg vaak naar Ragnar en in mooie bewoordingen beschreef ik hoe goed het met hem ging in Göteborg en hoe gelukkig hij was met Lisa en hun beide zonen.

Ze schreef terug dat ze altijd wel had geweten dat het hem goed zou gaan in het leven; dat hij een lieveling van de goden was, die vrij toegang had tot hun gaven.

Ik hield van haar verbazingwekkende formuleringen en van haar kronkelende handschrift, dat over de bladzijden vloeide.

Toen ik haar schreef dat ik zou gaan trouwen, stuurde ze me een ketting van cultivéparels, die tot ver op mijn buik kwam.

Ik moet eerlijk zeggen dat ik veel meer in de brieven schreef dan moeder dicteerde en dat ik niet alles voor haar oplas.

Henriksen had zijn handel verplaatst naar Oslo en voor zover wij begrepen hadden ze het daar goed. Dus op die julidag dat Arne afmeerde in de mooie passantenhaven van de Noorse hoofdstad, voelde ik me niet prettig: 'Ik voel me net het armoedige familielid van het platteland.'

'Ach. Als ze niet leuk zijn, dan drinken we een kop koffie en gaan we weer weg. Maar misschien moet je eerst bellen.'

Dus belde ik en de soepele stem aan de telefoon werd zo blij dat ze begon te kwinkeleren.

'Ik kom eraan. Ik kom jullie meteen ophalen.'

Ze had een eigen auto en ze was net zo mooi als in mijn dromen. Het was alsof de jaren geen sporen hadden achtergelaten op haar figuur of haar aard; haar slanke gestalte was gehuld in wolken organza en ze rook als de perzikenbloemen thuis bij de muur. Ze omhelsde me en hield me vervolgens een stukje van zich af. Ze sloeg haar handen voor de mond: 'God, wat ben je mooi geworden, Johanna.'

Daarna omhelsde ze Arne, die, tegelijkertijd verrukt en ontzet, begon te blozen en zei: 'Maar goeie genade, wat lijken jullie op elkaar.'

'Ja, vind je niet?' zei Astrid. 'Dat zit in de familie. En ik heb een dubbele portie, net als Ragnar, maar dan anders.'

We begrepen haar niet en met een schuin hoofd en neergetrokken mondhoeken ging ze verder: 'Mijn eigen zonen aarden allemaal naar Henriksen en zijn zo lelijk als wat. En nu wil ik de boot zien.'

Ze sprong aan boord, zo licht als een elfje, en bewonderde alles. Ze gaf Arne een kus toen ze hoorde dat hij de boot en de inrichting zelf had gebouwd.

'Henriksen wil ook een zeilboot', zei ze. 'Als hij deze ziet, zal hij gek worden.' Ze slikte de woorden half in, zo snel sprak ze, en ik merkte dat ik moeite had om het Noors te begrijpen. Hoewel het ook vertrouwd klonk.

We dineerden in hun grote woning en zij en ik waren druk aan de praat, terwijl Henriksen zich met Arne over Hitler onderhield. Opeens hoorde ik Arne roepen: 'Het is niet waar!'

Henriksen deed zaken met Duitsland en dit was de eerste keer dat we hoorden praten over joden die verdwenen en geestelijk gehandicapten die omgebracht werden.

Henriksen wist het zeker. Het werd stil rond de tafel en onze adem stokte in onze keel. Astrid zei: 'Over een paar jaar marcheren de nazi-laarzen over Karl Johansgate.'

Het klonk als een voorspelling. Arne protesteerde: 'Dat zal Engeland nooit toestaan.'

Maar Henriksen zei met een zucht: 'Astrid zegt het al een hele tijd. En ze kan het niet laten om in de toekomst te kijken.'

Henriksen en Arne gingen zeilen, maar de vishandelaar was oud, zwaarlijvig en geen snelle leerling. 'Hij wordt nooit een goede zeiler', zei Arne na afloop. We dineerden nog een keer in de mooie woning. Ik ontmoette mijn neven en voelde me voor het eerst echt het arme familielid van het platteland.

Het belangrijkste dat er in Oslo gebeurde, was een lang gesprek toen Astrid, Arne en ik in een café zaten bij het museum met het Osebergschip. We spraken over mijn vader en zij vertelde breedvoerig over hem; ze had veel herinneringen.

'Hij was zo'n mens voor wie het voldoende is om te bestaan', zei ze. 'Jullie weten dat dat type zich niet hoeft te bewijzen.'

Ze vertelde me ook hoeveel hij hield van mij, het dochtertje dat genoemd werd naar het kind dat hij in zijn eerste huwelijk had gehad; hoe hij mij verzorgde toen ik klein was, mij in zijn draagzak op de rug meenam om me naar alle stemmen van het bos te laten luisteren en het water, de lucht en de wolken te laten zien.

'Hanna haalde natuurlijk haar neus op', zei Astrid. 'Je was immers nog maar een baby.'

Ik had het wel geweten, want ons lichaam en onze zintuigen hebben nu eenmaal hun eigen herinneringen. Maar niemand in mijn familie had er ooit iets over gezegd, alleen dat hij mij had verwend. Nu werd alles bevestigd.

Ze vertelde over zijn sprookjes en liedjes. Dat had moeder ook gedaan, dus dit verraste mij niet zo.

'Ik heb vaak aan jou gedacht', zei ze. 'Aan het geweldige verlies dat je hebt geleden toen hij overleed.'

Ze was een poosje stil, alsof ze twijfelde, voordat ze verderging: 'Toch gunde ik het hem om te sterven. De laatste keer dat we elkaar zagen zei hij dat het leven altijd te zwaar voor hem was geweest. Dat hij er als kind al moeite mee had gehad.'

In de winter gingen Arne en ik naar de partijbijeenkomsten; ik las en leerde veel en er was veel waar we samen over konden praten.

Arne zette een radio in elkaar, een groot gevaarte, waar ik van hield vanwege de muziek. Toen hij mijn interesse in de gaten kreeg, ging hij met mij mee naar concerten, waar hij in slaap viel terwijl ik van de muziek genoot. We kochten een koffergrammofoon.

Het waren goede jaren.

Allebei waren we ongerust over Hitler en de nazi's in Duitsland. Ragnar, die wat politiek betreft een nul was, zei dat die vent in elk geval de boel wel weer helemaal aan het draaien had gekregen, en Arne zei dat we zeker betere tijden zouden krijgen nu er bewapend werd. Maar dat er daarna oorlog zou komen.

Hij klonk net als Astrid, maar ik weigerde me bang te laten maken.

Ik was weer in verwachting. En dit keer zou het kind ter wereld komen; dat had ik me voorgenomen. De arts die me ook bij de miskramen geholpen had, verzekerde me dat het niet aan mij lag.

De wijkzuster kwam eens per week. Het was een flinke vrouw, die tegen Arne zei dat hij er vertrouwen in moest hebben en dat hij goed voor mij moest zorgen. Dat deed hij ook; in kritieke situaties kon je altijd op hem vertrouwen. Mij droeg ze op om gelukkig te zijn.

Ik deed mijn best om haar te gehoorzamen. Ik dacht aan mijn tuin en kocht nieuwe zaadcatalogi; ik dacht aan Arne en dat hij veel zachter was geworden; ik dacht aan moeder, die binnenkort pensioen en rust zou krijgen. Maar het meest dacht ik aan al het moois dat Astrid over vader had verteld en elke avond, voor het inslapen, beloofde ik hem dat ik hem een kleindochter zou schenken.

Ik wist absoluut zeker dat het een meisje was. En gek genoeg dacht Arne dat ook.

Ik heb al even aangestipt dat we daar in die oude vissersplaats buren hadden, jonge gezinnen net zoals wijzelf. Het waren aardige mensen die vrienden zouden kunnen worden. Ik was eigenlijk bevriend met de meesten; we zaten bij elkaar in de keuken koffie te drinken en te kletsen en wisselden vertrouwelijkheden uit zoals vrouwen dat doen. Er waren er een paar bij waar ik me aan onttrok; die kwamen me te dichtbij. Het was tegelijkertijd interessant en griezelig om te zien hoe we de leefpatronen, die het bestaan hadden bepaald in de oude dorpen waar iedereen zijn wortels had, in ere herstelden. We observeerden en waren afgunstig op elkaar; we hielpen elkaar er bovenop en haalden elkaar onderuit. Al gauw hadden we elkaar ingeschaald; onderaan de stakkers die werkloos waren en dronken, bovenaan het voorname volk.

Het onderwijzersgezin was het voornaamst. Daarna kwamen de loods, de politieman en de douanebeambte. Nee, meteen na de onderwijzer kwam mevrouw Gren; die had een winkel. Niet dat de zaken bij haar zo goed gingen; het was meer omdat ze macht had. Bij haar moesten we om krediet vragen als we aan het eind van de week een keer krap bij kas zaten.

De oorspronkelijke bevolking, de vissers en hun gezinnen, vormden een wereld apart; ze mengden zich niet met ons. Het waren leden van de pinkstergemeente, tenminste op zondagen.

Op zaterdagmiddag liepen hun schepen binnen. Dan waren ze al in de visserijhaven in de stad geweest om hun vangsten te verkopen. Wanneer de boten waren afgemeerd gingen de vrijgezellen in hun zondagse kleren in groepjes naar de kroegen in de wijk Majorna en zetten het op een drinken. In de kleine uurtjes kwamen ze weer terug en dan was het feest en werd er gezongen in de haven. Soms hadden ze vrouwen van een bepaalde reputatie aan boord. Maar op zondag, als de vissersjongens hun roes hadden uitgeslapen, gingen ze met sombere gezichten naar de pinksterkerk, waar ze hun zonden opbiechtten en vergeving kregen.

Arne vond het schokkend, ik vond het vreemd, maar moeder, die in het weekeinde vaak bij ons op bezoek was, vond het heel gewoon; zo was het altijd al geweest, zei ze.

Er was natuurlijk ook een roddeltante, van het gangbare type dat niet verder keek dan haar neus lang was; een afgeperkt stukje per keer, maar dan wel heel precies, tot in details. En die alles verkeerd interpreteerde, als ze alle details in duistere patronen bij elkaar had gevoegd.

Arne zei over Agneta Pettersson dat ze de hele inhoud kende van alle brieven die we kregen en dat nog voordat ze geschreven waren. Hij verafschuwde haar.

'Je vraagt je toch af hoe de familie Karlgren zich zo'n mooie tuin en een boot kan veroorloven', zei ze tegen Irene, die het dichtstbij woonde en er niet mee wachtte om het ons te vertellen.

Ik lachte erom; Arne werd kwaad.

Dat voorjaar namen we ook telefoon. Nog erger: Arne kocht een tweedehands auto, een versleten DKW, van Ragnar. Voor de boot had hij geen tijd meer nu hij de auto aan het repareren was; hij haalde de motor uit elkaar, verving onderdelen en Ragnar zwaaide hem veel lof toe.

'Jij kunt een baan als automonteur krijgen wanneer je maar wilt', zei hij.

Maar daar had Arne helemaal geen oren naar; hij was trots op zijn werk bij de werf, waar de tijden nu goed waren.

'We bouwen landingsgestellen voor vliegtuigen', zei hij. 'Die heeft het leger besteld voor de verdediging van Norrland.'

'Goeie genade!'

Te midden van ons, roodbonte eigen-huizenbezitters, kwam een joods gezin wonen. Agneta Pettersson kreeg het druk met observeren en praten; opgewonden rende ze rond met haar grote smoel, zoals moeder het uitdrukte.

Rachel Ginfarb leek op een vogel en was ook net zo schuw, en ik moest denken aan wat ik Henriksen in Oslo had horen vertellen. Ik ging naar een bloemist, kocht een bloeiende plant en belde aan bij de nieuwe bewoners.

'Ik wilde jullie alleen even verwelkomen', zei ik.

Ze zal zeker wel gezien hebben hoe verlegen ik was, want langzaam drong er een glimlach door en ik durfde verder te praten: 'Als u hulp nodig heeft of iets wilt weten, ik woon in het laatste huis vlak bij de haven.'

'Dank u', zei ze. 'Dank u wel.'

Zo begon onze vriendschap, die voor mij heel erg belangrijk zou worden.

Die zondag nodigden we ze uit voor een kopje koffie in de tuin. Of eigenlijk nodigden we ze uit op zaterdagmiddag, maar dan konden ze niet want dan vierden ze de sabbat, zei Rachel.

'We hebben wel wat problemen', zei Simon Ginfarb, nadat hij drie kopjes koffie had gedronken en al mijn koekjes had geproefd. 'Ik krijg de boekenplanken niet aan de muur.'

Hij vroeg niet rechtstreeks om hulp, maar Arne begreep de boodschap. Hij verdween samen met Simon en ze bleven de hele middag weg. Rachel en ik zaten ondertussen met elkaar te praten, terwijl haar kinderen in de tuin speelden.

Ze had een zoon en twee dochters.

'En eentje onderweg', zei ze, terwijl ze met haar hand over haar buik streek.

'Ik ook', zei ik. Ik was verbaasd over mezelf, want om de een of andere bijgelovige reden had ik het verder nog aan niemand verteld. Alleen Arne en moeder wisten het. We rekenden snel uit dat onze kinderen omstreeks dezelfde tijd geboren zouden worden en Rachel straalde toen ze zei: 'Wat heerlijk voor die kinderen om iemand van dezelfde leeftijd in de buurt te hebben. De mijne wordt een meisje, dat weet ik zeker.'

'De mijne ook.'

'Dat moet een teken zijn', zei ze, en opeens werd ik bang.

'Wat is er, Johanna?'

Voor het eerst kon ik praten over mijn miskramen; hoeveel pijn het had gedaan om de kinderen te verliezen en hoe... minderwaardig ik me had gevoeld.

'Ik raakte als het ware mijn zelfvertrouwen kwijt', zei ik.

Ze zei niets, maar ze kon goed luisteren. We bleven een hele poos zwijgend zitten. Het was een ingrijpend soort stilte; zo diep, dat hij wel iets moest veranderen. Toen het gelach van de kinderen, het geschreeuw van de meeuwen en het geluid van een vissersboot op zee de stilte doorbraken, had ik weer nieuwe hoop gekregen.

Toen ze wegging fluisterde ze dat ze voor me zou bidden en ik, die geen god had om me tot te richten, was haar dankbaar.

Arne keerde terug en vertelde dat Simon was zoals hij al had gedacht: een man met twee linkerhanden. Ze hadden erom moeten lachen. Terwijl Arne aan het spijkeren, zagen en schroeven was, hadden ze het over de politiek gehad.

'Wat Henriksen vertelde is waar. Rachel en Simon hebben allebei familie in Duitsland en ze zijn verschrikkelijk ongerust. Voortdurend, elke dag.'

Arne's ogen werden donker, zoals altijd wanneer hij bang was.

'Ik moest aan de voorspelling van Astrid denken', zei hij. 'Denk jij dat ze in de toekomst kan kijken?'

'Dat werd wel gezegd. Er waren altijd helderzienden aan moeders kant van de familie.'

Arne snoof.

'Alleen maar bijgeloof.'

Maar toen zei hij dat Astrid niet had gezegd dat de Duitsers over Avenyn zouden marcheren. Ze heeft Zweden niet genoemd, zei hij. Hij zag er opgelucht uit.

Voordat hij die avond insliep, zei hij over de Ginfarbs: 'Je kunt je niet voorstellen hoe verschrikkelijk veel boeken ze hebben. Hij is leraar op de Hogeschool.'

Ik kreeg het een beetje benauwd; ik realiseerde me dat het nieuwe gezin het voornaamst van het hele dorp was. En hoe onderontwikkeld ik was, en hoe ik de bourgeoisie haatte.

Maar vooral dacht ik aan dat merkwaardige moment toen we samen hadden zitten zwijgen.

Dat najaar hielp ik Rachel rozen planten in haar tuin. Het vrolijkst was ze, als we met de kinderen door de hoge doorgang tussen de rotsen wandelden naar de weilanden, of langs het strand, of naar het bos. Op een dag wees ik haar mijn geheime rots, warm en beschut tegen de westenwind, waarvandaan je het mooiste uitzicht over zee had.

'Binnenkort ben ik ook een echte Zweedse dweper met de natuur', zei ze.

Zij had haar man overgehaald om dit huis op het land te kopen, vertelde ze. Ze hield niet van steden; ze vond het net verdedigingswerken.

'Grote huizen en keurige straten', zei ze. 'Het lijkt wel alsof de mensen hebben geprobeerd geborgenheid te scheppen door het bestaan in te perken.'

Ik dacht aan de smerige steegjes in Haga en aan het riskante, steeds bedreigde leven binnen de muren van het gouvernementshuis. Haar stad was niet mijn stad. Maar ik zei niets; ik was laf en bang dat de kloof tussen ons duidelijk zou worden.

Ze had veel te geven. In de eerste plaats vertrouwen, maar ook kennis. Over kinderen, kinderopvoeding en over hoe belangrijk het is om voor ieder kind respect te hebben.

'Ze zijn allemaal verschillend, vanaf het eerste begin', zei ze.

Op een keer vertelde ze dat ze het altijd wist wanneer iemand loog. Dat was een eigenschap die ze had geërfd van haar grootmoeder van moeders kant. Ze zei dat ze, wat mij betrof, onzekerder was dan anders, en toen wist ik dat het waar was. Ik had immers de gewoonte om voor mezelf te liegen, hoewel ik dat zelf niet begreep of zo bedoelde.

'Jij zit boordevol geheimen', zei ze.

Haar man was heel stijlvol. Hij rook naar welstand en sigaren. Hij was godsdienstig en ging net als iedere rechtschapen jood naar de synagoge. Maar zijn instelling was gematigd; meer gekenmerkt door achting voor de oeroude rituelen dan door religieuze vervoering, vertelde hij. Eigenlijk vonden Arne en ik hem allebei een beetje hooghartig. Maar we waagden het niet om dat zelfs maar tegenover elkaar aan te roeren. De nieuwe buren waren joden en daarom boven iedere kritiek verheven.

Nu had Arne een grote radio, die hij zelf van verschillende onderdelen in elkaar had gesleuteld. Zoals alles wat hij met zijn handen maakte, werd het fantastisch; we hadden een betere ontvangst dan wie dan ook. Dat voerde Simon op zijn avondwande-lingen naar onze keuken om naar het nieuws uit Berlijn te luisteren.

Rachel was er nooit bij als we Hitler in het apparaat hoorden brullen.

'Vrouwen moet dit bespaard blijven', zei Simon.

Maar Arne gaf tegengas: 'Ik geloof niet dat Johanna bedot wil worden', zei hij.

Simon lachte. Tegen die tijd hadden we geleerd dat hij altijd lachte wanneer hij niet wist wat hij moest zeggen.

De herfststormen kwamen en de winter, en Rachels buik en die van mij groeiden om het hardst. Ik kreeg steeds meer moeite om mijn schoenveters te strikken en ik dacht: Nu is het een kind, een echt kind, dat af is. Het hoeft alleen nog maar een klein beetje te groeien, voordat het eruitkomt.

Toen kwam ze dan eindelijk, op een ijskoude dag in maart, en ik had nooit gedacht dat het zo zwaar zou zijn. Het was alsof ik een lange weg door een onverdraaglijke pijn moest afleggen om ten slotte een barmhartige dood te bereiken toen de narcose alles uitwiste.

Het duurde meer dan een etmaal.

Nog jaren daarna keek ik met verwondering naar iedere moeder: jij! En jij ook, en jij verschillende malen!

Goede genade, wat moeten vrouwen veel verdragen. En wat wordt daar weinig over gepraat, wat houden de meesten dat geheimzinnig voor zichzelf. Maar na de bevalling voelde ik ook hetzelfde als veel anderen: een grenzeloze blijdschap. Alle lijden waard.

Toen ik weer bijkwam in de kliniek kreeg ik vruchtensap. En daarna werd er een kind in mijn armen gelegd. De uren die volgden zijn moeilijker te beschrijven dan de pijn. We keken naar elkaar. Zij hield haar blik steeds op mij gericht; ik kon niet helder zien door mijn tranen. We waren omsloten door licht. Ik herkende dat van de tochten langs de meren in de zomer voordat vader stierf, en van het wonder in de markthal toen ik een deur niet mocht openen.

Die eerste dag had ik niet veel gedachten in mijn hoofd. Ik kon alleen maar onnozel glimlachen toen Arne kwam en probeerde te zeggen hoe gelukkig hij was.

Toen moeder de volgende dag op bezoek kwam herinnerde ik me haar verhaal over hoe ze mij had gebaard.

'Moeder', zei ik. 'Wat bent u sterk geweest.'

Ze werd verlegen en wimpelde zoals gewoonlijk lof af. Het was niet haar verdienste geweest dat het toen goed afgelopen was, maar die van de vroedvrouw.

Toen herinnerde ik me Anna weer, dat opgewekte mens. En ik zei, zonder dat ik erover had nagedacht, dat ik het meisje Anna wilde noemen. Dat deed moeder plezier, dat zag ik wel, maar ze zei dat ik dat eerst met Arne moest overleggen.

Hij vond het een traditionele en degelijke naam en hij was ook blij dat die nog niet in de familie voorkwam.

'Heb je gezien hoe intelligent ze eruitziet?' zei hij.

Natuurlijk moest ik wel een beetje om hem lachen, maar stiekem was ik het met hem eens. En gelijk heeft hij gekregen.

Wat een voorjaar werd het! En wat een zomer! Het was een gezegende periode, alsof het leven mij iets goed te maken had. Ik had genoeg voeding, Anna was gezond, dronk, sliep, groeide, glimlachte en brabbelde. Ik begreep nu ook dat Arne die keer in Oslo goed naar Astrid had geluisterd toen ze over mijn vader vertelde. Want net als vader maakte hij een draagzak om met het kind over de rotsen te kunnen slenteren. En hij zong voor haar! Hij had een goede zangstem en ik kon goed vertellen. Opeens waren ze er gewoon: al vaders rijmpjes en versjes.

Mijn overvloed was zo groot dat ik zelfs mijn schoonmoeder met warmte kon ontvangen.

'Kijk Anna, dat is grootmoeder!'

Het was haar eerste kleinkind. Ze legde haar pantser af en lachte en brabbelde tegen het kind. Voor het eerst zag ik dat er een smeken achter het ivoren masker schuilging. Maar toen ze zei – en zij was de eerste die het zei – dat het kind op haar leek, werd ik bang.

En boos.

Misschien beangstigde het Arne ook. Want hij lachte honend en zei dat alle vrouwen ook hetzelfde waren.

'Johanna's moeder was hier gisteren en zij vond dat Anna op haar en haar familie leek.'

Ik keek hem glimlachend aan. We wisten allebei dat moeder met geen woord over familietrekken had gesproken. Hij handhaaft zich, dacht ik. Hij is vader geworden en durft eindelijk weerstand te bieden.

Mijn schoonmoeder haalde haar neus op.

Veel later heb ik ingezien dat ze niet helemaal ongelijk had. Anna heeft een breekbare verlegenheid over zich, en een trots, en ze is bang om zich kwetsbaar op te stellen en zichzelf te laten gaan. En ze heeft haar grootmoeders ivoren huid en fijne gelaatstrekken.

Alleen haar mond heeft ze van mij, groot en expressief.

Rachel kwam een week na mij uit het ziekenhuis. De meisjes waren verschillend: de mijne blond, sterk en eigenwijs, die van haar donker, lief en gezeglijk.

Het was nu 1937 en Franco liet Hitlers bommen op de Spaanse steden vallen. We konden onze ogen niet langer sluiten voor het feit dat de wereld rondom ons donker werd.

Ik wil niet proberen te beschrijven wat de Tweede Wereldoorlog deed met ons, die als bange hazen achter een breekbare neutraliteit verscholen zaten.

Zelf deed ik er alles aan om een muur te bouwen tussen de wereld buiten en mijn wereld met het kind. Ik besefte al gauw dat ze elke gemoedswisseling van mij voelde en ik dwong mezelf ertoe niet aan de oorlog te denken, niet naar de nieuwsberichten te luisteren en niet bang te worden zolang het kind wakker was.

's Avonds zat ik wel bij de radio. Om dan 's nachts slecht te slapen. Ik was hele perioden alleen, want Arne was ergens in Zweden gelegerd.

Het was niet gemakkelijk om te proberen in twee werelden te leven, maar ik deed mijn best en het duurde een poos voordat ik in de gaten had dat ik het niet kon. Toen Anna één jaar werd, trok Hitler Oostenrijk binnen; toen ze twee was annexeerde hij Tsjechoslowakije en dat najaar was de beurt aan Polen en was de wereldoorlog een feit.

Tot dan toe was het me gelukt om de angst buiten te sluiten. Maar toen werd Anna drie, en meteen daarna werden Denemarken en Noorwegen binnengevallen.

Het Zweedse luchtafweergeschut knetterde tussen de rotsen rondom ons en Anna's ogen werden donker van de vragen: 'Waar schieten ze op?'

Ik loog en zei dat ze alleen maar aan het oefenen waren.

Maar op een dag vloog een vliegtuig dat in brand stond recht over ons heen, een vliegtuig met hakenkruisen erop. Het vlamde op, draaide rond en verdween in westelijke richting. Ik zag tegen de hemel de Duitse jongen die erin zat branden als een fakkel, voordat hij gedoofd werd in de barmhartige zee.

Wij stonden op de rotsen. Ik hield Anna in mijn armen en probeerde haar gezicht tegen mijn schouder te duwen. Maar ze maakte zich los en staarde als betoverd naar de zee. Daarna zocht ze mijn blik en ik wist dat ze nu recht in mijn angst keek.

Ze vroeg niets. En ik had er geen woorden voor.

Arne kwam met verlof thuis. Hij was anders. Harder. En in uniform. Hij deinsde niet terug voor Anna's stille vragen. Hij nam haar op schoot en vertelde de waarheid; dat er een groot kwaad in de wereld bestond en dat fatsoenlijke mensen zich daartegen teweer moesten stellen. Dat hij soldaat was, omdat we ons moesten verdedigen, dat de luchtafweer schoot om de vijand buiten de grenzen te houden en dat het goede het kwade zou overwinnen.

Ze zei: 'Maar ze maken mensen dood…'

'Ja, Anna, dat moet.'

Aan mij vertelde hij dat het er aan de grenzen bedroevend voor stond; soms hadden ze wapens maar geen munitie, soms munitie maar geen wapens.

'Ben je bang?'

'Nee. Vooral kwaad.'

Hij loog niet. Hij was zoals hij was: sterk, wanneer de tijden moeilijk waren.

De volgende dag belde hij zijn ouders: 'Dag, moedertje. Ik heb haast en ik wil vader spreken.'

Vervolgens sprak hij lang over hun evacuatie naar een boerderij van familie in de bossen op Billingen.

'Je moet hierheen komen, vader. Om afspraken te maken met Johanna. Zij zal je wel helpen om daarheen te bellen om te vragen of ze de oude pachterswoning in orde kunnen maken.'

'Maar wat doen we met mijn moeder?' vroeg ik toen hij de hoorn had neergelegd.

'Als Ragnar niets voor haar regelt, dan moeten jullie haar meenemen.'

Maar Ragnar was ook opgeroepen met al zijn auto's. Ik dacht: Dat gaat nooit met moeder en schoonmoeder samen in een klein huisje. Maar ik schaamde me voor die gedachte.

Voordat Arne die avond weer vertrok, stond hij lang met Anna op zijn arm: 'Je moet me beloven dat je een flink meisje zult zijn en dat je goed voor mamma zult zorgen.'

Dat was niet goed; ik voelde met heel mijn wezen dat dat niet goed was. Maar ik wilde geen ruzie op dat moment. Dus het ging zoals het ging: Anna's ongerustheid kreeg een bepaald onderwerp.

'Niet bang zijn, mammaatje.'

'Ik ben niet bang', zei ik en daarna moest ik huilen, terwijl het driejarige kind me troostte.

De oorlog kwam ook op andere manieren dichterbij. Door het huis van Rachel trok een stroom van joodse vluchtelingen uit Denemarken en Noorwegen. Ze doken 's avonds en 's nachts in het donker op, sliepen uit, aten zich vol en verdwenen weer. De vluchtweg van Torslanda naar Londen was toen nog open.

De meesten gingen door naar Amerika.

Sommigen van hen waren joden van het type zoals ik dat alleen had gezien op nazistische aanplakbiljetten en in het afschuwelijke spotprentenblad van Albert Engström. Ik had gedacht dat het karikaturen waren. Nu zag ik dat ze bestonden, de mannen met de vreemde hoeden en de lange pijpenkrullen. Ik durf nu, zo lang na datum, wel te erkennen dat ze me bang maakten.

Een van hen was een rabbijn en in tegenstelling tot de anderen kwam hij samen met zijn vrouw en zoons op een zonnige middag aan. Anna was bij de Ginfarbs. Het was met de meisjes gegaan zoals Rachel al voorspeld had: ze waren onafscheidelijk.

Anna kwam met glinsterende ogen naar huis rennen.

'Moeder, ik ben door God gezegend. Hij heeft zijn hand op mijn hoofd gelegd en hij zei wat moois dat ik niet kon verstaan.'

Godzijdank, dacht ik, en ik moest zelf om mijn formulering glimlachen.

Toen kwamen alle vragen over God. Anna had een manier van vragen stellen alsof ze je voor de rechtbank een kruisverhoor afnam. Waarom bidden wij niet tot God? Wie is hij? Wat is onzichtbaar?

Ik deed mijn best om zo goed mogelijk antwoord te geven, dat moet ik mezelf nageven. Serieus, alsof ik tegen een volwassene praatte. Ze was teleurgesteld dat de rabbijn God zelf niet was, maar alleen zijn vertegenwoordiger op aarde. Maar hij had wel iets losgemaakt in het meisje, want nog lange tijd na die joodse zegening straalde ze.

Rachel zei: 'Simon zet me onder druk. Hij wil dat wij ook weggaan.'

'Waarheen?'

'Naar Amerika. Daar hebben we familie. Ik probeer me ertegen te verzetten, maar hij heeft het steeds over die blinde en stomme joden die in Duitsland zijn gebleven totdat het te laat was.'

Een week later hadden Zweedse nazi's hakenkruisen en davidsterren op de ramen en deuren van het huis van de Ginfarbs geschilderd. Ik heb haar geholpen om het weer schoon te maken. Ik huilde en heb me nog nooit zo geschaamd als die ochtend. Veertien dagen later was de familie op weg naar de Verenigde Staten. Een van Arne's timmerlieden op de werf kocht het huis voor een zacht prijsje. Ik zei tegen Arne dat ik dat schandalig vond.

Al het huisraad werd opgeslagen.

Ik was alleen.

In die verschrikkelijk koude winter van 1941, op kerstavond zelf, was ik dagen aan het tellen en kwam ik erachter dat ik weer zwanger was. Ik geloof niet dat ik al vanaf het begin vermoedde dat ik het kind zou verliezen, maar in februari sprak ik met Lisa af dat Anna ergens in maart bij haar zou logeren. Voor het geval er iets zou gebeuren.

Dat was maar goed ook; Anna heeft het nooit geweten. Op vijftien maart kwamen de eerste weeën aansluipen. Het lukte me nog om op tijd met het kind bij Lisa te komen, voordat ik doorging naar het ziekenhuis. Toen ik bijkwam uit de narcose bedacht ik hoe goed Anna het had in het winkeltje in garen en band, tussen al die mooie zijden klosjes.

Zeker, ook om dit kind heb ik verdriet gehad. Maar om ons heen in de wereld waren er zo veel doden.

Arne kreeg verlof en kwam mij uit het ziekenhuis ophalen. Hij was verdrietig; ook dit keer was het een jongetje geweest. We haalden Anna op in Haga. Ze was bleek geworden en Arne zei: 'In een week kun je toch niet zo'n bleek stadstoetje krijgen, kleine meid!'

Toen dacht ik voor het eerst: Ze weet het. Op de een of andere manier weet ze het, hoewel dat niet kan. Ik had nabloedingen en moest vaak op bed liggen. Dat voorjaar nam Anna de gewoonte aan om bovenop de rotsen te spelen, eenzame, geheimzinnige spelletjes.

Zij mist de kleine Judith zoals ik Rachel mis, zei ik tegen Arne. Ondanks alles was hij opgewekter. De Zweedse defensie functioneerde eindelijk en Duitsland viel de Sovjetunie aan.

'Nu gaat het gebeuren, verdomme', zei Arne en hij begon uitgebreid te vertellen over Karel xii en Napoleon.

En toen, tegen de Kerst, vielen de Japanners Pearl Harbor aan en werd het machtige Amerika gedwongen om mee te doen aan de oorlog.

'Je zult zien dat we ons wel redden', zei Arne.

En dat was ook zo.

In 1943, toen de Duitsers bij Stalingrad capituleerden, kreeg ik de volgende en laatste miskraam. Het gebeurde heel snel; ik bloedde al toen ik Anna bij Lisa bracht.

Meer wil ik er niet over kwijt.

Ik herinner me het vredesvoorjaar. Er hing een glans over de dagen, een licht dat scherpte gaf aan ieder detail.

De afsluiting van het schooljaar 1945.

De bus reed naar school met jongens in witte overhemden en met keurig gekamde natte haren, meisjes met krullen in het haar en nieuwe vrolijke jurken aan, en moeders in hun beste kleren met boeketten in de hand. Anna zat tegenover mij. Ze was zo lieflijk als de appelbloesem thuis in de tuin. Ook al was haar blonde haar kaarsrecht. Er was geen krultang die vat kreeg op die pruik.

Ik zat te denken aan de oorlog, die haar hele kindertijd had overschaduwd. En dat de vrede het nog moeilijker maakte om iets voor haar verborgen te houden. In het voorjaar had ze op weg van school naar huis een keer een buitenlands tijdschrift gekocht, waarin foto's stonden van de bevrijde concentratiekampen.

Toen ze thuiskwam zag ze groen; ze wierp me het tijdschrift toe en verdween naar het toilet om over te geven.

Ik had geen woorden om haar te troosten. Ik zat aan de keukentafel naar die ongelooflijke foto's te kijken en was niet in staat om te huilen.

'Nu breekt de heerlijke bloeitijd aan.'

Verbeeldde ik het me, of was er iets van hoop te horen in de stemmen die dat lied bij de afsluiting van het schooljaar zongen? Niemand had nog gehoord over de bom of de stad met de mooie naam.

Hiroshima kregen we pas in de nazomer.

Al gauw draaide alles zoals nooit tevoren; de welvaart nam toe en de basis voor de verzorgingsmaatschappij waar we al zo lang van droomden, werd gelegd. De sociaal-democraten waren nu alleen aan de macht en de eisen voor hervormingen, die gedurende de oorlog waren blijven liggen, lagen op tafel bij het parlement. De belastingen voor bedrijven en welgestelden gingen omhoog, en mijn hemel, wat een woede barstte er los in de kringen van de bourgeoisie.

Arne en ik juichten.

Ik had het goed; zowel mijn moeder als mijn vriendinnen vonden dat ik het als vrouw niet beter kon hebben. Maar één kind om voor te zorgen en een man die elke week met geld thuiskwam en niet dronk of hoereerde. Moeder betreurde de miskramen niet eens; ze vond nog steeds dat elk kind dat niet ter wereld kwam een gelukwens waard was. Maar ik bezat niet het talent van mijn moeder om gehoorzaam de rol te vervullen die ik kreeg opgelegd. De macht van Arne groeide; mijn vermogen om mijn mening te kennen te geven nam af.

Ik dacht dat het de miskramen waren die mij braken. Maar ik wist het niet zeker. Want het was immers duidelijk dat het kind dat ik wel had mijn kwetsbaarheid vergrootte. Ik ging Arne uit de weg, zweeg om haar te beschermen. Geen scènes, geen ruzies. Alles moest zonneschijn, geborgenheid en gezelligheid zijn.

Als ik nog vier kinderen had gehad had ik vast op de vloer liggen kronkelen van onderdanigheid.

Hoewel?

Waaruit bestond zijn macht over mij?

Waarom was ik zo snel op mijn tenen getrapt en zo nederig? Want dat was ik. Ik begon in deze tijd om medelijden te smeken. Dat was natuurlijk tevergeefs. Ik werd een martelaar, een van die huisvrouwenmartelaren.

Afschuwelijk.

Het duurde even voordat ik het antwoord op mijn vragen vond, en misschien kwam dat omdat ik het niet wilde inzien. Het leek zo goedkoop, want het ging om geld.

Ik denk niet dat iemand die het niet zelf heeft meegemaakt weet hoe het voelt om om elke kroon te moeten vragen. Zijn geld glipte me door de vingers, zei hij. Dat was zo, maar dat was niet mijn schuld. Ik was geen slechte huishoudster; het geld daalde in waarde. De naoorlogse tijd werd gekenmerkt door geloof in de toekomst en door inflatie.

Ik probeerde te denken dat mijn situatie rechtvaardig was. Ik had geborgenheid gezocht en geborgenheid gekregen.

Ik zie dat ik de liefde onderwaardeer. Want die was er. Ik was gek op Arne. Dat ben ik al die jaren geweest, een beetje verliefd, zeg maar. Maar ik geloof niet dat de liefde tot onderwerping had geleid als ik mijn werk had gehouden en mijn eigen geld had verdiend.

Een bijzonderheid die ik met veel vrouwen van mijn generatie deel, is dat die verliefdheid niets met seksualiteit te maken had. Geslachtsgemeenschap was onvermijdelijk, iets dat erbij hoorde, waar een man recht op had. Ik vond het niet of bijna nooit afstotelijk. Maar ook niet aangenaam.

Misschien krenkte hem dat? Nee, dat geloof ik niet; ik geloof dat hij gechoqueerd zou zijn geweest en gevonden zou hebben dat ik hoerig was, als ik het fijn had gevonden.

We wisten zo weinig. We wisten niet hoe je door middel van seks tederheid kon laten zien. We deden onze ogen dicht en lieten de boel op de een of andere manier maar op zijn beloop. Over gevoelens spraken we alleen als we ruzie hadden. En hij ook wel wanneer hij zo akelig sentimenteel werd.

Op een keer in bed, na afloop, zei hij dat zijn grootouders van moeders kant losbandig waren geweest. Hij kreeg een kleur en ik was verbaasd; ik had nog nooit nagedacht over hoe ze waren geweest, de vader en moeder van de ivoren dame.

'Maar ze waren toch godsdienstig', zei ik.

'Dat heeft nog nooit iemand ervan weerhouden om te hoereren.'

'Was je grootmoeder een hoer?' Ik was zo verbaasd dat ik rechtop ging zitten.

'Nee, dat zal wel niet. Maar grootvader was een geile bok en zij hield daar wel van.'

'Hoe weet je dat?'

Toen schreeuwde hij: 'Jezus, wat zeur je toch.'

Zoals gewoonlijk wanneer hij kwaad werd, werd ik bang. Ik hield mijn mond dicht. Al gauw hoorde ik dat hij sliep. Zelf bleef ik liggen piekeren.

Ik heb nog vaak nagedacht over dat vreemde gesprek; of het waar was wat hij had gezegd en waarom hij het had gezegd. Nu, jaren later, zou ik me kunnen voorstellen dat hij zich wilde verontschuldigen voor zijn eigen instelling ten opzichte van de seksualiteit. En voor de instelling van zijn moeder.

Wanneer het over iets anders ging dan over alledaagse dingen of over politiek kwamen we woorden tekort.

Zoals ik woorden tekortkwam toen Anna een jaar of elf was en op een dag spierwit en met rare bewegingen binnenkwam. Ze vertelde wat een vriendinnetje had gezegd over dat akelige ding dat mannen hebben, en hoe ze dat in je steken en dan eindeloos pompen, en dat het zo zeer doet dat je bijna dood gaat. Ik stond handdoeken te strijken en werd zo bang dat ik er een verbrandde. En toen heb ik gezegd wat mijn moeder, en grootmoeder, en overgrootmoeder door de eeuwen heen hebben gezegd: dat het iets is waar je je als vrouw in hebt te schikken.

'Maar het doet geen pijn, Anna. Een heleboel vrouwen vinden het zalig.'

'Jij ook?'

'Ik heb er niets op tegen.'

Wat armoedig. Maar hoe zou ik haar hebben kunnen uitleggen hoe enorm ingewikkeld liefde en seks, verliefdheid en begeerte zijn; hoe dubbel, hoe oneindig gecompliceerd.

Op een dag in de herfst, de lucht en de zee waren vermengd tot één zwaar grijs, belde Nisse Nilsson op. Hij vertelde dat de zaken weer floreerden. Of ik zin had om op vrijdagmiddag en zaterdagochtend te komen helpen. Tegen een goede betaling.

Ik dacht er niet over na; ik zei meteen ja.

Na afloop bleef ik lang bij de telefoon zitten want ik besefte dat er vanavond grote heibel van zou komen. Ik bereidde het avondeten met wat meer zorg. Arne zat te eten en zoals zo vaak zei hij dat ik lekker kon koken.

Anna verdween naar haar kamer op de bovenverdieping en Arne ging, zoals meestal, naar de kelder. Dat was goed; mocht er ruzie van komen dan zou Anna het niet hoeven te horen.

Dus liep ik achter hem aan en vertelde hem over mijn gesprek met Nisse Nilsson. Hij was verbluft, knikte en zei dat Anna eigenlijk groot genoeg was om zich een paar uur alleen te kunnen redden. Als ik dit graag wilde...

'Ja, ik wil het graag.'

'Ik dacht al dat je de dagen hier thuis wat lang vond worden.'

Goeie genade, ik was zo verbaasd!

'Dat is het niet. Ik heb immers genoeg te doen met naaiwerk en zo. Maar het is net of ik een dienstmeid ben, die steeds klaar moet staan en om iedere öre moet vragen.'

Hij werd niet kwaad, hij werd verdrietig.

'Maar waarom heb je niets gezegd?'

Het was een rare avond, want ik was degene die woest werd, niet hij. Zeker tien minuten lang gooide ik er alles uit: de boot, waarvoor het niet uitmaakte wat iets kostte, het huishoudgeld, waar steeds gezeur over was, de vanzelfsprekendheid waarmee hij ervan uitging dat zijn overhemden schoon en gestreken waren; hij werd thuis volledig bediend en had op het werk massa's collega's.

'Een dienstmeid, dat ben ik', schreeuwde ik. 'Niets anders.'

En ik vloog de trap op.

Toen hij boven kwam om naar bed te gaan was hij wanhopig: 'Ik heb het helemaal niet gezien', zei hij. 'Je had toch wel wat kunnen zeggen.'

Ik dacht er lang over na, en moest hem toen gelijk geven.

'Jij bent een vrouw met veel geheimen.'

Hij zei precies hetzelfde als wat Rachel had gezegd.

En ook hierin moest ik hem gelijk geven.

Vanaf die dag ging alles beter. Het was niet alleen het blije gevoel om op zaterdagochtend net als alle anderen over Basarbron naar het werk te lopen; het waren niet alleen de collega's, het gelach en gepraat; je bek opendoen, zoals Nisse Nilsson dat noemde.

Nee, het ging om mijn gevoel van eigenwaarde.

Tegen Nisse zei ik dat hij mijn leven had gered. Tegen moeder zei ik dat we het geld nodig hadden. Dat was niet waar. Tegen Anna zei ik dat ik het huis uit moest.

Ze begreep me. Ze werd groter; op vrijdagmiddag kookte ze, op zaterdag maakte ze het huis schoon en op die manier leerde ze een heleboel over huishoudelijk werk. En ze was pas twaalf jaar.

'Ze heeft verantwoordelijkheidsgevoel', zei Arne, die niet klaagde wanneer de gehaktballen te zout waren of de vis niet gaar was. Maar dat gebeurde alleen maar in het begin. Net als anders was Anna ook nu ambitieus en leerde ze uit boeken. Mijn oude kookboek versleet ze helemaal en van Arne kreeg ze een nieuw en beter exemplaar.

Toen ik met mijn eerste loon thuiskwam zei hij dat hij over alles dat ik had gezegd had nagedacht. Hij gaf toe dat hij zuinig was geweest en lastig had gedaan over geld.

'Ik denk dat ik bang was om net zoals mijn pa te worden', zei hij. 'Mijn moeder nam hem eerst elke öre af en gaf hem dan in haar goedertierenheid een paar öre voor pruimtabak. Als hij erom vroeg.'

Godzijdank was ik zo verbouwereerd, dat ik niet zei wat ik dacht: Arne hoefde niet bang te zijn net zo te worden als zijn vader; hij had veel meer gemeen met zijn moeder.

Hij wilde nu dat ik voor de gezinsfinanciën zou zorgen. Daar was ik vast veel beter in dan hij, dacht hij. Vanaf die dag bracht hij mij zijn loon; er werd niet meer gesproken over 'mijn geld dat jij opmaakt'. En we kregen onze financiële situatie veel beter op orde. In het voorjaar wilde hij nieuwe zeilen voor de boot bestellen, maar ik zei nee. Daar hadden we geen geld voor. We moesten ons spaargeld aanspreken om een olieketel en een verwarmingsinstallatie aan te leggen.

Eindelijk had ik iets door wat ik altijd al had geweten. Dat vrouwen geen respect krijgen als ze niet op eigen benen kunnen staan.

Maar nu, zo veel jaren later, twijfel ik toch meer.

Anna heeft altijd zichzelf en haar kinderen kunnen onderhouden. Zij stond veel meer haar mannetje dan ik, dat is een ding dat zeker is. Bij de scheiding. Maar daarna. Zit er soms iets in het wezen van vrouwen, iets dat we niet willen zien en aanvaarden?

Even een paar woorden over de oude mensen.

Met de kracht die mijn nieuwe zelfvertrouwen me gaf pakte ik moeders woningprobleem aan. Het appartement in Haga was te groot en te bewerkelijk voor haar. Bovendien tochtte het er en was het ouderwets; ze stookte nog met hout. En dan de plee beneden op de binnenplaats, elke keer drie trappen af en op. Ze had het er ook niet meer zo erg naar de zin sinds veel van haar buren waren verhuisd. En sinds Hulda Andersson, die helemaal bovenin had gewoond, was gestorven.

In Kungsladugård werden nieuwe flats met bejaardenwoningen gebouwd. Ik nam haar en Ragnar mee om een eenkamerflat te bekijken. Hij was kleiner dan wat ze nu had, maar had centrale verwarming, een badkamer en warm water.

Ze vond dat het net het paradijs leek.

Arne hielp me met het papierwerk; de stichting had veel paperassen nodig. De bureaucratie kostte meer tijd dan het bouwen van de huizen.

Maar we kregen een huurcontract en moeder verhuisde met haar sofa uit Värmland, die ik opnieuw had bekleed met gestreepte zijde en van veel zachte kussens had voorzien. Ze installeerde zich daar en was gelukkig.

Bij de oude mensen op Karl Johansgatan gebeurde iets onverwachts en afschuwelijks. Het hart van de ivoren dame bleef het door de jaren heen doen, maar op een dag in het voorjaar liep ze op straat zo voor een tram.

Ze stierf in de ambulance op weg naar het ziekenhuis.

Toen het telefoonbericht kwam was ik alleen thuis. Ik had de tijd om van alles te denken voordat Arne kwam; onrustige gedachten over hoe ik het hem moest vertellen. En ook gedachten van opluchting, dat zal ik niet ontkennen.

Zodra ik de auto hoorde rende ik met een jas om mijn schouders naar hem toe.

'Arne, er is iets verschrikkelijks gebeurd. We moeten meteen naar Karl Johansgatan.'

Daarna vertelde ik hem over het ongeluk. Toen ik zag hoe bevrijd hij zich voelde, sloeg ik mijn ogen neer, maar hij wist dat ik het gezien had en zou mij dat nooit vergeven.

'Wat doen we met vader?' vroeg hij toen we het erf afreden.

'Hij moet maar bij ons intrekken.'

'Maar jouw werk dan?'

Ik werd bang. Maar ik zei: 'Hij kan vast wel een paar uur alleen zijn.'

En dat kon hij ook. Hij was blij dat hij bij mij mocht wonen; hij had mij altijd gemogen. Maar hij wilde zich alleen redden, zei hij. Anna stond haar kamer op de bovenverdieping af. Ze deed dat zonder mokken, want ze had altijd al van grootvader gehouden.

Arne verbouwde het huis en legde boven waterleiding en een toilet aan.

Die zomer had ik veel te doen. Ik ging me moe voelen en moest onder ogen zien dat ik niet jong meer was.

Aanvankelijk dacht ik dat de oude man zich opgelucht zou voelen nu zijn eigenaardige vrouw was gestorven. Maar ik had ongelijk. Hij rouwde om haar. Wanneer hij 's nachts wakker werd van het hoesten riep hij haar, en hij huilde als een kind omdat ze niet kwam. De ene verkoudheid was nog niet over of de volgende kwam al weer en de dokter kwam om hem antibiotica te geven, maar het hielp niet. Hij takelde af en stierf in de winter aan een barmhartige longontsteking. Ik heb bij hem gezeten en zijn hand vastgehouden. Dat deed me goed. Naderhand heb ik me gerealiseerd dat hij mij heeft genezen van de doodsangst die me had gekweld sinds vader zich dood hoestte in de molenaarswoning in Dalsland.

Anna ging nu naar het lyceum. Ze meent zich te herinneren dat daar discussie over was, maar ze heeft ongelijk. Op de een of andere manier was het zowel voor Arne als voor mij vanzelfsprekend dat zij alles zou krijgen wat wij niet hadden gehad.

En het belangrijkste was een opleiding.

Maar dat had gevolgen die we niet hadden voorzien. Anna

kwam met één been in een andere wereld te staan, die van de algemene ontwikkeling en de bourgeoisie.

Ze piekerde veel de eerste tijd.

'Ik kan toch niet ontkennen dat ik een paar van mijn nieuwe klasgenoten graag mag', zei ze.

'Dat is leuk om te horen', zei ik en ik meende dat ook. Maar ze keek me argwanend aan.

'Ze zijn in veel dingen wel ontzettend kinderlijk', zei ze. 'Kun je je voorstellen dat ze bijna niets weten van de oorlog en de joden-vervolging?'

'Dat begrijp ik wel. Bij hen thuis wordt er niet over onaange-name dingen gesproken. Dat weet ik omdat ik dienstmeid ben geweest bij een gezin van de burgerij.'

Op hetzelfde ogenblik herinnerde ik me hoe ik zelf had gepro-beerd Anna te beschermen tegen alle verschrikkingen van de oor-log. Realiseerde me opeens dat ik zelf ook een tikje burgerlijk was geworden, maar Anna zei: 'Is dat zo? Dat heb je nooit verteld.'

Dus dat heb ik toen gedaan, met alle vreselijke details tot aan de poging tot verkrachting toe.

Anna huilde van medelijden. Toen kon ik ook huilen, het verdriet voelen van twee verloren jeugdjaren.

Maar Anna vatte alles veel persoonlijker op dan ik en werd opeens woedend op mijn moeder.

'Hoe kon ze…?'

'Je begrijpt het niet. Het was vanzelfsprekend voor haar, voor iedereen toen. Het was het maatschappelijke systeem.'

In het begin had ik er moeite mee; al die kinderen van de bour-geoisie die opeens in mijn huis en tuin rondzwierven. De school-kameraden die me met al hun vanzelfsprekende zelfverzekerdheid deden denken aan de afschuwelijke kinderen van het doktersgezin. Maar dan dacht ik aan Rachel, die voorname joodse vrouw.

We schreven elkaar. Oh, die eerste brief met postzegels uit Amerika; ik weet nog hoe ik ermee rond mijn rozen danste en begon te lezen.

De kleine Judith schreef ook. Naar Anna, die haar mooie neusje ophaalde en zei dat ze niet kon spellen. Arne en ik moesten allebei om haar lachen en legden haar uit dat Judith vast wel goed kon spellen in het Engels, en dat ze nu een andere taal sprak. Een paar jaar later schreef Anna terug in het Engels; in het begin geholpen door haar leraar, later zelf.

In de jaren zestig emigreerde Judith naar Israël en Anna en Rickard zijn naar Jeruzalem gevlogen om haar bruiloft bij te wonen.

Hoe het Anna lukte om haar lyceumwereld met onze wereld te verbinden weet ik niet. Ze zei niet veel; net als ik hield ze datgene dat moeilijk was voor zichzelf. Maar ik zag dat de afstand tussen haar en mijn moeder groter werd. Ja, dat er meer afstand kwam tot mijn hele familie. Ze nam zelfs afstand van Ragnar, die ze altijd had gemogen en bewonderd.

Ze begon mijn spraak te verbeteren.

Soms deed ze lelijk tegen Arne, ironisch en hatelijk.

Toen ze verder ging studeren aan de universiteit zei Arne dat hij het geld bij elkaar zou schrapen, ook al werd het krap. Toen zei ze: 'Je hoeft je geen zorgen te maken, vadertje, want ik heb al een studiebeurs geregeld.'

Ze deed net of ze niet zag dat hem dat verdrietig maakte.

Het was leeg in huis toen ze naar haar studentenflat in Lund was verhuisd. Maar ik zal niet ontkennen dat het ook een opluchting was. Ik hoefde nu niet meer elke dag te zien hoe de kloof tussen ons groter werd en ik hoefde ook niet meer op het slappe koord tussen haar en Arne heen en weer te lopen. De laatste jaren waren de ruzies tussen hen steeds hatelijker geworden.

Maar ik miste de nabijheid en vertrouwelijkheid tussen haar en mij, oh, wat miste ik die. En iedere dag zei ik tegen mezelf dat je je niet aan je kinderen moet vastklampen, dat je ze los moet laten. Dat vertrouwelijkheid misschien niet mogelijk is tussen mensen die elkaar te na aan het hart liggen, dat het risico om te kwetsen dan te groot is. Hoe zou ik haar kunnen vertellen dat ik wist van haar hopeloze liefdesaffaire in Lund met die buitenlander. En van haar abortus.

De abortus.

Hoe zou ik daarover kunnen praten, ik, die zelf had gezwegen over het feit dat ik vier miskramen had gehad.

Toen ze die zomer thuiskwam, bleek, mager en ernstig, barstte ik bijna uit elkaar van tedere gevoelens. We waren naast elkaar aan het werk in de tuin, maar zij zei niets en ik durfde niets te vragen. Daarna kreeg ze het invalbaantje op de correctie-afdeling van de krant.

Rickard Hård.

Ik mocht hem vanaf het begin.

Dat had met veel dingen te maken. Met zijn ogen, die lichtgrijs waren en wimpers hadden die zo lang waren dat ze eigenlijk van een vrouw hadden moeten zijn. En dan zijn mond. De meeste mensen zijn van mening dat de ogen het meest over een mens vertellen. Maar dat heb ik nooit begrepen; zachte bruine ogen kunnen net zo goed liegen als kille blauwe. Voor mij is het altijd de mond geweest die het meest verraadt over karakter en bedoelingen. Niet door de woorden die eruit komen, nee, ik bedoel de vorm.

Ik heb nooit een gevoeliger mond dan die van Rickard gezien; hij was groot, vol, met mondhoeken die naar boven krulden van humor en nieuwsgierigheid. Zo jong als hij was had hij al veel lachrimpeltjes.

Lachen kon hij.

En vertellen, het ene gekke verhaal na het andere.

Hij deed me aan iemand denken, maar ik kon er op dat moment niet op komen wie, want ze leken helemaal niet op elkaar. Pas een paar weken later, toen hij bij mij koffie dronk en Ragnar kwam binnenvallen, wist ik het. Dus ik kan eigenlijk niet zeggen dat ik verbaasd was toen Anna op een dag belde en met paniek in haar stem zei: 'Ze zeggen dat hij een rokkenjager is, moeder.'

Ik weet niet meer wat ik gezegd heb; ik weet alleen nog dat ik daarna lang ben blijven zitten en me realiseerde dat Anna niet op Lisa leek, op geen enkele manier.

Pas in dat jaar, Anna was drieëntwintig en het was 1960, heb ik geleerd dat je niets kunt doen voor je volwassen kinderen.

Rickard had zich met zijn charmante gedrag al snel een plaats verworven bij familie, vrienden en buren. Moeder was nog het ergste; ze smolt gewoonweg wanneer ze de jongen maar zag. Het was leuk om te zien, want hij mocht haar ook graag en had respect voor haar. Hij lachte nooit om haar zoals mijn broers hadden gedaan, maar hij luisterde juist met veel interesse.

Tegen mij zei hij: 'Er zou een boek over haar geschreven moeten worden.'

'Nou, zo veel heeft ze niet te vertellen!'

'Ze heeft oeroude gedachten en opvattingen', zei hij. 'Heb je er nooit aan gedacht dat zij een van de laatsten is van een uitstervend geslacht?'

Ik was verwonderd, maar gaf hem gelijk. Opeens, zonder dat ik het wilde, vertelde ik hem over de verjaardag van Ragnar en mijn ontdekking tijdens het feest.

'Verkracht toen ze twaalf was en moeder op haar dertiende. Een hoer', zei ik.

'Goeie genade!'

Ik had natuurlijk meteen spijt; ik vond dat ik haar had blootgegeven en ik liet Rickard beloven dat hij het niet verder zou vertellen.

'Ik wil niet dat Anna erachter komt.'

'Ik begrijp niet waarom niet', zei hij, maar hij beloofde dat hij zijn mond zou houden.

Ze verloofden zich al in augustus, voordat Anna naar de universiteit terugkeerde en Rickard naar Stockholm ging, waar hij werk had gekregen bij een grote krant.

'Dus jullie gaan in Stockholm wonen?'

'Ik moet immers met hem mee. En voor mij is het ook gemakkelijker om daar werk te vinden.'

Ze zei dat het haar speet, maar ik wist dat ze loog; ze verheugde zich op de verhuizing en het nieuwe leven in de grote, spannende stad. Ze was ook blij dat ze bij mij weg kon; onder mijn ogen, die veel te veel zagen, vandaan.

'Er gaan zo veel treinen, moeder. En het gaat snel, in een paar uur ben je bij mij.'

Zowel Arne als ik hadden een oer-Göteborgse angst voor de

vreemde hoofdstad aan de verkeerde kant van het land. Wanneer wij ze op de radio hoorden praten en zij op onze eilanden vakantie kwamen houden, vonden we die Stockholmers hooghartig en drammerig.

Maar we moesten onze mening herzien. Al bij ons eerste bezoek kwamen we over onze angst heen; de mensen in Stockholm waren zoals mensen meestal zijn: geschikt. En veel eenvoudiger gekleed en minder hooghartig dan veel strontvoorname Göteborgers. De stad was mooi. Dat hadden we natuurlijk al wel gehoord, maar we werden er toch door gegrepen toen we met Anna langs Strömmen flaneerden om naar de vissers met hun eigenaardige reuzennetten te kijken.

Maar nu loop ik op de gebeurtenissen vooruit. Want eerst hadden we een bruiloft, bij ons thuis aan zee. En daar ontmoette ik Signe, de moeder van Rickard, en ging ik het een en ander begrijpen.

We hebben flink uitgepakt, echt waar. Zoals Arne zei: 'Als je maar een dochter hebt, dan…' Maar het meeste ben ik vergeten. Ik heb maar een paar losse herinneringen aan hoe ik een hele week bezig was eten te maken en hoe het huis gevuld was met jonge mensen, dans en muziek. Wat ik me vooral herinner is Signe.

Deze keer wist ik meteen op wie zij leek, al verschilden ze van elkaar. Ze rook naar parfum, was opgemaakt en praatte overal over, behalve over dat wat belangrijk was. Ze had dezelfde blauwe ogen zonder diepgang als de ivoren dame.

'Oppervlakkig en dom', zei Arne na afloop.

Nog erger, dacht ik. IJskoud.

'De jongen is als was in haar handen', zei Arne.

Ik zei maar niet wat ik dacht: dat veel mannen zo zijn.

'Hij zal wel een goede vader hebben gehad.'

Arne keek opgelucht; zo zou het wel zijn. We wisten dat zijn vader was gestorven toen Rickard twaalf jaar was, maar niet dat hij zelfmoord had gepleegd.

Voordat ze op huwelijksreis naar Parijs vertrokken hadden Anna en ik nog net even tijd voor een kort gesprek. We ruimden lege flessen op in het donker in de kelder en Anna zei: 'Moeder, wat vond jij? Van Signe?'

Voor een keer zei ik ronduit: 'Dat ze… op grootmoeder Karl-berg lijkt, Anna.'

'Dan had ik dus gelijk', zei ze. 'Fijn dat je eerlijk bent.'

Maar dat was ik niet. Ik repte er met geen woord over dat Anna ook op haar grootmoeder leek, niet qua karakter, maar wel qua uitstraling. En ik dacht aan hoe ontzettend verliefd Rickard op haar was en dat liefde vaak een weerspiegeling is van een innerlijk verlangen, van een toestand van degene die liefheeft.

Toen ze waren vertrokken was ik onrustig. Ik probeerde mezelf gerust te stellen door me voor te houden dat ik spoken zag; dat het andere tijden waren met nieuwe, weldenkende jonge mensen.

En zo gek als mijn schoonmoeder was ze toch niet, Signe uit Johanneberg.

Ik had er tijdens de verlovingstijd veel over nagedacht. Waarom liet Rickard ons niet kennismaken met zijn moeder? Schaamde hij zich voor ons? Nee, zo was hij niet. En zijn eigen achtergrond was niet bijzonder; zijn vader was handelsreiziger geweest. In papier.

Nu was me duidelijk geworden dat hij zich voor zijn moeder schaamde. Dat had ik in zijn ogen gelezen tijdens het trouwdiner; dat hij zich geneerde en bang was wat wij wel zouden denken van haar gebabbel en opschepperij. Maar ik had ook begrepen dat hij dat nooit zou toegeven; hij zou hetzelfde doen als Arne: haar verdedigen en mooier maken.

En ik wist beter dan wie ook dat mannen die hun moeder niet overwinnen wraak nemen op hun vrouwen, echtgenotes, dochters.

Ik probeerde me voor te houden dat Rickard niet bruut was, niet zoals Arne. Maar ik was er niet gerust op. Het was maar goed dat ze naar Stockholm verhuisden.

Maar dat was geen blijvende troost, want na ongeveer een jaar verhuisde Signe hen achterna. Ze verruilde haar woning in Johanneberg voor iets soortgelijks in dezelfde voorstad ten noorden van Stockholm waar Anna en Rickard zich hadden gevestigd.

'Hij is immers het enige dat ik heb', zei ze toen ze me opbelde om over haar plannen te vertellen.

'Wees niet ongerust, moeder. Ik red me wel', zei Anna over de telefoon.

En veertien dagen later belde ze op om juichend te vertellen: 'Weet je dat Rickard een baan in Södertälje voor haar geregeld heeft op een bijkantoor van een krant? Dus nu verhuist ze daarheen.'

'Wat fijn, Anna.'

'Hij heeft veel meer in de gaten dan hij wil toegeven.'

'Laat hem niet weten dat jij dat doorhebt', zei ik en we lachten samenzweerderig zoals vrouwen dat altijd hebben gedaan.

Door de jaren heen hielden we contact, Greta, Aina en ik. Lotta helaas niet; zij was met een politieman in Engeland getrouwd. Wij anderen ontmoetten elkaar om de twee maanden. 's Winters in de woning van Aina in Örgryte, 's zomers in mijn tuin. Het was gezellig; we aten broodjes en probeerden elkaar met nieuwe, lekkere varianten te overtroeven.

Aina was ook getrouwd en huisvrouw. Haar man, die bij de post werkte, wilde niet dat ze ging werken. Ze zei niet zo veel over haar persoonlijke leven, maar het was duidelijk dat ze niet tevreden was.

Een poosje was ze dik. Daarna viel ze verschrikkelijk af. Op een julidag, tussen de rozen bij de muur, vertelde ze dat ze kanker had en niet lang meer zou leven. Ik schaam me als ik eraan denk dat ik geen woorden had om haar te troosten; er kwamen alleen maar tranen uit me.

Dat najaar bezochten we haar twee keer in het ziekenhuis, waar ze wegkwijnde.

Maar Greta en ik bleven elkaar zien. Nu wat vaker, alsof we elkaar nodig hadden. We praatten over het ouder worden, over hoe moeilijk dat te begrijpen was. Greta was gestopt met haar kapperszaak en stond weer in de kaaswinkel in de markthal.

'Het werk begint me zwaar te vallen', zei ze een keer. 'Niet lichamelijk, maar geestelijk. Ik haal de dingen door elkaar en kan niet meer rekenen.'

Ik haastte me om te zeggen dat ik ook vergeetachtig begon te worden. Dat leek haar niet te troosten. Er verliep een half jaar en ik moest toezien hoe ze meer en meer… haar samenhang verloor. De eenvoudigste gedachtegang kon ze nog niet vasthouden; alles viel in kleine stukken uit elkaar. Een maand later moest ze worden opgenomen in een psychiatrisch ziekenhuis.

In augustus kwamen Anna en Rickard bij ons op vakantie. We hadden afgesproken om samen naar Skagen te zeilen. Ze waren gelukkig; ze straalden. Al bij het welkomstetentje zei Anna: 'Nee, dank je, voor mij geen wijn. We krijgen namelijk een kind.'

Ik werd zo blij dat ik begon te huilen en zo bang dat ik bijna flauw viel.

'Maar moedertje toch! Wat trek je het je aan!'

Ik zocht Arne's blik en zag dat hij me begreep. En dat hij net zo bang was geworden als ik.

Anna had een aanstelling als docent bij de universiteit, een waarneming.

'Die baan kan ik toch niet houden', zei ze.

'Word je dan huisvrouw?'

Ik probeerde mijn stem vast te laten klinken, maar ik weet niet of ik daarin slaagde.

Rickard zei: 'Nooit van zijn leven! Ik wil geen huisvrouw. Moeten jullie maar eens luisteren.'

Daarna begonnen ze door elkaar heen te praten over het boek dat Anna zou schrijven; een begrijpelijk boek over haar proefschrift uit Lund.

'Rickard gaat me helpen.'

'Wat fijn', zei ik, terwijl ik dacht dat zulk werk wel geen geld in het laatje zou brengen.

Begin maart zou het kind geboren worden en Anna liet me beloven dat ik dan bij hen kwam logeren.

Maria kwam op de uitgerekende tijd en het zal wel gek klinken als ik zeg dat ik net zo blij was over het kind als over Rickard. En over Anna zelf. De eerste keer dat ik Maria in mijn armen hield was het alsof ik iets kostbaars, dat lang geleden verloren was gegaan, weer terugkreeg.

Het was een ongelooflijk kind, lief en zonnig. Ze keek me aan met Anna's helderblauwe ogen en glimlachte met Rickards mond. Toch leek ze het meest op... ja, het was zo, ze leek op mijn moeder. Een kleine Hanna, dacht ik, maar ik keek er wel voor uit om dat te zeggen. Ik wist immers hoe vervelend Anna het vond als mensen zeiden dat zij op grootmoeder Karlberg leek.

Ze waren nu naar een driekamerflat verhuisd. Een licht en ruim appartement dat ze mooi hadden ingericht; een beetje koel en exclusief, daar houdt Anna van. Maar toen ik aankwam zag ik al dat er een zware schaduw over zowel Anna als Rickard lag. Bij haar vol bitterheid, bij hem vol angst.

Ik had gedacht dat ze zouden juichen over het succes van Anna's boek en dolblij zouden zijn vanwege het kind. Maar er was iets gebeurd en ik wilde niet vragen wat; ik wilde het trouwens niet eens weten.

'Het is niet zo gemakkelijk', was alles dat ze zei.

'Dat begrijp ik. Wil je erover praten?'

'Nu niet. Ik wil alleen aan het kind denken. En dat ze het goed zal krijgen.'

Verder was ze net zoals ik was geweest: zo gegrepen door de baby dat al het andere onbelangrijk werd. Ik bleef totdat ze met de voeding goed op gang was gekomen en ben weggegaan zonder te vragen wat er was gebeurd.

'Je weet waar ik ben', zei ik toen we afscheid namen.

'Het gaat om solidariteit.'

'Dat begrijp ik wel.'

Ik begreep het de hele tijd al. Al de eerste avond in Stockholm moest ik denken aan dat telefoongesprek van een paar jaar geleden, toen ze riep: 'Ze zeggen dat hij een rokkenjager is, moeder!'

Tijdens mijn treinreis naar huis probeerde ik mijn blijdschap over Maria vast te houden. Ik wist dat we goede maatjes zouden worden en ik fantaseerde over lange zomers die ze bij mij aan zee en in de tuin zou doorbrengen, alles wat ik haar zou leren en laten zien, alle sprookjes die ik haar zou vertellen en liedjes die ik zou zingen.

Maar het lukte niet goed. De trein denderde over de rails met zijn eigen refrein: laat die verdomde kerels naar de bliksem lopen, laat die verdomde kerels naar de bliksem lopen, laat die godverdomde kerels naar de bliksem lopen.

Die van mij stond me op te wachten op het centraal station in Göteborg. Hij was chagrijnig dat ik zo lang was weggeweest.

'Ik ben haast verhongerd', zei hij.

Loop naar de bliksem.

'Dus je hebt de weg naar de diepvries niet kunnen vinden?'

Ik had tien maaltijden voor hem klaar gemaakt; hij hoefde ze alleen maar op te warmen.

'Je hoeft niet zo sarcastisch te doen.'

Ik hield mijn mond.

Toen zei hij dat hij eigenlijk bedoelde dat hij zich zo eenzaam had gevoeld, en ik moest me vermannen om geen medelijden met hem te krijgen. Thuis stond de forsythia in de knop in een teer gele glans.

Moeder was dat voorjaar vaak ziek. Uiteindelijk waren Ragnar en ik gedwongen om haar met harde hand aan te pakken om haar mee te krijgen naar de dokter.

Het hart, zei hij.

Ze kreeg medicijnen en na een poosje hielpen die.

Op een avond, toen ik zo lang bij haar was blijven zitten dat ik de laatste bus naar huis had gemist, gebeurde er iets onaangenaams. Ik had Arne gebeld en gezegd dat ik de tram naar Kungsten zou nemen. Hij zou mij daar ophalen met de auto.

Ik was best moe toen ik vooraan in de tram zat. Ik keek op en keek recht in de grote achteruitkijkspiegel van de chauffeur. Daarin zag ik een vrouw die zo ongelooflijk veel op mijn moeder leek dat ik een schok voelde; hetzelfde verouderde gezicht en dezelfde bedroefde ogen. Ik draaide me om om te zien wie ze was.

De tram was leeg; ik was de enige passagier.

Het duurde even voordat ik besefte dat ik mijn eigen spiegelbeeld zag. Ik werd zo verdrietig dat de tranen me over de oude wangen begonnen te stromen, zag ik in de spiegel.

'Je ziet er moe uit', zei Arne toen ik me in de auto installeerde.

'Ja, ik denk dat ik eigenlijk vermoeider ben dan ik in de gaten had. Ik begin oud te worden, Arne.'

'Niet', zei hij. 'Je bent net zo jong en mooi als altijd.'

In het zwakke schijnsel van het dashboard bekeek ik hem toen ook eens goed. En hij was niets veranderd, nog steeds jong en knap.

De ogen van de liefde liegen. Hij was tweeënzestig en had nog maar drie jaar te gaan tot zijn pensioen.

Arne sliep zoals gewoonlijk meteen in. Maar ik lag wakker en probeerde te denken dat ik het verkeerd gezien had, dat het niet waar kon zijn. Ik sloop uit bed naar de spiegel in de badkamer en heb daar lang in het harde, nietsverbloemende licht gestaan.

Ik had het niet verkeerd gezien. Ik had scherpe, loodrechte lijnen op mijn lange bovenlip, die zo op die van moeder leek. Een slappe kin, zorgrimpeltjes rond de ogen, bedroefde ogen, en mijn kastanjebruine haar, waar ik altijd zo trots op was geweest, werd grijs. Dat was natuurlijk niet gek; volgend jaar zou ik zestig worden.

Het gekke was dat ik het niet gezien had, dat ik er gewoon geen idee van had gehad. Het niet had gevoeld. Ik was zoals ik altijd was geweest: hetzelfde kinderlijke mens. Van binnen.

Maar mijn lichaam verouderde en dat loog niet.

Ik hield mij vast aan de wastafel, mijn tranen stroomden en het gezicht in de spiegel verouderde nog meer. Kun je fluiten, Johanna. Nee, dat kon ik niet meer.

Ten slotte kroop ik in bed en huilde mezelf in slaap.

De volgende ochtend zei Arne tegen me dat ik vandaag maar lekker in bed moest blijven liggen. Uitrusten. Ik had vast wel boeken.

Ik had altijd boeken; elke week haalde ik een stapel op in de bibliotheek. Maar deze dag was ik niet in staat om te lezen. Ik heb de hele morgen in bed gelegen en geprobeerd te begrijpen hoe het zat met ouder worden, en dat ik oud was en dat moest accepteren.

Ouder worden met waardigheid.

Wat houdt dat in? Het is belachelijk. Om elf uur ben ik opgestaan, heb de kapper gebeld om een afspraak voor knippen en verven te maken. Ik kocht een dure 'wondercrème' en de allereerste lippenstift van mijn leven. Ik sloot de dag af met een lange wandeling over de steile rotsen.

Want beweging moest immers zo goed zijn.

Toen Arne thuiskwam zei hij dat ik er stralend uitzag en dat hij dat fijn vond, want hij was ongerust geworden. Dat ik vol, donkerrood haar had zonder een spoortje grijs en de wondercrème op mijn gezicht, zag hij niet.

De lippenstift had ik niet durven te gebruiken.

En al mijn trucs hielpen toch niet tegen het besef.

Je bent oud, Johanna.

Ik probeerde het met vrolijke gedachten. Ik had het goed: een degelijke man die niet zonder mij kon, een stralende dochter, een pasgeboren verrukkelijk kleinkind. De tuin, de zee, mijn moeder leefde nog, vrienden, familie.

Maar in mijn hart voelde ik de hele tijd tegenwerpingen: mijn man ging met de jaren steeds meer op zijn moeilijke moeder lijken, chagrijnig en veeleisend. Mijn dochter was ongelukkig, moeder was ziek.

De kleine Maria!

Ja.

En de tuin?

Eigenlijk begon al het werk dat de tuin vereiste me een beetje zwaar te vallen. De zee?

Ja, die had nog steeds haar kracht.

Moeder?

Het viel me zwaar om aan haar te denken; zij had haar ouderdom al vroeg verkozen en was nooit jong geweest.

Later, toen ik aan het idee van de ouderdom gewend was geraakt, vroeg ik me af of de schok die avond in de tram een soort doodsangst geweest zou kunnen zijn. Maar dat geloofde ik niet. Ik had nooit nagedacht over het ouder worden, maar wel vaak over de dood. Dat had ik altijd gedaan. Vanaf mijn kindertijd elke dag.

Ik was er niet langer bang voor; niet meer sinds mijn schoonvader stierf. Maar ik had wel behoefte om me grondig bezig te houden met wat het betekende om er niet meer te zijn. Ik verlangde daar soms gewoonweg naar.

Misschien leer je niet om ouder te worden, als je probeert te wennen aan de dood.

Aan het eind van de week belde Anna op. Haar stem klonk vrolijker en ze had nieuws. Rickard moest lange tijd naar Amerika voor een reportage en nu wilde ze vragen of ze met Maria in de zomer bij ons mocht logeren.

En of ze dat mocht!

Ik was zo blij dat ik het ouder worden vergat.

'Misschien moet u eerst even met vader overleggen?'

'Maar je snapt toch wel dat dit hem gelukkig maakt?'

'Ik ben niet altijd even aardig tegen hem geweest.'

'Maar lieve kind…'

En blij was hij, Arne. Ik liet hem zelf Anna opbellen en ik hoorde dat hij zei dat we naar haar uitkeken en dat het leuk zou zijn om de kleine meid te zien.

'We gaan zeilen. We zullen een echte zeeman van haar maken. Je kunt niet vroeg genoeg beginnen', zei hij. 'Je weet, jong geleerd is oud gedaan.'

Anna moest blijkbaar vreselijk lachen.

Die zaterdag ging hij aan de slag met het opnieuw verven van de oude meisjeskamer op de bovenverdieping. We kochten een nieuw bed voor Anna en Arne maakte een schattig wiegje voor Maria. Hij timmerde ook een commode. We veroorloofden ons ook een nieuw kleed en ik naaide lichte witte gordijnen.

'Verdomd handig dat we hier toen voor pa waterleiding en een toilet hebben aangelegd', zei Arne.

Op het feest van Valborgsmässoafton, op 30 april, kwamen ze aan. Met het vliegtuig. Arne vond dat niet prettig; hij vertrouwde vliegtuigen niet en toen we wegreden om hen op te halen stond er een halve storm. Zoals altijd met Valborg.

Zijn angst werkte aanstekelijk; ook ik hield me stevig vast aan een balustrade bij de terminal toen het vliegtuig uit Stockholm naar beneden kwam dansen en zo hard remde dat de wielen ervan gierden. Maar zoals Rickard al over de telefoon had gezegd: het was net zo veilig om te vliegen als om met de trein te reizen. En veel comfortabeler voor het kind.

Ik had wel gedacht dat Arne blij zou zijn met het meisje, maar niet dat hij zo hoteldebotel zou zijn. Hij stond daar met het kind op zijn arm en keek alsof hij in de hemel was. Toen de bagage kwam moesten Anna en ik alles naar de auto dragen, want hij wilde het kind niet loslaten.

'Moet je mij niet eens begroeten?' zei Anna.

'Daar heb ik geen tijd voor.'

We moesten lachen en we lachten nog harder toen we bij de auto kwamen en Arne achterin ging zitten met het kind en tegen Anna zei dat zij maar moest rijden.

Het duurde langer dan we gedacht hadden om naar huis te rijden, want er trok een stoet van de technische hogeschool door de stad.

'We parkeren', zei Anna. 'Ik wil de optocht zien zoals we altijd deden toen ik nog klein was. Moeder kan wel in de auto blijven zitten met de baby.'

'Dat doe ik wel', zei Arne. 'Gaan jullie nou maar.'

Alles was die dag feestelijk; Anna en ik stonden als kinderen te lachen om die gekke mensen in de optocht en toen we thuis- kwamen stond de tafel al gedekt en stonden Anna's lievelingsge- rechten in de oven.

Anna gaf Maria de borst, terwijl ik het eten opwarmde. Maria dronk, liet keurig een boertje en viel direct in slaap.

Arne vroeg naar Rickard en ik zag dat er een schaduw over Anna's gezicht viel toen ze vertelde dat hij vertrokken was en dat hij het jammer vond dat hij deze eerste zomer niet bij Maria kon zijn. Maar dat hij deze grote opdracht niet had kunnen weigeren. Hij moest een lange reportage maken over de rassentegenstellingen in de Verenigde Staten, zei ze, terwijl ze wezenloos glimlachte. Het was een verdrietige glimlach.

'Die paar maanden zijn zo voorbij', zei Arne troostend. 'Jullie moeten het ondertussen maar met ons doen.'

'Je weet niet hoe graag we dat doen.'

Het was de eerste keer dat ik begreep dat ze aan een scheiding dacht.

Ze dronk een glas wijn; liet het in een keer naar binnen glijden. Ik zal wel bezorgd hebben gekeken, want ze zei: 'Ik neem er maar eentje, moeder.'

Op 1 mei liet Arne de boot te water. Hij was afgekrabd en opnieuw geverfd. Alle voorjaarswerk in de tuin was ook klaar, want we hadden een lange, warme lente gehad. Anna had geen kinderwagen meegebracht, dus ik ging naar de kelder om die van haar te zoeken. Hij was oud maar niet gammel, dacht ik, toen ik hem had schoon- gemaakt en we hem opgemaakt hadden voor het kind, dat nu in de luwte onder de bloeiende kersenboom lag.

'Ik kon niet alles meenemen in het vliegtuig', zei Anna. 'Een vriendin van mij, Kristina Lundberg, rijdt mijn auto hierheen met alle spullen die we de komende tijd nodig hebben. Ze is ontzettend aardig. Ze is maatschappelijk werkster en gescheiden.'

Ze zweeg even, voordat ze verderging: 'Ze heeft haar twee zoontjes bij zich. Ik hoop dat ze hier mogen overnachten?'

Haar nederigheid irriteerde me: 'Je weet heel goed dat jouw vrienden hier altijd welkom zijn.'

'Ik weet eigenlijk helemaal niets meer, moeder. En ik vind het moeilijk om alles aan te nemen, al die zorg, de kamer die jullie zo mooi hebben gemaakt voor ons… en…'

Ze begon te huilen.

'Anna toch', zei ik. 'We zullen alles morgen, als we alleen zijn, eens bespreken.'

'Ja. Vader hoeft het niet te weten. Nog niet tenminste.'

'Precies.'

Arne kwam thuis en kreeg bijna een hartaanval toen hij de kinderwagen zag.

'Maar Johanna, verdomme! Je zult toch wel gezien hebben dat de pinnen los zijn en dat de wielen niet meer vastzitten. Ben je gek geworden?'

Hij ging de wagen repareren. Dat duurde ruim een uur en hij was helemaal gelukkig, terwijl hij steeds mompelde: 'Die vrouwen ook.'

De zon scheen in de keuken. Het was er warm. We kleedden de baby uit en lieten haar naakt rondspartelen op een deken op de keukentafel. Toen Arne er bij kwam bleef hij lang aan tafel zitten. Hij brabbelde tegen het kind en zei: 'Wat een wonder.'

Ze keek naar hem en glimlachte onbekommerd.

Hij smolt nog meer, maar zei toen: 'Ze lijkt op Johanna. En op Hanna. Heb je dat al gezien?'

'Ja', zei Anna. 'En daar ben ik blij om.'

Het mooie weer hield de hele week aan. Op maandag zaten we weer onder de kersenboom en kreeg ik het eindelijk te horen. Het was erger dan ik gedacht had.

Ik had geen woorden om haar te troosten.

's Middags liepen we met Maria rond tussen de rotsen en vertelde ik over Ragnar. En Lisa.

Anna luisterde met grote ogen; dit had ze nooit geweten.

'Ze lijken op elkaar, deze twee mannen', zei ik. 'Ze hebben dezelfde warmte, dezelfde humor en dezelfde... lichtzinnigheid.'

Haar ogen waren groot en donker toen ze zei: 'Je hebt gelijk. Het trieste is alleen dat ik niet op Lisa lijk.'

Dat was wat ik zelf immers ook al gedacht had.

Het was om wanhopig van te worden.

Maar aan het eind van de week kwam de eerste brief uit Amerika en toen ik zag met hoeveel geestdrift ze die openscheurde en hoe ze straalde toen ze hem las, dacht ik: Ze komt nooit van hem los.

Die zomer hebben we veel over mannen gepraat, over hoe mysterieus ze zijn. Ik vertelde dat Arne mij geslagen had toen we pas getrouwd waren en dat ik toen naar moeder was gevlucht, die het niet zo zwaar had opgevat.

'Toen kreeg ik te horen dat vader, mijn geweldige vader, ook een paar keer flink naar haar had uitgehaald.'

'Maar dat was een andere tijd', zei Anna. 'Waarom bent u naar Arne teruggegaan?'

'Ik hou gewoon van hem', zei ik.

'Is het niet weer gebeurd?'

'Nee.'

Ik vertelde over Ragnar; dat hij als een havik over mij gewaakt had.

'Ik geloof dat hij Arne met de politie en met slaag gedreigd heeft. Je weet dat hij een stuk groter en sterker is.'

We bleven lange tijd zwijgend zitten en zullen allebei wel gedacht hebben dat geweld een taal is die mannen begrijpen.

Anna zei: 'Ik heb wel gezien hoe hij je in de loop der jaren langzaam met zijn heersersmanieren verstikt heeft. Toen ik twaalf was, en jij in deeltijd begon te werken, snapte ik dat al.'

Je kunt voor kinderen niets verborgen houden; ik had het moeten weten. Toch deed het pijn.

'Het ging vooral over geld', zei ik, en ik vertelde dat ik een dienstmeid was geweest die om elke öre had moeten vragen. Ik zei niet dat ik nu weer in dezelfde situatie terechtkwam; ik wilde haar niet ongerust maken. Maar misschien begreep ze het wel. En ze snapte ook wat ik met mijn verhaal had bedoeld, want ze zei dat ze financieel voor zichzelf kon zorgen. Haar boek leverde haar een goed inkomen op en haar was gevraagd om er nog een te schrijven.

'En verder schrijf ik artikelen voor verschillende kranten en tijdschriften.'

We hebben ook over onze schoonmoeders gepraat. Anna zei:

'Hebt u nooit gedacht dat grootmoeder Karlberg ziek was, psychisch?'

Dat was wel eens bij me opgekomen. Maar met tegenzin. Ik hield er niet van dat tegenwoordig al het kwade met ziekte werd verklaard. Toen we over het strand terugliepen vroeg ik haar of ze dacht dat zo'n ziekte erfelijk was. Dat dacht ze niet. Ze zei: 'Dan zou ik niet graag een kind van grootmoeder zijn geweest. Stel je voor, zo'n kleintje dat is overgeleverd aan genade of ongenade.'

Ze droeg Maria in een draagzak op haar buik; in de kangoeroezak, zoals Arne hem noemde.

Daarna zei ze, en ze klonk vertwijfeld: 'Het gaat net zo goed om Rickard, en om die verdomde, ijskoude moeder van hem.'

Ze was een onzekerder moeder dan ik was geweest; angstiger en onhandiger. Dat was ook niet zo gek; ik was vijfendertig toen ik een kind kreeg, Anna was nog maar vierentwintig. Ik maakte me ook geen zorgen, want ze was vol tederheid voor het kind. Op een middag had Maria maagkrampjes en Anna liep heen en weer met het kind, dat begon te huilen zodra we haar in bed legden. Ik loste haar af, terwijl zij telefonisch op zoek was naar een kinderarts. Ze kreeg er een te pakken die tegen haar zei wat ik ook al had gezegd: dat het normaal was en niets om je ongerust over te maken.

Anna wist niet meer waar ze het zoeken moest van ongerustheid.

Te midden van dit alles kwam Arne thuis. Met grote, kalme handen nam hij het kind over, legde het tegen zijn schouder en ook hij begon heen en weer te lopen. Hij zei: 'Nu moet je maar eens kalmeren, kleintje.' Binnen twee minuten lag Maria diep en rustig te slapen.

Anna huilde van opluchting in Arne's armen en zei dat ze zich opeens herinnerde hoe het voelde toen ze klein was, wanneer vaders handen haar oppakten als ze bang was.

Daarna moest ze nog meer huilen, totdat Arne zei dat ze op die manier het kind bang maakte. Ze moest nou kalmeren.

Maar ik, die wel wist waarom ze huilde, zei niets.

Kristina Lundberg kwam met de auto en met al Anna's kleren. Ze was een groot, vrij lelijk meisje met een boerse haakneus, zware oogleden en een spottende mond. Ze had twee kleine jongens bij zich, die als vandalen door het huis en de tuin vlogen en, wat nog erger was, over de aanlegsteigers in de haven.

Het waren fantastische kinderen.

Hun moeder mochten we ook graag; ze was iemand op wie je kon vertrouwen. Ze was nog roder dan wij; ze was communiste. 's Avonds zaten zij en Arne vaak in de keuken te ruziën over het hervormingssocialisme en de dictatuur van het proletariaat. Ze gingen vaak steeds harder praten en genoten allebei met volle teugen. In het weekeinde ging Arne met haar en de jongens zeilen en de rust keerde weer over Anna, Maria en mij.

Toen ze 's zondags terugkwamen ging Kristina pakken; ze moesten nog verder, naar haar familie op een of andere boerderij in Västergötland.

'Het zou leuk zijn geweest als je nog wat langer had kunnen blijven', zei ik en ik meende dat ook.

'Dat had ik ook gevonden', zei ze. 'Maar nu moet ik maar eens de zin van mijn familie doen.'

Ze keek spijtig maar beslist.

'Dat is ook goed voor de jongens', zei ze. 'En niet zo druk, want mijn moeder heeft personeel genoeg. Ze heeft al een kindermeisje geregeld, want de kinderen blijven daar de hele zomer en moeder wil er geen last van hebben.'

Ze moest mijn verwondering gezien hebben, want ze zei: 'Dus Anna heeft het niet gezegd, dat mijn vader landeigenaar is en graaf? Met blauw bloed, hooghartig en in het algemeen bekrompen.'

Ik herinner me dit moment nog heel goed, want het was voor het eerst dat ik besefte dat we alleen maar zien wat overeenkomt met onze vooroordelen. Het boerenmeisje voor me veranderde: de lange gebogen neus en de zware oogleden werden aristocratisch.

Wat was ze knap!

Er kwamen met grote regelmaat brieven uit Amerika en er gingen brieven terug. Anna werd wat vrolijker; ik voelde dat er licht-puntjes waren. In juli regende het, zoals altijd. Ik was vaak met Maria alleen, want Anna werkte aan haar boek. Terwijl ik liedjes voor het kind zong, hoorde ik het regelmatige geratel van de schrijfmachine op de bovenverdieping. Ik maakte lange wandelingen met de kinderwagen, wat voor weer het ook was. Dat was gezond en ik werd energieker.

Anna vond niet dat ik verouderd was.

Opeens komt er een andere duidelijke herinnering bij me boven. Het was een grauwe middag en de regen liep langs de ruiten. Anna vroeg: 'Zullen we de sieraden eens pakken om ze te bekijken?'

Ik besef dat ik veel heb overgeslagen in deze levensbeschrijving van mijzelf. Zoals over de Noorse familieleden. Tante Astrid overleed, plotseling, zonder dat ze ziek was geweest. Het gebeurde toen de Duitse laarzen volop marcheerden over Karl Johansgate en langs Möllergate 19, waar de groothandelaar in vis Henriksen verdwenen was. Moeder kreeg een korte brief van een van hun zonen en ik een wat langere van diens vrouw Ninne, de enige met wie ik contact had gekregen tijdens ons bezoek in Oslo. Wij waren verdrietig, maar het verbaasde moeder niet. Ze had altijd geweten dat Astrid uit het leven zou stappen wanneer het haar niet langer aanstond.

Een poosje later kreeg ik een telefoontje uit Oslo. Een advocaat! Hij zei dat er een testament was, dat Astrid Henriksen haar sieraden aan mij had nagelaten. Hij zei ook dat ze vermoedelijk niet zo veel waard waren, maar dat de Noorse familieleden ze graag wilden houden om emotionele redenen.

Ik werd boos en ik zei kortaf dat het ging om erfstukken uit de familie van moeders kant en dat ik ze natuurlijk wilde hebben. Na het gesprek vloog ik meteen naar moeder, die toen nog in Haga woonde. Ze werd zo woest dat ze het uitkrijste, later ook aan de telefoon tegen Ragnar, die, toen hij kwam, net zo boos werd. Omdat hij in alle kringen bekenden had duurde het niet lang of ik zat op een advocatenkantoor aan Östra Hamngatan bij een vriendelijke, oudere joodse heer.

Ik had de naam van de Noor die had gebeld opgeschreven en al gauw had de jurist in Göteborg een kopie van het testament en een lijst van de sieraden ontvangen.

'De Noorse advocaat was gelukkig een fatsoenlijk man', zei hij.

Ik ging door met het sturen van levensmiddelenpakketten naar de Noorse neven, maar ik schreef geen brieven meer.

Ik was de hele zaak al bijna vergeten – het was immers maar een kleinigheid vergeleken met al het andere dat er die jaren gebeurde – maar in de zomer van 1945 ging mijn advocaat naar Oslo. Hij kwam terug met een groot bruin pakket, dat Arne en ik bij hem op kantoor gingen ophalen. In ruil voor een kwitantie. Tot aan die herfstavond, toen we in het bijzijn van moeder en Ragnar het bruine papier openknipten, had Arne de zaak ook niet zo serieus opgevat, maar nu vonden we een blauw kistje dat we openmaakten met een vergulde sleutel.

Er zaten broches in en ringen, halssieraden met fonkelende rode stenen, armbanden en oorhangers. Maar er zaten vooral ouderwetse gespen in, in verschillende vormen. Ze waren grijs. Van tin? Of zou het zilver zijn? Anna stond er stil bij, met grote ogen van verbazing. Moeder zei dat het veel meer was dan Astrid geërfd had; alles dat ze zelf in de loop der jaren had gekocht en van Henriksen gekregen zat er ook bij. Ragnar zei dat we het moesten laten taxeren en Arne vroeg zich af waar we het verdomme moesten verbergen.

Er waren ook een paar zware gouden ringen bij.

'Mannenringen', zei Ragnar.

En toen vertelde hij over een boer in onze familie, die een enorme gouden munt had gevonden toen hij een keer aan het graven was om nieuwe palen voor de omheining te zetten. Karel XII zelf had de munt verloren, want hij had daar een keer gepauzeerd. Dacht de boer. Hij liet Rye, de goudsmid, de munt smelten en het goud was voldoende om er twee trouwringen van te maken, die vanaf die tijd door overerving in de familie waren gebleven.

'Mag ik eens voelen?'

Anna woog de koningsringen in haar hand; haar ogen glinsterden bijna net zo als het goud.

Ragnar glimlachte naar haar, terwijl hij vertelde over alle rijkdommen die in de grond van het arme land verborgen lagen. Toen er tussen Ed en Nössemark eindelijk een weg werd aangelegd, werd er een grote bergplaats met zilveren munten uit de zeventiende eeuw gevonden.

Anna keek hem verwonderd aan en hij legde uit: 'Grensstreken zijn streken waar vaak wordt gevochten', zei hij. 'Soms was de streek ten westen van het lange meer Noors, soms Zweeds. Toen Karel XII in Ed verbleef om zijn veldtocht tegen Noorwegen voor te bereiden verstopten rijke mensen hun schatten vaak in de grond.'

Moeder pakte een van de mooi bewerkte gespen op, en toen kregen we het bijzondere verhaal te horen van de Noorse goudsmid die uit Bergen was gevlucht en die een pachtershuisje bij Framgården had gekregen.

'Midden in de wildernis', zei moeder.

Maar daar had hij jarenlang met vrouw en kinderen gewoond en er in de woonkamer zijn werkplaats gehad, waar hij broches, hangers en gespen van zilver maakte. Het werd 'zilver van Rye' genoemd.

'Jullie kunnen zelf wel zien dat hij het met goedkopere metalen mengde', zei moeder. 'Het is helemaal grijs.'

Ik weet nog dat ik een van de koningsringen aan Lisa wilde geven. Maar Ragnar wilde dat niet hebben; de familie-erfenis moest intact blijven en als Lisa een gouden ring wilde hebben dan was hij mans genoeg om er haar een te geven.

Arne piekerde het hele weekeinde over hoe hij het probleem van het bewaren van de schat moest oplossen. Hij kocht een brandkast en maakte een verborgen vak onder de vloer van de kelder. Over de waarde van de sieraden maakten we ons niet druk; het was alsof we die niet wilden weten. We wilden de verborgen schat achter de hand houden, als een extra verzekering wanneer er iets zou gebeuren.

Nu, zestien jaar later, wilde Anna de sieraden bekijken en ik zei dat ze daar natuurlijk het volste recht toe had; zij zou ze immers krijgen. Maar ze moest wachten tot haar vader thuiskwam, want ik wilde niet inbreken in zijn geheime vak.

'Waar jouw sieraden in zitten', zei Anna.

'Ik wil hem niet onnodig kwetsen', zei ik. 'En ik heb trouwens geen idee hoe je het vak moet openmaken.'

'Maar moeder...'

Het was feestelijk toen we die avond om Arne heen in de kelder stonden, Anna met Maria op de arm, terwijl Arne ons de geheime weg naar de brandkast met het sieradenkistje liet zien.

'Dan weten jullie dat, mocht er iets met mij gebeuren.'

Net als de vorige keer zaten we ons ook nu te vergapen aan al het gefonkel, en Maria zette net zulke grote ogen op als Anna de vorige keer had gedaan. Hoewel ze nog het meest gefascineerd was door de plechtige stemming. Anna pakte een hanger van lichtgroen email, gedeeltelijk verguld en rijk versierd met schitterende steentjes.

'Het is Jugendstil', zei ze. 'En het zou me niets verbazen als die schitterende steentjes briljanten waren.'

'Je bent gek', zei Arne. 'Ze was uiteindelijk maar de vrouw van een vishandelaar.'

'Neem het maar, als je het zo mooi vindt', zei ik.

Maar toen zei Anna hetzelfde als Ragnar had gezegd: 'Nee, de erfenis moet intact blijven.'

Eind juli kwam de zon weer terug en eind augustus keerde Rickard terug uit Amerika. Hij was rijper geworden; er zat een intens verdriet in de groeven rond zijn mond en een grote smart in zijn ogen.

Slechts een keer spraken we elkaar onder vier ogen.

'Je kunt me niet begrijpen, Johanna?'

Het was meer een constatering dan een vraag, dus ik hoefde geen antwoord te geven.

Hij hield zijn hoofd een beetje schuin en toen viel me voor het eerst op dat hij op een kat leek, op een soepele kater, zeker van zijn eigen waarde en zijn eigen schoonheid. Maar ook eentje die 's nachts in maart rond het huis loopt te kwijlen en schreeuwt om liefde.

Ik heb altijd katten gehad. Gecastreerde katers.

Ik begon te blozen en mijn hart bonkte.

Deze man was nog net zo zinnelijk als altijd en even kwam de gedachte bij me op dat ik hem misschien wel kon begrijpen. Maar ik haalde mijn neus op voor mezelf; wat een onzin.

Toen ze vertrokken waren, kwam ik in een leegte terecht. Ik miste Maria. Ik dacht veel aan Anna en aan wat ze op het spel zette. Iets dat ik niet had begrepen, omdat ik het zelf nooit had gehad. Maar dat misschien meer betekende dan geborgenheid.

We waren die jaren veel met ons huis bezig. Het werd oud en moest worden gerenoveerd. Zoals gewoonlijk deed Arne 's avonds en in de weekeinden bijna alles zelf met de goedkope hulp van vrienden: een plaatwerker en een elektricien.

Zodra hij met pensioen ging bouwde hij nog een kamer op de bovenverdieping.

Ik naaide overdag gordijnen voor de nieuw geverfde ramen. Beïnvloed door Anna kocht ik alleen maar eenvoudige, witte stoffen.

Maar wat ik me uit deze periode vooral herinner zijn mijn nachtelijke dromen. Vooral de eerste. Daarin vond ik een deur aan de korte kant van de nieuwe zolderkamer; ik opende hem en kwam in een lange gang, die nauw en beangstigend was. Op de tast liep ik verder. Het was donker en de gang werd steeds smaller, maar allengs zag ik in de verte een streep licht. Daar was nog een deur, die op een kier stond. Ik aarzelde een poos, voordat ik aanklopte.

De stem die 'Kom binnen' zei klonk bekend, alsof ik hem al duizend jaar elke dag hoorde. Eindelijk! Ik deed open en daar zat vader in een boek te bladeren. De hele kamer was gevuld met boeken; de boekenplanken bogen ervan door en er lagen hele stapels op de grond. Hij had een geel potlood achter zijn oor en een groot schrijfboek voor zich. In een hoek zat een klein meisje mij met stralende bruine ogen aan te kijken.

'Het is goed dat je bent gekomen, Johanna. Je moet me helpen zoeken.'

'Wat zoekt u, vader?'

Toen werd ik wakker, dus het antwoord heb ik nooit gehoord. Ik ging rechtop in bed zitten – een beetje bang, maar vooral blij – en herinnerde me dat de bibliotheek geen dak had gehad. Je keek zo naar de lucht. Ik realiseerde me dat er in de droom niets verrassends was geweest, niets dat ik niet al had geweten.

De droom keerde terug, soms in een andere vorm, maar altijd met dezelfde boodschap. En met hetzelfde bekende gevoel. Een keer was de gang een steile trap en de kamer waar vader zat een laboratorium. Hij woonde daar, zei hij, en was bezig met chemische experimenten. Het rook er scherp en doordringend. Weer was hij blij dat ik kwam en hij vroeg me om hulp.

De dromen dwongen me om schoon te maken. Op ochtenden dat de droombeelden zich echt hadden vastgebeten in mijn innerlijk, ging ik zelfs zo ver dat ik de kleden eruit haalde en de ramen lapte.

Mijn huis werd nooit zoals ik het hebben wilde, het was nooit af. Het fijnste ervan was de zee die buiten de muur bruiste. Er werd veel over mij gepraat in het dorp, omdat ik, wat voor weer het ook was, elke dag een wandeling langs het strand maakte. Van deze tochten leerde ik door de jaren heen veel over de zee: hoe ze klinkt en ruikt bij storm en rustig weer, bij motregen, zon en mist. Maar ik weet niets over haar bedoelingen, in elk geval niet iets dat ik in woorden kan uitdrukken. Soms denk ik dat ze zo allesomvattend is als de nabijheid van God.

Ik denk dat ik door Sofia Johansson op zulke gedachten werd gebracht. Ik had een nieuwe vriendin gekregen en ze was totaal anders dan Rachel. Het was een vissersvrouw uit het oude dorp.

Zoals ik al eerder heb verteld ging de oorspronkelijke bevolking niet om met ons nieuwkomers. Maar Sofia had een mooie tuin en op een dag was ik bij haar hek blijven staan om te kijken naar haar anemonen, diepblauwe bloemen met zwarte pupillen.

'Ik sta hier uw bloemen alleen maar even te bewonderen', zei ik.

Ze had me een warme glimlach geschonken.

'Ja, ze zijn prachtig. Ik kan wel een paar knollen opgraven voor mevrouw.'

Ik bloosde van blijdschap en zei dat ik ze goed zou verzorgen.

'Dat weet ik. Ik heb uw tuin gezien.'

De volgende ochtend kwam ze met de knoestige bruine bollen en ze hielp me bij het zoeken naar een plekje waar ze het goed zouden doen. Ze wilde wel een kopje koffie en aangezien het mooi weer was gingen we in de luwte van de muur bij de rozen zitten. Ik had een lage, bijna grondbedekkende ouderwetse witte roos, die ze erg mooi vond en we spraken af dat ik die in het najaar voor haar zou uitgraven.

'En we kunnen elkaar wel tutoyeren', zei ik.

Ze schonk me weer haar warme glimlach en vanaf die dag kwamen we vaak bij elkaar in haar of mijn tuin. We spraken over van alles en nog wat zoals vrouwen doen. Zij had twee zonen op een van de vissersboten, maar haar man was al jaren geleden door de zee genomen.

'Wat erg', zei ik. 'Hoe oud waren de kinderen?'

De jongens waren van school gegaan. De boot die met haar man was vergaan, was van henzelf geweest. Met het geld dat ze van de verzekering kregen hadden ze een nieuwe vissersboot gekocht.

'Aan land kunnen ze niet aarden, mijn zoons', zei ze.

Ze vertelde dat ze ook een dochter had, die vis verkocht in Alliancen.

Dat interesseerde me en ik vertelde dat ik daar zelf jaren gewerkt had, ja, eigenlijk tot vorig jaar.

'Maar alleen op zaterdag.'

Dat wist ze al; haar dochter had mij vaak in de hal gezien en was verwonderd geweest.

'Hoezo dat?'

'Jij bent toch van goede komaf', zei Sofia.

'Nee, moet je horen', zei ik en voordat ik er over had nagedacht vertelde ik haar hoe ik was opgegroeid in Haga, over mijn moeder en broers en over mijn vader, die was gestorven toen ik nog klein was. Ze vond het leuk mijn verhaal te horen en vertelde ook haar eigen levensgeschiedenis. Haar jeugd in het vissersdorpje in Bohus-län, waar haar vader en broers, neven en buurmannen zich af-beulden op zee om hun brood te verdienen. Het was een mannen-wereld, helemaal afhankelijk van mannen, van hun kracht en hun kennis. Maar ik begreep dat ze zich als vrouw nooit de mindere of verongelijkt had gevoeld.

'En toen vond ik de verlosser', zei ze met stralende ogen.

Ze bracht me in verlegenheid, maar ik durfde niets te vragen.

Het leek me dat zij te intelligent was voor het naïeve geloof van de pinkstergemeente.

Over vooroordelen gesproken.

Nu ben ik vergeten welk jaar het precies was dat een voorjaarsstorm uitgroeide tot een orkaan die de zee over de steigers en de huizen joeg, boten kapot sloeg en meerboeien losrukte. Onze zeilboot hadden we gelukkig nog niet te water gelaten. Hij stond goed gestut in de luwte tussen ons huis en een rots. Maar het dekzeil vloog eraf en verdween als een enorme zwarte vogel landinwaarts.

Drie etmalen lang hield hij aan, de orkaan, en toen hij eindelijk verdertrok liep ik verdrietig door mijn tuin. De oude appelboom was afgeknapt. Mijn rozen stonden met hun voeten in het brakke water dat door de storm over de muur was geworpen. Er kwam een buurvrouw langs die riep: 'Heb je al gehoord dat een van onze vissersboten weg is? Met man en muis.'

Ik trilde over heel mijn lichaam toen ik de radio aanzette en hoorde waar ik al bang voor was. Sofia's zonen waren weg. Ik groef mijn mooiste kerstrozen op, liep naar het dorp en klopte aan bij Sofia.

Daar waren veel vrouwen. Ze zaten te bidden voor de zielen van de jongens.

Sofia was bleek; ze zag er erg wit en breekbaar uit. Zij huilde niet. Ik was degene die huilde toen ik haar de kerstrozen gaf en fluisterde: 'Laat het me weten als er iets is waarmee ik je kan helpen.'

'Ze zijn nu bij God', zei ze.

Toen ik naar huis liep moest ik nog veel meer huilen en ik bedacht dat God wreed is, zoals moeder altijd al zei. Als hij tenminste bestond. Maar ik was op dat moment op de een of andere manier in een plechtige stemming.

Ik heb zelf nooit gelegenheid gekregen om Sofia te helpen. Maar als zij er niet geweest was in het jaar dat moeder bij mij thuis lag te sterven, geloof ik niet dat ik het gered had.

Elke zomer zorgden Arne en ik voor Maria en tussen haar en mij werd het zoals ik het me had voorgesteld. We leefden in hetzelfde langzame ritme, het kind en ik; we slenterden rond en ontdekten nieuwe, bijzondere dingen tussen de rotsen en langs het strand. God, er is zo veel waar je bij stil kunt blijven staan om je te verbazen: drijfhout, vreemde stenen, nieuwe bloemen die we nog niet eerder hadden gezien en die we plukten om ze thuis in de plantenencyclopedie op te zoeken. Wormen. Insecten. En kikkervisjes, die we in een emmer in de kelder verzamelden. De kikkervisjes verdwenen en ik heb maar niet verteld dat de poes ze opat.

Maria hield van de poes.

De kerstdagen vierden we vaak in Stockholm. Rickard en Anna hadden het nu beter; ze waren allebei rustiger. Maar ik durfde geen vragen te stellen. Anna was weer in verwachting: 'In mei komt er weer een meisje', zei Rickard.

'En hoe weet jij dat het geen jongen is?' vroeg Arne.

'Anna is ervan overtuigd. En ze hebben immers een of andere mystieke gave, die vrouwen uit de familie uit Dalsland.'

Arne schudde zijn hoofd, maar toen vertelde hij wat Astrid had gezegd over het marcheren van de nazi's op Karl Johansgate. Midden in de jaren dertig!

We spraken af dat Maria in het voorjaar bij ons zou logeren. Ik zou haar met de trein komen ophalen.

Maar dat gebeurde niet. Al in maart verhuisde moeder naar mijn huis om te sterven.

'Het zal niet lang duren', zei ze.

Maar dat deed het wel. Zij wilde wel sterven, maar haar lichaam wilde niet en dat was sterker dan zij.

Het was zwaar. Mijn vriendin de wijkzuster kwam drie keer in de week om moeders wonden te verzorgen en mij te helpen met het verschonen van het bed. Ik kon een rolstoel en een bekken lenen. Na enige tijd kwam de dokter ook langs en kregen we een slaapmiddel voor haar. Toen ik 's nachts door kon slapen werd het wat gemakkelijker. Zoals altijd wanneer we het moeilijk hadden was Arne sterk en geduldig. Maar veel kon hij niet doen, want moeder geneerde zich dood zodra hij kwam om mij te helpen om haar op te tillen.

Dat was nog het moeilijkst. Dat ze zich zo ontzettend schaamde en bang was om tot last te zijn.

'Je zult me wel graag dood willen zien', zei ze.

Dat was niet zo; zelfs toen het het allermoeilijkst was was dat niet zo. Ik voelde tederheid voor haar; een tederheid waar ik niet goed uitdrukking aan wist te geven en die zij niet wist aan te nemen. Er bestond bij mij ook een donker en boos verdriet over haar eenzame, armoedige leven.

De enige die moeder een beetje plezier kon geven in die laatste periode was Sofia Johansson, die iedere dag kwam om aan moeders bed te zitten vertellen over haar blijde God. Moeder was altijd wel gelovig geweest, maar haar godsbeeld was somber. Nu luisterde ze naar de woorden over de andere god en dat troostte haar.

'Je moet haar immers wel geloven', zei ze. 'God heeft haar man en haar zoons weggenomen. Zelf zegt ze dat Hij hen naar huis heeft geroepen.'

Sofia zelf zei dat ze niet kwam om te bekeren. Ze wilde dat ik overdag eens even kon gaan wandelen, zei ze. Of misschien wat rusten, als we een zware nacht hadden gehad.

Eind mei kwam Anna naar ons toe met de nieuwe baby. Malin was anders, niet zo liettallig als Maria, maar ernstiger, meer observerend. Net zoals Anna, toen ze klein was.

Al de eerste avond vertelde Anna dat ze echtscheiding had

aangevraagd. Er viel nu niets meer te verbergen, niet voor Maria en ook niet voor Arne. Hij werd bijna gek toen ze in het kort vertelde over de andere vrouw, een journaliste, met wie Rickard had samengewoond toen zij zwanger was en in het ziekenhuis lag. Ze had problemen met eiwit gehad en de bevalling was gecompliceerd geweest.

Arne wilde naar Stockholm gaan om Rickard een lesje te leren.

'Dan zul je naar Hong Kong moeten. Want daar werkt hij nu', zei Anna.

Maria zei, en dat sneed me door het hart: 'Het is wel zielig voor pappa.'

Er was niets dat we konden doen om te helpen, zelfs niet door voor Maria te zorgen, wat voor de hand zou hebben gelegen. Toen Anna weer met de kinderen was vertrokken om naar een kleiner appartement te verhuizen en een vaste baan te zoeken, belde ik Kristina Lundberg op om te vragen of ze contact met mij wilde houden.

'Anna is immers zo trots. En gesloten', zei ik.

'Ik weet het. Ik zal u stiekem een keer in de week opbellen. Maar maakt u zich niet ongerust. Ze is ook sterk.'

Arne ging in juni naar Stockholm om Anna te helpen met de verhuizing. Ze had een tweekamerappartement gekregen en voor beide kinderen een plaats op een kinderdagverblijf.

Hij zei hetzelfde als Kristina: 'Ze is sterk. Ze redt zich wel.'

In oktober overleed mijn moeder. Het was moeilijk; tot op het laatst huilde ze van pijn.

Ik heb twee etmalen geslapen. Arne regelde de begrafenis en toen ik weer tot het normale leven terugkeerde, voelde ik opluchting. Voor moeder en voor mezelf. Ze werd op een vrijdag begraven. Ragnar hield een toespraak.

De zondag erna was hij dood; per ongeluk neergeschoten bij een jacht. Toen werd ik ziek. Ik moest dag en nacht overgeven. Ik had al een tijdje bloed bij mijn ontlasting en voelde me zwak. Nu kon ik niet meer op mijn benen staan. We hebben de dokter laten komen en een week later werd ik in het ziekenhuis opgenomen.

Maagzweer. Operatie.

Soms denk ik wel eens dat ik na die herfst nooit meer de oude ben geworden.

Maar dan overdrijf ik.

Ik bedoel dat ik na de dood van moeder en Ragnar oud werd, echt oud. En dat me dat nu niet meer kon schelen.

Dit vertellen geeft me ook geen goed gevoel. Dat komt omdat ik niet in staat ben de waarheid te laten zien. Ik heb in mijn leven veel memoires gelezen en ze altijd onwaarschijnlijk gevonden. Als ik een stukje in een boek gevorderd was, had ik al het idee dat ik kon zien hoe de schrijver zijn herinneringen uitkoos, wat hij belichtte en waarom juist dat. Als je dat eenmaal hebt ontdekt kun je ook raden wat hij verdonkeremaand heeft.

Hoe ik het heb aangepakt? Ik geloof niet dat ik keuzes heb gemaakt, althans niet bewust. Mijn geheugen is hier en daar neergestreken en het was alsof het zichzelf stuurde.

Ik denk dat ik nog veel geheimen over heb. Maar ik weet niet goed welke het zijn. Het zal wel dingen betreffen die zo moeilijk zijn geweest dat ik ze niet onder ogen durf te zien.

Nu herinner ik me de dag dat Lisa mij in het ziekenhuis kwam bezoeken.

Het was, geloof ik, ruim een week na de operatie. Die lelijke wond op mijn buik begon te genezen en ik had minder pijn, maar ik was zo moe dat ik dag en nacht sliep.

Ik had opgezien tegen de ontmoeting met Lisa; ik wilde haar verdriet niet zien. Nu glijd ik weer uit over de waarheid; ik wilde degene die recht had op het grote verdriet om Ragnar niet zien.

Ze was bleek, maar rustig en net als anders. Ik zei huilend: 'Het is zo onrechtvaardig, Lisa. Ragnar had onsterfelijk moeten zijn.'

Ze moest om mij lachen en toen ze zei: 'Dat is kinderpraat, Johanna', haatte ik haar. Maar ze ging verder: 'Jij bent eigenlijk nooit volwassen geworden in je relatie met je grote broer. Je kneep je ogen dicht en bewonderde hem alleen maar.'

Toen kneep ik letterlijk mijn ogen dicht en ik besefte dat ze gelijk had. Wat betreft mannen ben ik nooit volwassen geworden. Eerst met vader en later met Ragnar. En daarna met Arne, die me kon behandelen als een klein kind dat nergens benul van had. Waarom liet ik dat toe? En zoog ik op mijn vernedering als op een bitterzoete toffee?

'Maar Ragnar was toch een geweldig mens', zei ik ten slotte.

'Jazeker', zei Lisa. 'Hij heeft ook een geweldige leegte achtergelaten. Maar die wordt nu gevuld. Met opluchting.'

Toen ze mijn schrik zag, werd ze spraakzamer dan ze gewoonlijk was: 'Begrijp je dat niet? Ik hoef 's nachts nooit meer op hem te liggen wachten, me nooit meer af te vragen waar hij is en met wie hij is, nooit meer te merken hoe hij ruikt. Ik heb zijn verdomde onderbroeken vol vlekken voor het laatst gewassen.'

'Lisa, alsjeblieft...'

'Ja, ja', zei ze. 'We zullen kalmeren.'

Ze vulde een half uur met gepraat over de toekomst. Ze had een grote etage gekocht op Språngkullsgatan, in een pand schuin tegenover haar winkel. Daar zou ze heen verhuizen en ze ging een van de kamers als naaiatelier gebruiken.

'Ik ga uitbreiden', zei ze. 'De jongens en ik verkopen het taxi-bedrijf. We zijn van plan om de grote winkel op de hoek te kopen waar Nilsson heeft gezeten met zijn ouderwetse kleren. Die gaan we opknappen; het moet stijlvol worden. Anita is bezig om nieuwe kleren te ontwerpen. Volgende week gaan zij en ik naar Parijs om de nieuwe mode te bekijken.'

Ik luisterde. Er zat een nieuwe, sterke Lisa bij mijn bed. Op dat moment verafschuwde ik haar. Ze spuugde op mijn broer, ja. Maar het ergste was dat zij vrij en ik gebonden was.

'Trouwens, Anna heeft mij gebeld om over haar scheiding van Rickard te vertellen', zei ze. 'Ik heb haar hartelijk gefeliciteerd. Rickard Hård is ook zo'n goochelaar. Net Ragnar. Mijn hemel, Johanna, als ik toen ik jong was toch eens de kracht had gehad om te doen wat zij nu doet.'

Dat was de enige keer dat ik haar verdrietig zag.

Bij het weggaan zei ze: 'Ze zijn bezig met een politie-onderzoek naar het jachtongeluk. Het lijkt erop dat de vriend die heeft geschoten onschuldig is. Ragnar had de groep drijvers waarvan hij deel uitmaakte verlaten en kwam vlak achter een eland het bos uit. Dat was onachtzaamheid.'

Toen ze vertrokken was, probeerde ik mijzelf te beschermen door slechte gedachten. Over Anita bijvoorbeeld, Lisa's schoon-dochter, die ik niet mocht. Ze was opgeleid bij de Slöjdförening en ze maakte mooie kleren; ze was zelf ook mooi. Zonder te aarzelen, bijna brutaal, pakte ze wat ze pakken kon van het leven. Ik wist wel wie de baas zou worden in Lisa's nieuwe zaak en ik hoopte dat de boel in het honderd zou lopen.

Later schaamde ik me. Ik moest denken aan wat Ragnar had gezegd: 'Anita doet denken aan jou vroeger, toen je de boel regelde in Nisse Nilssons winkeltje in de hal.'

Die middag kreeg ik koorts en medicijnen daarvoor. Ik sliep door de maaltijd heen tot vier uur in de nacht. Toen ik wakker werd was ik koel en voelde ik mij helder in mijn hoofd. Ik had de tijd om na te denken over alles wat Lisa had gezegd. Maar ik dacht vooral over mijzelf na, over mijn afhankelijkheid van mannen. Over goochelaars als Ragnar en Rickard. Over Arne, die geen goochelaar was en in een hoop dingen nog veel kinderlijker dan ik. Over dat ik dat wist en hem toch als een sterke man wilde zien en hem macht gaf.

Weer over Ragnar. Had hij zelfmoord gepleegd?

Toen het bezoektijd was kwam Arne. Hij was blij. Hij had de afdelingsarts gesproken en die had gezegd dat ik de volgende week naar huis mocht.

'Het is zo verdomd leeg zonder jou', zei hij.

Anna had gebeld om te vragen of hij dacht dat ik de kinderen zou kunnen hebben in de zomer.

'Ik zal doen wat ik kan om je te helpen', zei hij, en ik was in staat om naar hem te glimlachen en te zeggen wat ik voelde: dat we het zeker zouden redden. En dat het leuk zou worden.

Ik vertelde ook over Lisa's bezoek en over de grootse plannen die zij en haar kinderen hadden. En over wat ze gezegd had over het politie-onderzoek. Hij wist ervan; er was over geschreven in de kranten en in de stad gingen wilde geruchten dat Ragnars firma failliet zou zijn. Maar het geroddel hield op, want het bleek dat het taxibedrijf solide was en zijn weduwe kreeg er bij de verkoop een goede prijs voor.

'Denk jij dat Ragnar… zelfmoord heeft gepleegd?'

'Nee. Als Ragnar zich van kant had willen maken, zou hij nooit een manier hebben gekozen waarbij hij een vriend in moeilijkheden zou brengen. Ik denk dat hij moe was en in de war door zijn verdriet om Hanna.'

Dat was een grote opluchting voor mij, want ik besefte meteen dat Arne gelijk had. Nadien dacht ik er lang over na hoe sterk de band tussen de hoer en het hoerenjong was geweest. En dat niemand dat had begrepen.

De jaren kwamen en gingen, de kinderen kwamen en gingen. Vermoeidheid en kwaaltjes zijn niet het ergste van ouder worden. Het is dat de tijd voorbij vliegt; zo snel ten slotte, dat het lijkt alsof hij niet bestaat. Het is Kerstmis en dan alweer Pasen. Het is een heldere winterdag en dan een warme zomerdag. Daartussen zit een leegte.

De meisjes groeiden en ontwikkelden zich. Het leek erop dat de scheiding hen niet had beschadigd. Ze hoefden hun vader ook niet te missen, want hij woonde helemaal boven in de dezelfde flat; hij was medeverantwoordelijk voor hen en maakte deel uit van hun leven.

'Maar jullie moeder?'

'Ze lijkt tevreden. Waar wij wonen zijn veel kinderen van gescheiden ouders, maar onze ouders zijn anders. Ze maken elkaar nooit zwart.'

En toen kwam Rickard weer terug, bij Anna en bij ons. Ze hertrouwden. Ik had er verdriet van; ik begreep het niet. Maar toen Anna belde om te vertellen dat ze al met Pinksteren zouden komen, Rickard uit Italië en zij met de kinderen uit Stockholm, klonk ze als een veldleeuwerik in het voorjaar. Het was vreemd om hem weer te zien; hij was ouder, maar knapper dan ooit. Hij leek nog meer op een kat.

Arne had het er het moeilijkst mee. Ze hadden een lang gesprek in de kelder, Rickard en hij, en daarna zei Arne dat hij het nu beter begreep. Wat hij beter begreep heb ik nooit gehoord, maar ik weet nog dat ik toen dacht dat de goochelaar weer met zijn cape aan het zwaaien was.

Anna kreeg nog een kind, een jongetje dat overleed. Toen kon ik nog helpen.

Toen de ziekte mij besloop waren de meisjes al volwassen geworden. U denkt misschien dat het begon met vergeetachtigheid; dat je bijvoorbeeld naar de keuken gaat om iets te halen en dan vergeten bent wat het was. Dat gebeurde me steeds vaker. Ik vocht ertegen door me bepaalde gewoontes voor de dagelijkse bezigheden aan te wennen: eerst dit, dan dat, dan… Het werden rituelen en over het geheel genomen werkte het wel; ik deed de huishouding, verzorgde mezelf, en mijn angst hield ik ingesloten.

Een paar jaar.

Maar de ziekte begon al eerder door het feit dat ik geen… contact meer had. Wanneer iemand tegen mij praatte hoorde ik niet wat er gezegd werd; ik zag alleen de mond bewegen. En als ik iets zei was er niemand meer die luisterde.

Ik was alleen.

Arne bleef proberen me alles duidelijk te maken. Anna was altijd aan het rennen. Moeder was dood, Ragnar was dood, Sofia was bij God. Greta zat in het gekkenhuis en Lisa wilde ik niet zien.

De enigen die tijd hadden en konden luisteren waren de kleinkinderen. Ik heb nooit begrepen waarom Anna zo veel lievere kinderen kreeg dan ik.

Maar ook de gesprekken met Maria en Malin hielden op. Toen was ik al zo lang alleen dat niemand kon weten waar ik was.

Het laatste dat ik me herinner is dat ze opeens om me heen stonden, allemaal. Ze hadden grote ogen, donker van angst, en ik wilde hen troosten, maar de woorden die ik nog had bereikten mijn mond niet. Er volgde een verpleeghuisbed met een hoog traliewerk en ik was verschrikkelijk bang om opgesloten te zijn. Ik heb nachtenlang aan die hekken geschud; ik wilde eruit. In het begin zat Anna naast me, hele dagen. Ze moest huilen. Ze was opgehouden met rennen. Nu zou er contact mogelijk zijn geweest, maar ik had al mijn vaardigheden verloren.

Het was te laat.

Anna

Epiloog

Buiten voor de ramen van de flats was de maartnacht waterkoud. Er klonk gegil van popmuziek en dronken jongelui van het plein beneden. Voor de snackbar gierden de banden van auto's tegen het natte asfalt. Tegenwoordig sliepen zelfs de buitenwijken 's nachts niet meer.

Toen Anna de gordijnen dichtdeed bleef ze even staan kijken naar de grote stad die aan de horizon lag te glinsteren. Bedreigend, vond ze. Daar had een onbekende een paar weken geleden de minister-president doodgeschoten.

Maar ze wilde niet aan Olof Palme denken.

Opnieuw pakte ze het manuscript van Johanna. Ze had het gelezen, steeds weer opnieuw, ontroerd en dankbaar. Toch was ze teleurgesteld, alsof ze iets anders had gewild. Ik wil altijd iets anders, dacht ze. Op mijn bekende belachelijke, ontwijkende manier wilde ik... wat eigenlijk?

Je geheim ontrafelen.

Wat ben ik toch naïef. Een leven laat zich niet duiden. Je probeert het zo goed als je kunt in kaart te brengen en dan zit je daar en ben je onrustiger dan ooit. Er is zo veel opgerakeld en door elkaar geroerd. Maar je was ook geheimzinnig; daar ben ik me altijd bewust van geweest. En dat klinkt hier en daar ook door in je verhaal. Even maar, kort en zo weer verdwenen. Als in een droom. Daarna neem je je rol weer aan van zorgzame, regelende en begrijpende vrouw.

Ik moet eenvoudig beginnen, dacht ze, met datgene dat ik meen te begrijpen. Ik schrijf een brief.

Ze zette haar computer aan:

Stockholm, maart 1986

Lieve moeder!

Vannacht ga ik u een brief schrijven, waarin ik alles zeg wat ik nooit zou hebben durven zeggen als u het had kunnen lezen.

Ik heb uw verhaal grondig doorgenomen. Het lijkt alsof u vanuit de hemel bent neergedaald om een plaats in een gewoon aards bestaan in te nemen!

In uw leven bestond niets bovennatuurlijks.

Natuurlijk was u ook niet degene die ik probeerde de grond in te boren toen ik jong was en u bespotte om uw gebrek aan ontwikkeling en zelfverzekerdheid. U zegt niets over die periode en glijdt erover heen alsof het u geen pijn heeft gedaan. Misschien snapte u wel dat ik de idiote academische excuses nodig had, die onzekere jongelui uit de generatie die opklimt aangrijpen om hun ouders te overwinnen en hun afkomst te verloochenen.

Ik heb een poosje geloofd dat ik u de macht ontnomen had door als een pauw met mijn ontwikkeling te pronken. Maar toen ik moeder werd nam u uw plaats weer in. Weet u nog dat Maria van de honger lag te huilen in haar wieg? Het was afschuwelijk, maar ik had geleerd – uit een boek natuurlijk – dat baby's op vaste tijden eten moesten hebben. En u zei: 'Maar Anna toch.'

Dat was voldoende.

Het is nu laat in de nacht en ik schrijf in een staat van beroering; ik ben alleen en verontwaardigd. Oh, moeder, u was zo gezond en u bent zo ziek geworden! Zo sterk en nu zo verpletterd.

Ik weet nog hoe ik probeerde u te ontzien door vaders woede naar mij af te leiden. Zoals kinderen dat doen. Liet u dat gebeuren? Of zag u het niet? Hij zei dat ik op zijn moeder leek, trots en blond. Misschien dat dat er ook toe bijdroeg dat hij zijn last van u op mij overdroeg?

Ik daagde hem uit. Ik was ook veel bozer dan u; ik leek meer op hem. En toen ik een tiener was en het lyceum zijn steentje had bijgedragen, had ik ook veel eerder mijn woordje klaar en wist ik ook veel meer te zeggen dan hij.

Verachtelijk? Ja. Een klassenvraagstuk? Ja, dat ook. Het was onverdraaglijk voor hem; hij kon immers niet eens tegen de mildste vorm van kritiek. Voelde hij zich gekrenkt, en dat gebeurde gemakkelijk, dan moest hij dat kwijt. Anderen werden daar de dupe van. Wij.

Hij had als kind veel slaag gehad en zoals de meesten van zijn generatie sprak hij daar trots over. Hij had vreemde sadistische fantasieën. Omdat noch hijzelf noch iemand anders begreep dat het seksuele fantasieën waren kon hij ze de vrije loop geven.

Haatte hij mij? God, hij leeft nog: haat hij mij? Is heel zijn furieuze woede nu op mij gericht? Vind ik het daarom zo moeilijk om te bellen? Of bij hem op bezoek te gaan?

Ik simplificeer nu; hij heeft ook veel goede kanten. Hij gaf geborgenheid als we het moeilijk hadden. Hij liep niet weg. Gaf u vader het recht om u te krenken, omdat hij u aan uw vader deed denken? Maar wat weet u van de molenaar uit Värmland, van zijn donkere kanten en zijn dronken buien? Hij was voorzover ik begrijp alles wat u had. In zo'n relatie wordt een kind gauw angstig. Was het die angst die u op Arne overbracht?

En ik? Ik doe hetzelfde als u deed; ik onderwerp me, laat dingen gebeuren. Rickard is in Londen; hij neemt drie maanden waar als correspondent. Er is daar een vrouw. Hij gaat met haar naar bed. Hij denkt dat hij mij wil bereiken, mijn 'onbewogenheid'. Maar het gaat altijd om haar, die oppervlakkige, ijskoude Signe uit Johanneberg.

Ze is nu vijf jaar dood. Maar wat betekent de dood voor iemand die niet met beide benen op de grond staat? En hoe leert een kind om dat te doen als zijn eerste realiteit, zijn moeder, het laat afweten? Rickard zweeft, moeder; dat maakt hem zo onweerstaanbaar.

In de loop van mijn werk heb ik vaak gedacht dat Hanna van ons drieën de sterkste was. Zij had opvattingen en samenhang. Was realistisch. Wanneer ik nadenk over haar godsbeeld ben ik verbijsterd over haar lef, over haar eigengereide manier van stelling nemen. En ze leefde naar haar opvattingen. Zoals uw vader ergens zegt: ze hield er rekening mee dat haar onrecht kon worden aangedaan en daarom liet ze het van zich afglijden.

Wat u en ik niet doen.

Ze was er boos over dat ze niet kon huilen. Wij hebben allebei gehuild alsof we een zee aan tranen te vergieten hadden.

Niet dat dat hielp.

Ik twijfel er geen seconde aan dat u een beter mens bent dan ik, liever. Maar ik ben sterker; ik ben ondanks alles niet totaal onderworpen. Natuurlijk heeft het met de tijdgeest te maken, met opleiding, dat ik mezelf en mijn kinderen kan onderhouden. Maar ook met het feit dat ik mijn kracht van een moeder kreeg, niet van een vader.

Ik was zo verwonderd toen ik in de gaten kreeg dat u jaloers was op mijn scheiding; daar had ik geen vermoeden van gehad. Maar de scheiding groeide, zoals u zegt, niet uit tot een overwinning, want ik verviel weer in mijn rol van verrekte klimplant.

Misschien bestaat er geen onafhankelijkheid.

Wanneer u vertelt over uw seksleven dan spijt me dat voor u. Het zinnelijke is toch zo heerlijk. Zo groots. Op de een of andere manier allesomvattend.

Daarom is Rickards ontrouw ook steeds zo onverdraaglijk.

Morgen ga ik een brief naar Londen schrijven: 'Ik neem je niet meer terug...'

Zal ik dat doen?

Moeder, het is nu ochtend, ik heb een paar uur geslapen en ben rustiger. Ook minder scherpzinnig? Ik wil u iets eenvoudigs en belangrijks vertellen. Dat wat u van uw vader hebt gekregen, kreeg ik van u. In zekere zin heb ik het ook doorgegeven aan Maria en Malin en soms denk ik wel eens dat ze meer zelfachting hebben dan u en ik. Ze zijn misschien niet gelukkig, wat dat ook moge zijn, maar ze hebben hun kinderen en hun zelfrespect. U hebt Stefan, de vriend van Malin en de vader van Lena, nooit ontmoet. Maar hij leek op Rickard. En op oom Ragnar.

Ik lees uw verhaal nog een keer. In het nuchtere ochtendlicht. Wat gek dat een kind iets kan weten zonder het te weten. Want ik wist dat er op een of andere manier broertjes en zusjes waren, of waren geweest.

Goeie genade, hoe hebt u dat kunnen verdragen? Ik weet hoe het voelt; ik heb een kind verloren en ik dacht dat ik gek werd. Letterlijk. Ik heb u nooit verteld hoe ver heen ik was in het grensgebied. Ik zal u wel niet bang hebben willen maken.

Nog veel vreemder is het met de oorlog. Ik heb er nooit bij stilgestaan hoezeer die zijn stempel op mijn jeugd heeft gezet en hoeveel angst daarin zijn oorsprong heeft. Toch herinner ik me de Duitse piloot die boven ons in de lucht verbrandde nog wel, en ook dat vader af en toe kwam en weer vertrok, gekleed in een uniform, en dat hij sprak over het kwaad. En dat buitenlandse tijdschrift dat ik had gekocht met geld dat ik van Ragnar had gekregen, vergeet ik nooit meer.

Er zijn ook dingen die u niet hebt gezien. Wat betreft uw broers. U ziet ze alleen maar als seksisten. Maar er zat een behoefte aan wraak in, toen u werd gedwongen om op te ruimen als zij dronken waren geweest, om hun schoenen te poetsen en te luisteren naar hun opschepperij over seks. Ze waren jaloers op het meisje, dat het mooiste en intelligentste kind was. En dat alle aandacht van vader kreeg.

Ik weet dat, omdat oom August dat een keer tegen mij heeft gezegd: 'Zij was vaders popje, voor haar deed hij alles. Naar ons keek hij niet om.'

Maar zij kregen de aandacht van hun moeder, zult u tegenwerpen. Ik geloof niet dat dat dezelfde waarde had.

Gedeeltelijk omdat zij een anachronisme werd toen jullie in de stad kwamen wonen; ze was onontwikkeld en boers. Maar ook omdat haar zorg hen verstikte.

Ik weet het niet; ik ga op de tast door een oerwoud van vooroordelen en psychologisch gemeengoed. Vanochtend werd ik wakker met een droom; ik zat alleen in een wagon die ergens op een zijspoor stilstond. Hij was bij vergissing afgekoppeld. Vergeten. Maar het was niet onaangenaam, niet verontrustend. Integendeel. Ik had tijd gekregen om na te denken in een vergeten ruimte.

Het valt me nu op dat er misschien een hoofdlijn is die we gemist hebben.

De liefde.

Misschien zijn we daar gevangenen van, wij allebei.

Opeens schiet me weer een gebeurtenis van een paar jaar terug te binnen. U was in de war, maar nog niet helemaal verdwenen. U bezat nog woorden en was blij wanneer ik kwam; u herkende me nog. Toen werd vader ziek; hij moest geopereerd worden. Ik logeerde alleen in huis en reed elke dag heen en weer tussen ziekenhuis Sahlgren, waar ik bij hem op bezoek ging, en het verpleeghuis waar u zat. Elke dag zei hij: 'Je hebt geen tijd om hier te zitten. Ga nu maar naar je moeder.'

Ik zei: 'Goed, ik ga.' Hij glimlachte en zwaaide wanneer ik wegging.

Na ongeveer een week werd hij ontslagen. Ik haalde hem op en bracht hem direct naar u. U was in een rolstoel op weg naar de eetzaal. Toen u hem zag breidde u uw armen uit als een vogel die zijn vleugels uitslaat. U schreeuwde bijna: 'Maar daar ben je.'

Toen draaide u zich om naar het meisje dat de rolstoel duwde en u zei: 'Je zult zien dat ik nu gauw weer beter ben.'

Ik weet nog dat ik jaloers was.

Waarom maken de mannen het ons zo moeilijk om van ze te houden?

Nog een gedachte: Ik zei eerder dat ik bozer was dan u. Het gekke is dat ik nooit kwaad ben op Rickard. Voor u was het precies andersom; al uw agressie was op Arne gericht. Kwam dat doordat jullie geen bevredigend seksleven hadden? Dat de liefde geen uitweg vond?

Wat heb ik willen bereiken met deze reis door drie vrouwenlevens? Wilde ik de weg naar huis vinden?

In dat geval ben ik mislukt. Er was geen huis. Of misschien kon ik het niet terugvinden; in ieder geval niet via de weg die ik heb gekozen. Alles is zo veel complexer en tegenstrijdiger, groter en duisterder geweest dan het kind dat ik was, ooit kon bevroeden. Ik weet niet eens of ik alles nu wel beter begrijp. Maar ik heb veel geleerd en ik ben in godsnaam niet van plan om te doen wat u deed, moeder: opgeven als de waarheid in duizend waarheden uiteenvalt.

Anna wilde haar brief net beëindigen toen de telefoon ging. Verbouwereerd keek ze op de klok. Nog geen zeven uur; wie kon er zo vroeg op zondagochtend bellen?

Toen ze haar arm uitstrekte om de hoorn op te nemen was ze bang. Daarom was ze ook niet verbaasd toen ze de opgewonden gezinshulp van vader in Göteborg hoorde roepen: 'We hebben hem bewusteloos gevonden en hem net met de ambulance naar ziekenhuis Sahlgren gebracht.'

Anna kleedde zich aan en pakte het allernoodzakelijkste in een koffer. Vervolgens belde ze het ziekenhuis in Göteborg. Het duurde even voordat ze de EHBO-afdeling te pakken kreeg en een vermoeide arts zei: 'Een hartinfarct. U doet er goed aan zo snel mogelijk hierheen te komen. Hij heeft niet lang meer te leven.'

Ze belde Maria ook nog gauw even op: 'Dan weet je waar ik gebleven ben.'

Ze nam een taxi naar vliegveld Arlanda en vloog op een stand-by ticket naar Landvetter, waar ze weer een taxi nam.

Even voor tienen zat ze aan zijn bed. Hij lag op een zaal en was buiten bewustzijn. Hij had een infuus in zijn hand.

'U hebt toch wel een kamer voor hem alleen?'

Jawel, ze waren bezig om er een voor hem klaar te maken. Zij zou er ook een stoel krijgen en een brits, zodat ze even kon gaan liggen.

Vlak daarna kwam de dokter met de vermoeide stem binnen. Hij beluisterde hart en longen en zei: 'Er dreigt een longontsteking.'

Er klonk een vraag door in zijn stem. Ze snapte het en zei: 'Is er een kans dat hij weer gezond wordt?'

'Nee. Zijn hart is op.'

'Dan geen antibiotica.'

Hij knikte en zei dat ze ervoor zouden zorgen dat de oude man pijnvrij werd gehouden.

En toen zat ze daar. De uren verstreken en haar hoofd was leeg. Ze had ook helemaal geen gevoelens meer, voelde zich vreemd onbewogen. Het afdelingshoofd kwam 's middags langs en zei dat ze iemand zou laten waken, zodat Anna even wat kon gaan eten. Er was een restaurant bij de ingang; als ze daar bleef, wisten zij haar te vinden.

Pas toen voelde Anna hoeveel honger ze had.

Ze nam een aardappelschotel met twee eieren en rode bietjes. Ze belde ook naar het verpleeghuis om door te geven dat Johanna die dag geen bezoek zou krijgen. Toen ze in de ziekenkamer terugkwam was de situatie onveranderd. Ze nam de oude hand weer in de hare. Tegen zevenen 's avonds kwam er een zuster om te vertellen dat er een telefoontje uit Londen voor haar was.

Ze voelde zich onverklaarbaar opgelucht.

'Anna, hoe is het?'

'Het is gek genoeg… vervelend', zei ze, en meteen schaamde ze zich hiervoor.

'Ik pak morgenochtend het vliegtuig. Tegen twaalf uur ben ik bij je.'

'Dank je.'

'Ik heb met Maria gesproken. Zij probeert morgen ook te komen, maar ze had nog moeite om een oppas te vinden. Malin hebben we nog niet te pakken gekregen; ze zit in Denemarken voor een of ander seminarium.'

Toen ze weer bij de oude man ging zitten, moest ze huilen. De leegte verdween en ze had weer gevoel. Toen ze zijn hand oppakte, fluisterde ze: 'Je bent zo'n fijne vader geweest.'

Het is waar, dacht ze. Hij was er altijd en hij stond altijd achter mij.

Zijn woede stond alleen in de weg. Zijn razernij. Geen haat.

Om half drie in de nacht begon hij onrustig te bewegen. Ze wilde juist de nachtzuster bellen, toen ze zag dat hij probeerde iets te zeggen. De droge lippen bewogen zich, maar de woorden bereikten de mond niet.

Ze streelde hem over zijn wang, fluisterde: 'Ik begrijp het wel, vader.'

Hij keek haar recht aan. Toen slaakte hij een lange zucht en hield op met ademen. Het ging snel, bijna ongemerkt. Zo gemakkelijk alsof het nooit gebeurde.

Ze drukte op de bel en pas toen de nachtzuster kwam en plechtig deed drong het tot Anna door dat hij dood was. Een stille, wanhopige pijn begon in haar op te komen en ze besefte dat dat verdriet was en dat ze daar nog lang mee zou moeten leven.

Op dit moment kon ze niet huilen.

Na lange, stille minuten fluisterde de zuster dat er bij de zusterpost verse koffie was. Anna moest daar maar even naartoe gaan, terwijl zij de dode verzorgden. Ze gehoorzaamde als een kind. Ze dronk koffie en at een half broodje. Toen mocht ze terug naar de kamer waar het er opgeruimd en netjes uitzag. Ze hadden aan beide kanten van de overledene kaarsen aangestoken en er lag een bos bloemen op zijn borst.

Ze bleef er een uur zitten en probeerde tot haar door te laten dringen wat er was gebeurd. Om vijf uur 's ochtends belde ze Maria; ze deed haar verhaal en zei dat ze nu niet meer hoefde te komen. Ik laat wel weer wat van me horen als ik de uitvaart heb geregeld.

Toen ze een taxi naar het huis aan zee nam lag er een zilvergrijze mist over de stad. De misthoorns loeiden over de rotseilandjes en de grotere eilanden.

De gezinshulp had de sporen opgeruimd van de nacht waarna ze hem hadden gevonden. Ze liep van kamer naar kamer en dacht zoals ze al zo vaak had gedaan, dat het huis zijn persoonlijkheid had verloren sinds moeder eruit was verdwenen. Er stonden geen planten meer, er waren geen kleden of kussentjes. Er heerste alleen orde en het soort armzalige zakelijkheid waarmee mannen vaak een stempel zetten op hun omgeving.

Het was er ook koud. Ze ging naar de kelder om de shunt van de olieketel omhoog te zetten. Ze liep de trap op naar haar eigen kamer en haalde een dekbed uit de kast. Toen ze in bed lag dacht ze aan allerlei praktische dingen en ze ontdekte dat dat hielp.

Om elf uur werd ze wakker. De olieketel stond te denderen in de kelder en het was bijna ondraaglijk warm in huis. Ze zette de verwarming echter niet lager, maar deed alle ramen open om het eens goed te laten doortochten. Haar rug en armen deden zeer van vermoeidheid na de lange, doorwaakte nacht, maar ze bleef aan dingen denken die geregeld moesten worden: Ik moet naar vliegveld Landvetter bellen, zodat Rickard weet dat hij hierheen moet komen, niet naar het ziekenhuis. Een warm bad. Zou hier eten in huis zijn? Ik moet boodschappen doen.

Toen ze in het warme water van het bad lag en voelde hoe de stijfheid uit haar lichaam gewassen werd nam ze een besluit: ze zou hier blijven, ze ging hier wonen. In elk geval dit voorjaar, maar misschien voor altijd. Ze liep de tuin in. Mijn tuin, dacht ze voor het eerst, en ze schaamde zich toen ze zag hoe slecht onderhouden hij was. De zon brak door de mist heen en in het koude maartlicht zag ze de doorgeschoten rozen die al jaren niet meer gebloeid hadden, het gazon dat voornamelijk uit mos bestond en onkruid dat een halve meter hoog stond in de bloemperken.

Toen hoorde ze zijn auto; daar was hij en zij lag in zijn armen.

'Loop je hier buiten in de kou rond in een badjas. En met blote voeten in je klompen', zei hij toen hij haar losliet.

'Binnen is het zo warm', zei ze.

'Heb je wel iets gegeten?'

'Nee, hier is niets te eten.'

'Je bent gek, meiske', zei hij en even later lagen ze, zonder dat ze begreep hoe het kwam, in het smalle bed op de bovenverdieping waar hij haar ogen en haar borsten kuste en waar het verdriet werd weggevaagd en zij voelde: Hier hoor ik thuis.

De hoofdlijn?

Wat later, toen hij een blik oude koffie had gevonden die hij klaarmaakte, bedacht ze dat niets eenvoudig was behalve juist datgene dat Hanna bedgemeenschap had genoemd.

Hij vroeg niet hoe het sterven was geweest en daar was ze hem dankbaar voor.

'We moeten naar moeder', zei ze.

Hij had een auto gehuurd op Landvetter, dat was handig. Ze maakten een boodschappenlijst; hij kon boodschappen doen wanneer zij in het verpleeghuis was, zei ze. Daarna zouden ze samen lunchen in de stad voordat ze naar de begrafenisondernemer gingen.

'Jij bent weer alles aan het regelen, net als altijd wanneer je bang bent', zei hij met een stem die warm van tederheid was.

Toen hij haar voor het verpleeghuis afzette voelde ze paniek.

'Wat moet ik tegen haar zeggen?'

'Je moet het zeggen zoals het is.'

'Rickard, ga met me mee.'

'Ja, natuurlijk', zei hij en hij parkeerde de auto.

Hij stond te wachten terwijl zij met het afdelingshoofd sprak. Die zei ook dat Anna het moest zeggen.

'Dan zien we wel wat ze ervan begrijpt.'

Johanna was zoals altijd ver weg, heel ver weg.

Ze zaten een poosje naar haar te kijken en Rickard pakte haar hand. Anna boog zich over haar heen en sprak heel duidelijk: 'Moeder, luister eens. Arne is vannacht overleden.'

Schrok ze op, drong het tot haar door? Nee, ik verbeeld het me. Maar toen ze haar verlieten zei Rickard dat hij er zeker van was dat haar hand gereageerd had.

Ze gebruikten een vroege warme maaltijd in het nieuwe visrestaurant achter Majnabbe, deden boodschappen en gingen naar de begrafenisondernemer. Goeie genade, er moesten zo veel besluiten worden genomen. Anna zei ja tegen een eikenhouten kist, nee, geen kruis in de advertentie, ja, wel rouwkaarten en ja, zo'n urn. Ze begreep opeens wat mensen bedoelen wanneer ze zeggen dat je door het regelen van de uitvaart de eerste week tegen het verdriet opgewassen bent.

Op weg naar huis deden ze boodschappen bij de Konsumwinkel waar moeder ook altijd haar boodschappen had gedaan. Daarna reden ze naar een hoveniersbedrijf waar Anna planten voor het huis kocht. Toen ze eindelijk thuiskwamen zat Malin op de stoep; Anna begon te glimlachen en Rickard lachte hardop van blijdschap. Maria had haar gisteravond in Kopenhagen te pakken gekregen en een vriend had haar naar Helsingör gebracht waar ze de veerboot had genomen.

'Maar mamma, nu sluit je jezelf weer helemaal af. Zou het niet beter zijn als je eens probeerde te huilen?'

'Ik kan 't niet.'

Anna lag op haar rug in bed en hield Rickards hand vast; een koude hand die naar warmte zocht. Ze was te moe om te kunnen slapen.

Hij was onrustig, dat voelde ze.

'Wil je een slaaptablet?'

'Nee.'

'Een whiskey dan?'

'Goed.'

Ze dronk zoals een kind een glas water drinkt en was verbaasd over de snelheid waarmee het binnenin haar rustig werd. Ze zei nog: 'Ik zou makkelijk een alcoholist kunnen worden', en daarna moest ze in slaap zijn gevallen. Ze werd wakker van de geur van koffie die van beneden opsteeg en ze hoorde Rickard en Malin praten in de keuken. Het was mooi weer.

Ik moet het zeggen, dacht ze toen ze de trap afliep. Aan de keukentafel kreeg ze een grote beker hete koffie. Ze schonk er melk bij en dronk ervan.

'Ik had gedacht dat ik hier maar moest blijven... een tijdje. Er moet immers iemand naar moeder toe.'

'Wat mij betreft is dat prima. Vanuit Londen is Göteborg dichterbij', zei Rickard.

'Je zult hier wel alleen zijn', zei Malin. 'Maar we zullen zo vaak langskomen als we kunnen.'

'Ik wilde Maria bellen om te vragen of ze mijn auto kan meenemen hierheen. En mijn computer en printer en al mijn aantekeningen. En mijn kleren.'

Vervolgens zei ze: 'Ik kan immers net zo goed hier gaan zitten schrijven.'

Haar woorden bleven onder de keukenlamp hangen. Dezelfde woorden die zo vaak eerder waren uitgesproken.

Toen boog ze haar hoofd naar de tafel; ze bezweek en begon te huilen.

'Ik ga even liggen', zei ze. Ze nam een keukenrol mee toen ze naar boven ging.

'Ik moet even alleen zijn', zei ze toen ze haar bezorgd nakeken.

Daar lag ze op haar oude meisjeskamer tot de tranen eindelijk wegebden en ze van kou begon te schudden.

God, wat had ze het koud.

Opnieuw werd ze wakker van een heerlijke geur. Eten. Gebakken ham, aardappelen, uien. Haar benen trilden toen ze naar de badkamer liep om haar gezicht met koud water te wassen. Ze vond dat ze er oud en getekend uitzag. Maar toen ze de keuken binnenkwam zei Rickard: 'Wat heerlijk dat je weer ogen hebt.'

'Niet meer van die lege putten', zei Malin, terwijl ze naar haar glimlachte. Anna voelde dat de glimlach, die ze als antwoord gaf, van binnenuit kwam.

'Het was goed dat hij kon sterven', zei ze.

'Ja, fijn voor hem en fijn voor ons. Ik vind dat je je moet realiseren dat hij een ongewoon lang en goed leven heeft gehad.'

Op zichzelf was die opmerking niet zo bijzonder, maar Anna had zo lang in betekenisloosheid doorgebracht, dat woorden nu weer gewicht kregen. Elk woord.

'Hoelang kunnen jullie hier blijven?'

'Tot na de crematie', zeiden ze allebei.

'Denk je dat jij ervoor zou kunnen zorgen dat de boot verkocht wordt, Rickard? Het zou mooi zijn als we die kwijt waren. En het geld hebben we nodig.'

Hij had niet veel tijd nodig om een advertentie op te stellen en contact op te nemen met de krant. Vervolgens ging hij naar de werf en hij kwam terug met een man die de boot onderzocht rond de schroef, de inrichting bekeek en een geschikte prijs noemde.

'Wat betreft geld; moeten we niet zijn rekeningen en bankafschriften doornemen?'

'Dat is goed. Ik zal je zijn verborgen vak laten zien.'

Ze vonden de geheime doos die ingebouwd was in de muur achter de kast waar de oude man zijn ondergoed had liggen.

'Slim van hem', zei Rickard bewonderend. 'Maar waarom kijk je zo raar?'

'Ik moest ergens aan denken. Malin, waar zijn mijn planten?'

'In de kelder. Daar heb je ze gistermiddag neergezet.'

In de kelder!, dacht Anna.

Malin en Anna wasten alle ramen van het huis, wasten en streken de gordijnen en kochten nog meer geraniums voor de lege vensterbanken. Rickard verkocht de boot en ging naar de bank. Ook vond hij een taxateur, een rustige vrouw, die het huis door ging en bij alles de laagst mogelijke waarde vaststelde.

'Met het oog op het successierecht', zei ze.

Op donderdagmiddag kwam Maria. Met de auto en ze had de kinderen bij zich. Toen Anna de kleine meisjes omhelsde smoorde ze hen bijna. Na het eten droeg Rickard de computer en de printer naar binnen.

'We zullen na de crematie eens een goede werkplek voor je maken.'

Er kwamen veel mensen, veel meer dan waar ze op gerekend hadden: collega's, leden van de partij, zeilvrienden. En de enkelingen die er nog over waren van de oude familie. Zowel de plechtigheid in de kerk als het condoleren na afloop verdwenen voor Anna in een gevoel van onwerkelijkheid.

Ze was alleen. De dagen kwamen en gingen.

De ochtenden wijdde ze aan haar boek. Het ging moeizaam; ze had alleen maar wat losse gedachten. Ze zat soms lang te denken aan de moeder van Hanna, die vier kinderen van honger had zien omkomen. Ze piekerde over Johanna en haar miskramen; bedacht hoe vreemd het was dat dat er ook vier waren geweest. Zelf had ze maar een kind verloren, maar dat was genoeg om te weten hoe het was.

Twee kinderen! De abortus. Hoe was moeder daar achter gekomen? Wat was het kind dat niet ter wereld mocht komen geweest? Een jongetje? Een meisje?

'Kom op, zeg', zei ze hardop. 'Het is niet goed om boven je toetsenbord te gaan zitten huilen.'

Toen schreef ze: Stel je voor, ik heb nooit geweten dat ik verdriet om dat kind heb gehad.

Ze dacht na over de ivoren dame, Arne's moeder en haar grootmoeder, en over het feit dat er in Johanna's beeld van haar niet eens ruimte was voor een poging om haar te begrijpen. Dat was vreemd, want moeder probeerde altijd iedereen te begrijpen en te verontschuldigen. Ze moest haar schoonmoeder hebben gehaat en haar de schuld hebben gegeven van al het moeilijke en onbegrijpelijke aan vader.

'Hij gaat steeds meer op zijn moeder lijken', zei ze de laatste jaren. Ik kon het niet opbrengen er naar te luisteren: 'Anna was altijd aan het rennen.'

Was er een of ander duister geheim in het leven van grootmoeder Karlberg geweest? Een schande die door al die rare trots uit het zicht gehouden moest worden?

Rond twaalf uur at ze een bordje ümer met cornflakes. Daarna ging ze naar het verpleeghuis om haar moeder eten te geven. Ze was niet meer bang voor de oude mensen in het verpleeghuis. Net zoals alles dat je vaker ziet kregen ze iets natuurlijks over zich. Ze leerde andere bezoekers kennen: het vermoeide vrouwtje dat elke dag kwam om haar broer te helpen met eten, de oude man die met zijn slechte been de hele stad door liep om zijn vrouw te zien.

En dochters, de meesten van haar leeftijd.

Ze groetten elkaar, wisselden een paar woorden over de zieken en over het weer in dat mooie voorjaar en zuchtten diep, wanneer ze het hadden over hoelang de eenzame oude vrouw op de vijfde verdieping nog zou hebben.

Anna vertelde Johanna over de tuin; dat ze er elke middag in aan het werk was om de boel te herstellen. Ze dacht er niet langer over na of Johanna haar wel begreep.

'Het gazon is er het slechtst aan toe', zei ze bijvoorbeeld. 'Ik heb het mos er allemaal uitgetrokken en grondverbeteraar gekocht. Zodra er regen komt ga ik het inzaaien.'

En de volgende dag: 'De aalbessenstruiken herstellen zich. Ik heb ze flink teruggesnoeid, de aarde omgespit en ze bemest.'

Op een dag kwam ze met een vrolijk nieuwtje: 'Stelt u zich voor: de rozen staan in de knop! Het heeft geholpen om ze te snoeien en nieuwe aarde en een beetje mest te geven.'

'Alles wordt weer net zoals vroeger, moeder', zei ze soms. 'Ik zaai zomergoed, want er is maar een vaste plant die het overleefd heeft. De pioenrozen, u weet wel, die dieprode.'

En op een dag kon ze eindelijk zeggen: 'Het is bijna klaar, moeder. En het wordt zo mooi.'

Toen de tuin af was stierf Johanna. Op een nacht, in haar slaap. Anna zat erbij zoals ze bij haar vader had gezeten en hield haar hand vast.

Toen ze tegen de ochtend thuiskwam en de tuin door liep voelde ze geen verdriet. Alleen maar een grote weemoed.

Haar gezin kwam om haar te helpen de uitvaart te regelen. Ook dit keer kwamen er meer mensen dan waar ze op gerekend hadden.

'Ik blijf nog een poosje', zei Anna.

'Maar Anna!'

'Maar mamma!'

Rickard, die klaar was met zijn werk in Londen en nu in

Stockholm op de redactie kwam, was teleurgesteld, dat zag ze wel.

'Hoe lang?'

'Tot de doden koud zijn in de grond.'

Hij keek verschrikt en ze besefte dat ze zich als een krankzinnige had uitgedrukt. Hun lichamen waren gecremeerd. Rickard en zij hadden samen de urnen in Hanna's graf geplaatst. Hanna was de enige geweest die zich op de dood had voorbereid door met geld van de molen een graf te kopen in Göteborg.

'Wat een rare uitdrukking was dat', zei Rickard.

'Ja.' Ze knikte. Maar ze hield vol: 'Toch klopt ze, hoe gek het ook is.'

Ze probeerde het uit te leggen: 'Ik heb het onduidelijke idee dat ik moet leren… om me niet ongerust te maken. Dat ik gewend moet raken aan de gedachte dat ik alles nu maar gewoon op zijn beloop moet laten.'

'Maar wat dan bijvoorbeeld?'

Die vrouw van jou in Londen, om maar iets te noemen. Het kan me niet schelen wie ze is of hoe ze eruitziet en welke plek ze inneemt in jouw leven. Ze zei het niet, maar lachte hardop van blijdschap toen ze merkte dat dit bewaarheid kon worden.

'Maar we moeten wel realistisch blijven. Ik heb een aanbetaling gedaan voor het huis in Roslagen.'

Ze knikte, maar was verbaasd; sinds hij naar Engeland was vertrokken had hij het niet meer over de aankoop van het huis gehad.

'Jullie moeten me tijd gunnen.'

Toen besliste Malin de boel: 'Ik denk dat het goed is. Jij bent nog niet klaar met dit huis. En ik denk dat je dat ook niet wordt, voordat je je boek afhebt.'

Er zat een woordloos genoegen in het alleen zijn.

Toen ze de herfstbladeren en het tuinafval van vorig jaar op een hoop had geharkt stak ze die aan. Ze bleef lang naar het vuur staan kijken. Ze had een plechtig gevoel, ver weg in de tijd. Ze slenterde langs het strand. Soms rende ze een stukje. Ze klom op de steile rotsen en rolde kleine steentjes de helling af de zee in.

'Je lijkt gelukkig', zei Rickard toen ze hem op vrijdagavond laat van het vliegveld haalde. Het was een vraag. Ze dacht lang na.

'Nee', zei ze ten slotte, zonder precies te weten wat ze bedoelde. 'Ik heb geen verwachtingen', zei ze.

Gelukkig? De vraag hield haar bezig toen hij weer naar Stockholm was vertrokken. De vraag ergerde haar. Geen geluk meer, dacht ze. Nooit meer dat heerlijke, breekbare, angstige gevoel. Het is gedoemd om stuk te gaan en je doet je altijd zeer aan de scherven. Het bloedt, je doet er een pleister op, neemt een pijnstiller en denkt dat het geneest.

Maar het is zoals moeder zegt: Alles laat zijn sporen na.

En bij ieder onweer doen de oude littekens weer pijn.

Maria kwam vaak langs. Anna kwam dichter bij de waarheid toen Maria zei: 'Je bent zo kinderlijk geworden, mamma.'

'Ja.'

Ook Malin kwam langs: 'Ben je eindelijk vrij, mamma?'

Jawel, daar zat wat in.

'Misschien ben ik op de goede weg', zei Anna giechelend. 'Op dit moment ben ik in het land Nergens. Daar kun je zonder woorden zien. Het mooiste ervan is dat daar geen bijvoeglijke naamwoorden zijn. Ik ben al jarenlang blind; ik zie de bomen niet, of de zee. Zelfs jou en Maria en de kinderen niet. Vanwege die verdomde bijvoeglijke naamwoorden die me steeds het zicht belemmeren.'

Langzamerhand zou Anna ontdekken wat er zich in het land

Nergens bevond. Dat hoopte ze althans. Maar ze had geen haast; ze was voorzichtig. Niet nieuwsgierig. Ze zou zichzelf goed de tijd gunnen voordat ze zelfs maar vragen zou beginnen te stellen. Tot nu toe was ze er tevreden mee om bij interessante details te blijven stilstaan.

Gezichten. Haar eigen gezicht in de spiegel. Het gezicht van de juffrouw op het postkantoor, dat van de postbode en van het ernstige buurkind. En dat van Birger, de enige die op bezoek kwam. Zijn vrolijke glimlach hield haar bezig, de vreemde duisternis in zijn ogen beangstigde haar niet meer. Gedachten. Ze besteedde veel aandacht aan haar eigen invallen. Het waren er niet veel; ze kwamen en gingen. Maar ze verrasten haar en maakten haar blij, zoals de knoppen aan de oude rozenstruik.

Toen de appelbomen in bloei stonden en er volop bijen omheen zwermden deed ze een nieuwe ontdekking. Ze kon stoppen met denken; het eeuwige gekwek in haar hersens hield op. Opeens bereikte ze waar ze jaren lang naartoe had gewerkt met haar meditaties.

Voorwerpen fascineerden haar. Drijfhout aan het strand. Stenen; stenen maakten haar telkens opnieuw blij. Op een dag vond ze een gepolijste steen die bijzonder geaderd was en de zachte vorm van een foetus had. Toen zat ze lang stil te huilen. Even dacht ze erover om hem mee naar huis te nemen. Maar ze bedacht zich en gooide hem terug in de golven.

Niets kun je ooit begrijpen, dacht ze. Maar in kleine dingen kunnen we wel iets bespeuren.

Toen ze thuiskwam stonden er een man en een vrouw bij haar hek. Ze hadden bloemen bij zich, een zware pot met kerstrozen. Ze waren uitgebloeid. De vrouw kwam haar bekend voor met haar brede gezicht en haar uitnodigende heldere blik.

'Het is lang geleden dat we elkaar voor het laatst hebben gezien', zei ze. 'Ik ben Ingeborg, de dochter van Sofia. We komen om u te condoleren en de kerstrozen terug te geven die mijn moeder van de uwe kreeg toen mijn broers niet terugkeerden uit de storm.'

'Dit is mijn man, Rune', zei ze en Anna legde haar hand in een krachtige mannenhand.

Toen Anna hen wilde bedanken begon ze te huilen.

'Erg aardig van jullie', fluisterde ze, terwijl ze in haar zakken naar een zakdoek zocht. Ze vond er een, wist haar tranen te bedwingen en zei: 'Ik ben een echte huilebalk geworden. Komen jullie alsjeblieft binnen voor een kop koffie.'

Ze gingen in de keuken zitten, terwijl Anna koffie zette en kaneelbroodjes ontdooide. Ze zei: 'Als er iemand is die weet wat verdriet is, dan ben jij het wel, Ingeborg.'

'Ja, dat is waar. Ik vond het het ergste toen mijn vader niet terugkeerde. Ik was nog zo klein; ik kon het niet begrijpen.'

'Je moeder was een engel. Weet je dat ze elke dag hier kwam toen mijn grootmoeder stierf?'

'Ja. Ze was blij dat ze iets kon doen.'

'Toen mijn moeder oud werd, dreunde ze vaak op wie er allemaal dood waren: die was dood, en die was dood en Sofia was bij God, zei ze.'

Nu was het Ingeborg die haar zakdoek te voorschijn haalde en Rune keek gegeneerd. Hij ging rechtop zitten op de keukenbank en schraapte zijn keel. Hij zei: 'Eerlijk gezegd komen we niet alleen om u te condoleren. We hebben ook iets te bespreken.'

'Maar Rune!'

Ingeborg wist hem te onderbreken en onder het genot van een

kopje koffie spraken de beide vrouwen erover dat ze elkaar nooit echt hadden gekend.

'Er zat tien jaar tussen ons en dat is veel als je een kind bent.'

'Ik vond jou zo groot en knap. En je had een baan in de markthal, net als mijn moeder.'

'Jij was een beetje apart met al je scholen.'

Nu konden ze er om lachen. Daarna gingen ze de tuin in om de kerstrozen op hun oude plekje te zetten, een klein gaatje tussen de rotsen van de helling op het zuiden.

'Wat heb je het hier mooi gemaakt.'

'Ik was net klaar met de tuin voordat moeder overleed.'

'Wist ze dat je vader... haar voor was gegaan?'

'Ik geloof het wel.'

Ze liet hen het huis zien. Rune zei dat het een degelijk huis was en dat ze nu maar eens ter zake moesten komen.

'Het is namelijk zo dat we het graag zouden willen kopen.'

De gedachten tolden rond door Anna's hoofd.

'En op een dag klopte de werkelijkheid aan haar deur', fluisterde ze, maar daarna lachte ze opgelucht en ze zei hardop: 'Ik kan me geen betere oplossing voorstellen dan dat Sofia's dochter... en schoonzoon voor moeders huis en tuin gaan zorgen.'

Rune had het over de marktprijs en zei dat ze het geld hadden. Anna schudde haar hoofd. Ze zei dat het voor haar het belangrijkste was dat het huis in zijn oude stijl bleef gehandhaafd en dat er geen betonstenen en quasi-dure rotzooi aan te pas kwamen. Rune vertelde dat hij timmerman was en wel met oude huizen om kon gaan. Anna zei glimlachend dat hij haar aan haar vader deed denken en dat ze dacht dat ze hier wel gelukkig zouden worden. Ingeborg zei dat ze al van jongs af aan van dit huis had gedroomd; dat het net een plaatje van geluk was geweest, met het jonge gezin met het lieve dochtertje.

Zo kon je er ook tegenaan kijken, dacht Anna verbaasd. Ze zei dat ze er met haar man en kinderen over moest praten en Rune begon ongerust te kijken.

Maar Anna zei dat Rickard vast blij zou zijn en haar dochters ook.

'Ze willen dat ik naar huis kom.'

'Rickard komt in het weekeinde. Dan moeten we elkaar maar weer spreken om alle details te regelen. Ik maak me wel zorgen over de meubels…'

'Over die mooie mahoniehouten meubels?'

'Ja, mijn vader heeft ze gemaakt. Ik wil natuurlijk niets weggooien…'

'Weggooien!' zei Rune. 'Bent u gek!'

'Willen jullie dingen overnemen waar wij geen plaats voor hebben?'

'Komt voor de bakker', zei Rune en Anna moest lachen.

'Ze horen immers bij dit huis.'

Daarna zei ze dat er nog een klein probleempje was: ze moest haar boek nog afmaken.

'Nog drie weken', zei ze. 'Ik beloof jullie dat ik het over drie weken af heb.'

Toen ze waren vertrokken zat ze naar haar computer te staren. Sinds moeders overlijden had ze geen woord geschreven.

'Het is tijd', zei ze hardop tegen zichzelf. 'Wat ik gevonden heb verlies ik niet meer.'

Daarna belde ze Rickard op. Ze had wel gedacht dat hij blij zou zijn, maar niet dat hij het zou uitschreeuwen van blijdschap.

'God, ik mis je zo.'

'We zien elkaar zaterdag. Dan mag jij de zaak regelen met timmerman Rune.'

'Ik zal een makelaar in Göteborg bellen om te informeren hoe de huizenprijzen liggen. Hoe gaat het met je boek?'

'Het zal nu wel goed gaan.'

Toen ze de hoorn op de haak had gelegd bleef ze lang bij de telefoon staan. Opeens drong het tot haar door. Er was geen vrouw in Londen. Als ik deze weken hier voor mezelf niet had gehad, zou ik paranoïde zijn geworden, dacht ze.

De volgende ochtend zat ze om zeven uur achter haar computer, terwijl ze verbijsterd dacht: Er komt nog een happy end van. Ondanks alles.

Het besluit om het huis te verkopen dwong haar ertoe te beginnen met datgene wat ze lange tijd voor zich uit had geschoven: het huis aanpakken, dingen uitzoeken en sorteren. Daar gebruikte ze de middagen voor en ze begon op zolder.

Na een poosje realiseerde ze zich dat het huis meer onthulde dan Johanna's verhaal. Zoals al die boeken op zolder. Ze lagen in een oude scheepskist en waren allemaal kapot. Stuk gelezen. Had moeder ze bewaard omdat ze het niet over haar hart kon verkrijgen om ze weg te gooien? Was ze van plan geweest om ze te repareren? Bij een paar was er plakband over de rug geplakt.

Haar hele leven had Johanna boeken verslonden. Al dat lezen moest toch zijn sporen hebben nagelaten. Toch heeft ze het daar nauwelijks over; alleen Lagerlöf noemt ze in het begin en ze zegt ergens terloops dat ze iedere week een stapel boeken van de bibliotheek haalt.

Hier vond Anna Strindberg; al zijn werken, voorzover ze kon beoordelen. In een goedkope, ingenaaide versie. Het boek *Getrouwd* viel uit elkaar, er ontbraken bladzijden. Overal waren dingen onderstreept; hier en daar stonden boze uitroeptekens. De grootste indruk op Anna maakte Dostojevski's *De idioot*, een gebonden exemplaar met aantekeningen in de kantlijn. Het duurde even voordat ze kon ontcijferen wat er aan de zijkanten geschreven was; ze moest het boek in het daglicht houden om te ontdekken dat Johanna naast elke onderstreepte passage had geschreven: 'Absoluut waar!'

Hjalmar Bergmans *Grootmoeder en onze lieve Heer* lag hier, en Karin Boyes *Kallocaïn*, gedichten van Harald Fors, Moa Martinson, allemaal ingenaaid en kapot.

Vreemd!

De bekende proletarische schrijvers Lo-Johansson, Harry Martinson en Vilhelm Moberg stonden in mooie gebonden exemplaren in de boekenkast in de woonkamer.

Waarom hebben we nooit over boeken gepraat? Het was ten slotte een grote gemeenschappelijke hobby.

U durfde het natuurlijk niet!

Nee, dat mag niet waar zijn.

Omdat ik niet wilde luisteren? Ja.

Ik was niet geïnteresseerd in u als mens, alleen als moeder. Pas toen u ziek werd, begon te verdwijnen en het te laat was, kwamen alle vragen.

De volgende middag liep ze haar moeders kleren langs. Mooie kleren van kwaliteitsstoffen met een goede pasvorm. Net zoals Johanna zelf. Er was ook een sieradenkistje. Daar zat alleen rommel in. Ze hield er niet van om zich op te tuigen, zich te laten zien of uitdagend te zijn.

Terwijl u zo mooi was, moeder.

Ze vond een onbekende doos met oude foto's. Wat was u schattig. En dat moet Astrid zijn op een of ander steiger in Oslo. Anna had hartkloppingen toen ze de foto's mee naar beneden nam en er mee op de bank ging zitten in de woonkamer. Er was een foto bij waar Astrid en Johanna samen op stonden. Arne zou die wel genomen hebben. Wat leken ze op elkaar.

Zo totaal anders dan Hanna, allebei. Hier, op het breukvlak van het met de aarde verbonden zware en het vlinderlichte, lag het geheim. Het... onaardse.

Anna twijfelde lang over het woord.

Maar ze kon niets beters bedenken.

Het was iets dat jullie wisten, allebei.

Tegen de nok van het dak stond een bakbeest van een ding, een reusachtig geval, dat goed was ingepakt in een oud zeil. Anna rukte en trok eraan. Het ging moeilijk, maar uiteindelijk slaagde ze erin om de touwen los en het zeil open te maken.

Daar was hij: Hanna's sofa uit Värmland!

Toen Rickard die vrijdag kwam zag hij er tien jaar jonger uit. Hij rende het huis door: 'Wat heb je veel gedaan.'

De eerste nacht deden ze nauwelijks een oog dicht. Voor het eerst dacht Anna: Dit is het nu, het land zonder gedachten.

Later waren ze ongeremd nuchter bezig: ze zochten dingen uit en brachten ze naar de vuilstortplaats. Dat was een imposant, modern complex; zodanig gebouwd dat je er de meeste dingen wel kwijt kon. Er waren kasten voor kleren, grote kisten voor boeken; papier hier, metalen dingen daar.

Zoals afgesproken kwamen Rune en Ingeborg rond het middaguur. Ze waren nu wat verlegener, alsof Rickard hen angst aanjoeg. Hij was zelf ook onzeker.

'Ik ben geen zakenman', zei hij. 'Maar ik heb met een makelaar hier in de stad gebeld en van hem een prijs gekregen, die volgens mij pure oplichterij is. Ongeveer een miljoen kronen.'

'Dat kan wel kloppen', zei Rune.

'Nee', schreeuwde Anna. 'Dat is schandalig, Rickard.'

'Zeker, dat zei ik toch al.'

'Het is de ligging', zei Rune. 'Het uitzicht op zee en het grote stuk grond.'

'Hoogstens achthonderd', zei Anna.

Maar nu was Rune niet langer verlegen: 'Ik ben verdorie niet van plan te profiteren van het feit dat we met financiële analfabeten te maken hebben', zei hij en opeens moesten ze alle vier lachen.

Toen zei Ingeborg: 'We hebben geld hoor, Anna. We hebben het geld van de verzekering voor de boot die is vergaan opgespaard, weet je.'

Voor Rune en Ingeborg was dat vanzelfsprekend, maar Rickard en Anna sloegen hun ogen neer.

'We bezegelen de koop met een borrel', zei Rickard, die het zo wel welletjes vond. 'De rest moeten we maandag maar bij de bank regelen.'

'Het komt wel in orde', zei Rune en toen hij zag met welke whiskey Rickard kwam, voegde hij eraan toe: 'Dat is ook geen slecht spul.'

'Maar Rickard', zei Anna toen de gasten weg waren. 'Waarom heb je gisteren niets tegen mij over de prijs van het huis gezegd? Of vannacht? Of vanochtend?'

'We hadden het zo gezellig, Anna. Ik wilde geen ruzie maken.'

'Ben je bang voor mij?'

'Ja, voor al je ernst.'

Anna voelde hoe die idiote tranen weer begonnen te stromen. Maar Rickard werd boos en riep: 'Waarom kunnen we nou nooit eens zijn zoals anderen? Waarom zijn we niet hartstikke blij dat we opeens rijk zijn, waarom gaan we geen plannen maken voor alles wat we nu met het huis aan het Risjö kunnen doen?'

Toen begon Anna te lachen en ze zei dat hij helemaal gelijk had. Het geld was geweldig. 'En we hoeven geen successierechten te betalen, want dit huis is al jaren van mij. Maar er zit nog wel een hypotheek op van ongeveer honderdduizend kronen.'

'Omdat je voor de verandering bereid bent eens een keer over de trivialiteiten van het leven te praten, kan ik je vertellen dat ik negentigduizend voor de boot heb gehad. En op vaders spaarbank-boekjes stond meer dan vijftigduizend kronen.'

Anna's mond viel open: 'En hij klaagde altijd zo dat hij nooit genoeg geld had. Waarom heb je niets gezegd?'

'Maar Annaatje, waarom heb je niets gevraagd?'

Hij heeft gelijk, dacht Anna. Een normaal mens zou erin geïnteresseerd zijn geweest. Ik moet de realiteit weer in.

'Er is een andere tuin die op me wacht', zei ze.

'Precies, Anna.'

Ze zaten de hele avond aan de keukentafel plannen te maken en te tekenen. Anna besefte meteen dat hij er allang mee bezig was.

'We gaan een nieuwe grote keuken bouwen in een hoek naar het noorden. In een nieuwe aanbouw, snap je? Met ook ruimte voor een badkamer en een bijkeuken. En kasten en andere bergruimte.'

'Met water en een afvoer.'

'Ik heb met een aannemer daar in de buurt gepraat. Er zijn

tegenwoordig wel technische oplossingen voor zulke dingen.'

'Dan hebben we de glazen gang tussen de beide panden. Die zou ik willen verbreden, hier in het midden. Dat kan een soort wintertuin worden, snap je.'

Anna knikte geestdriftig.

'Daar ga ik grootmoeders sofa uit Värmland neerzetten', zei ze.

Ze gingen er zo in op dat het niet lukte om in slaap te vallen en dat was maar goed ook, want rond middernacht ging de telefoon.

Anna verstijfde van schrik. 'Nee', fluisterde ze. Rickard sprong het bed uit en nam op.

'Hallo. Schaam je je niet? Weet je wel hoe laat het is?'

Wie is het?, dacht Anna, maar ze was nu rustig, want hij klonk vrolijk.

'Ja, dat kan wel. Maar wacht even, dan overleg ik even met mijn vrouw.'

Hij riep naar boven dat het Sofie Rieslyn was; ze kwam uit Londen en wilde langs komen om haar foto's te laten zien.

'Ze is welkom', riep Anna, die zo verbouwereerd was als ze maar zijn kon.

'Ik ben helemaal vergeten om naar je boek te vragen', zei ze toen hij terugkwam. 'Het is vreselijk; ik ben zo raar geweest.'

'Dat is nu voorbij, Anna. Maar ik heb je hulp nodig bij de opzet van het boek en met… de taal. Ik zou er iets anders van willen maken dan een gewoon reportageboek. Maar daar hebben we het morgen wel over.'

Wat fijn dat ik klaar ben met mijn manuscript, dacht Anna toen Rickard in slaap was gevallen. Maar hoe heb ik kunnen vergeten dat hij die waarneming in Londen aannam om een boek over de stad te kunnen maken.

Samen met Sofie Rieslyn.

Vlak voor ze in slaap viel besefte ze dat ze voor die beroemde fotografe bang was geweest. Paranoia, dacht ze. Hou je zelf verdomd goed in de gaten, Anna.

'Ze ziet eruit als een kraai', zei Rickard tijdens de ochtendkoffie. Anna was druk aan het regelen, zoals altijd wanneer ze nerveus was: 'Ik ruim vaders kamer wel op. Ik zal het bed voor haar opmaken. En mijn paperassen bij elkaar zoeken. Dan kunnen jullie mijn bureau en de eettafel gebruiken voor jullie werk. En rijd jij even bij Fiskekyrka langs om verse tarbot te kopen.'

'Komt voor elkaar.'

Sofie Rieslyn zag er niet uit als een kraai, meer als een raaf. Ze was klein, had indringende ogen en nam alles goed in zich op. Ze had scherpe vouwen in haar gezicht en witte strengen in haar zwarte haar.

'Je lijkt helemaal niet op de foto's die Rickard van je heeft', zei ze tegen Anna. 'Ik zal nieuwe maken.'

'Pas maar op', zei Rickard. 'Sofie's snelheidsrecord voor portretfoto's staat op vier uur.'

'Maar ik wil het best', zei Anna. 'Ik zou eindelijk wel eens willen weten hoe ik eruitzie.'

'Wie je bent', zei de fotografe. 'Als je verdriet hebt krijg je daar belangstelling voor.'

Het werd een lange, luie zondagse lunch. Na afloop zei Sofie dat ze even wilde gaan liggen.

'Dat begrijp ik', zei Rickard. 'Je kwam gisteravond pas laat klaar.'

Gewoonlijk had Anna moeite met het journalistenjargon en de grove humor. Maar vandaag niet; ze kon ook om het grapje lachen.

's Middags haalde Sofie haar foto's te voorschijn en Rickard floot van bewondering. En kreunde: 'Hoe moet je verdomme nou teksten schrijven bij zulke foto's?'

Anna liep rond de tafels en stond wat te dralen, voordat de andere twee zagen dat ze er bleek en in zichzelf gekeerd bij stond.

Dit is een mens met inzicht, dacht ze. Die altijd bij details stil blijft staan, bij de kleine dingen die alles vertellen.

'Anna, wat is er?'

Ze gaf geen antwoord, maar wendde zich tot Sofie en fluisterde: 'Heb je altijd dit inzicht gehad?'

'Ik geloof het wel.'

'Ik heb het pas verworven. In de drie weken hier aan het strand heb ik het verworven.'

'Dat is goed, Anna. Je zult het niet meer verliezen. Je weet, wie eenmaal gezien heeft…'

'Ik begrijp het.'

Na een hele poos zei Rickard dat hij snapte dat een eenvoudige persmuskiet maar geen vragen moest stellen.

'Precies', zei Sofie, en Anna en zij moesten allebei lachen.

'Valse wijven', zei Rickard en Anna zei meteen troostend, zoals ze gewend was: 'Ik leg het je later wel uit, Rickard.'

'Hallo zeg', zei Sofie en Anna bloosde.

Sofie vertrok dezelfde avond nog; ze moest nodig naar haar atelier in Stockholm, dat ze naar eigen zeggen verwaarloosd had. We zien elkaar weer, zei ze en Anna wist dat dat zo was; zij beiden zouden elkaar weer zien.

Die maandag ontmoetten ze zoals afgesproken Rune en Ingeborg bij de bank. Dinsdags kwamen de kinderen uit Stockholm. Samen haalden ze alles uit het huis en maakten ze het schoon. Malin wilde graag een ladekast en twee leunstoelen hebben en Maria, die boeken altijd onweerstaanbaar vond, pakte de inhoud van de boekenkast in haar auto. Allebei wilden ze wat van het oude porselein en Rickard nam wat van het gereedschap uit Arne's kelder mee.

'Maar jij dan, moeder? Wil jij niets hebben?'

'Jawel, ik neem de sofa uit Värmland die op zolder staat.'

'Goeie genade!'

'Emotionele waarde?'

'Zo zou je het kunnen noemen.'

Op woensdagmiddag waren ze klaar. Donderdagochtend vroeg zouden Rune en Ingeborg de sleutels komen halen. Daarna zouden de volgepakte auto's weg 40 in oostelijke richting nemen en later de E4 naar het noorden.

De lange reis naar huis, dacht Anna.

Na een lichte maaltijd van koud vlees en zalm zei ze: 'Nu moeten jullie eens luisteren. Want nu ga ik een verhaaltje vertellen.'

De ogen van de kleindochters glommen, want ze hielden van Anna's verhalen. Maar Malin zei ongerust: 'Ik kan er niet tegen als je sentimenteel wordt, mammaatje.'

'Stil zitten en luisteren', zei Anna.

En toen vertelde ze over de oude streek aan de grens met Noorwegen, over de waterval en de molen, en over de molenaar die uit Värmland kwam en naar Hanna's hand dong.

'De grootmoeder van jullie grootmoeder', zei ze tegen de kinderen.

Ze vertelde verder over de rijke boerderij, die Hanna's stamvader ooit van de koning zelf had gekregen. Ze vervolgde haar verhaal met de rampjaren, de kinderen die van honger stierven en de boerderij, die in steeds kleinere stukken werd verdeeld.

'Toen de laatste grote boer overleed was de boerderij nog wel wat waard', zei ze. 'Zijn dochter verdeelde de boedel en Hanna werd eigenaar van een molen en van de beesten op de boerderij. Haar broers kregen de kleinere boerderijen.

Maar er was nog een zusje; het was net een elfje. Ze was in Noorwegen getrouwd. Zij kreeg alle sieraden uit de familie. Ze waren net zo veel waard als de andere erfdelen, werd er gezegd.'

Anna liet een foto van Astrid zien en het jongste meisje zei: 'Ze lijkt op oma Johanna.'

'Wat leuk dat je dat ziet', zei Anna.

'Volgens de traditie moesten de sieraden van dochter op dochter in de familie overgaan', ging ze verder en iedereen voelde de spanning stijgen. 'Maar Astrid kreeg geen dochter, dus zij bepaalde dat mijn moeder ze zou krijgen. Het was oorlog in Noorwegen toen ze stierf, maar in de zomer van 1945 kwam er een advocaat hier.

Die dag vergeet ik nooit meer.

En nu Rickard, moet je maar eens geschikt gereedschap pakken. Want nu gaan we de schat uit de kelder halen.'

De kinderen zagen bleek van spanning. Toen ze de keldertrap afliepen waren Maria's ogen groot en donker en Malin moest moeite doen om haar sceptische gezichtsuitdrukking te bewaren.

'Jij mag het uitrekenen, kleine meid', zei Anna. 'Het moeten zestien stenen zijn vanaf de muur aan de noordkant.'

'Hier', zei het meisje.

'Goed, blijf daar maar staan. Lena, jij mag vier stenen tellen vanaf de muur aan de westkant.'

'Daar staat een bierkrat', zei het kind.

'Dan zetten we die weg.'

De stenen vloer lag er netjes en onaangetast bij onder de bierkrat, maar Anna ging verder: 'Rickard, nu moet jij een beitel slaan in de voegen precies daar waar Lena staat.'

'Maar dat is cement.'

'Nee, het is boetseerklei.'

'Godverdorie, ja.'

Hij tilde de eerste steen op, toen de tweede en nog een.

'Een kluis', schreeuwde hij.

'Waar is de sleutel', schreeuwde Malin.

'Die heb ik. Nu nemen we het kistje mee naar de keuken.'

En daar zaten ze; ze keken naar het geglinster op de keukentafel en Malin zei: 'Het is niet normaal. Wat is dat niet waard?' Anna zei dat het nooit getaxeerd was, maar dat ze dacht dat de grote rode stenen van de halsketting robijnen waren en de glintersstenen in de broches briljanten.

'De duurste sieraden horen eigenlijk niet bij de oude erfenis. Dat zijn dingen die Astrid heeft gekregen of zelf heeft gekocht in Oslo. Met de jaren werd haar man rijk.'

Toen tilde ze de twee zware gouden ringen op en ze vertelde het verhaal van de gouden munt, die door de oorlogskoning verloren was, en hoe de boer die hem vond hem liet omsmelten tot ringen voor zijn dochters.

Vervolgens begon ze te lachen en ze zei: 'Nu is het verhaaltje afgelopen. Er rest mij nog een ding. Ik heb een extra sleutel van het kistje bij laten maken, dus nu geef ik er een aan elk van mijn dochters.'

Ze namen de sleutel aan, maar waren niet in staat om haar te bedanken.

'Ik geloof dat jullie je tong hebben verloren', zei Anna in Hanna's oude dialect en ze begon te lachen.

Ten slotte zei Rickard dat het hem allemaal niets verbaasde; hij had altijd wel gedacht dat hij was ingetrouwd bij een familie vol geheimen.

De volgende morgen reden ze in de ochtendschemering bij het huis weg. Ingeborg zei dat ze altijd welkom waren als ze langs wilden komen. Anna bedankte haar, maar net zoals Hanna ooit had gedaan toen ze de molenaarswoning verliet dacht ze: Ik kom hier nooit weer terug.